LE TEMPS DES IVRESSES

Suzanne Valadon**

DU MÊME AUTEUR
(voir en fin de volume)

MICHEL PEYRAMAURE

Le temps des ivresses

SUZANNE VALADON **

ROMAN

ROBERT LAFFONT

1

L'EXIL À MONTMAGNY

MONTMAGNY *(banlieue de Paris), 1897*

Au sortir de la gare de Pierrefitte, lorsque Suzanne arrive par le train de Paris, la route est longue, qui mène à Montmagny et à la villa de la Butte-Pinson, surtout avec la chaleur de cette fin d'été et chargée comme elle l'est. « Longue et raide comme la justice », dit Madeleine qui n'a pas oublié les expressions de sa lointaine province.

Bordée de commerces qui font place peu à peu à des habitations puis à des fermes, la rue principale pique droit vers le sommet de la colline. Sans s'en rendre compte on passe de Pierrefitte à Montmagny et de Montmagny à la Butte-Pinson. Au-delà, l'artère principale s'effiloche à travers un plateau parsemé de cabanes de jardinier et peuplé de nomades campés autour de la Redoute, vestige d'une citadelle à la Vauban.

La villa des Moussis, facile à trouver, toute proche du café-vins Dauberties, l'un des rendez-vous des plâtriers, ne paie pas de mine dans sa robe de meulière.

Suivant son habitude, Suzanne observe un arrêt au Bon Coin, à deux pas du carrefour qui marque la limite des deux agglomérations, s'attable sous le chèvrefeuille de la charmille et commande un bock. La patronne claironne :

— Et un bock bien frais pour Mme Moussis !

Julia, opulente Polonaise dont le mari est contremaître de l'usine à plâtre, ajoute, les poings au creux des hanches :

9

— Monter cette grimpette avec cette chaleur et chargée comme vous l'êtes, c'est pas prudent. Vous auriez pu attendre à la gare : il se serait bien trouvé quelqu'un pour vous amener en voiture !

Elle a raison, Julia. Elle aurait pu ajouter : « À votre âge... » À trente-deux ans, on n'est pas vieille, mais la prudence s'impose. D'ordinaire, ce trajet, Suzanne l'effectue en tilbury, avec sa mule, mais Paul l'a pris la veille pour se rendre à son travail et ne reviendra que ce soir. Ou demain. De son côté elle aurait pu attendre pour se rendre à Paris mais elle manquait de tubes de couleur et de châssis. Une imprudence qu'elle risque de payer d'une grosse fatigue.

— Votre bière est bien fraîche, ajoute Julia. Buvez doucement. Votre barda, vous pouvez le laisser ici. Émile vous le montera.

— Il est moins lourd qu'encombrant. Ces châssis, on ne sait jamais comment les prendre. Ils glissent sous le bras... Prenez quelque chose : vous me tiendrez compagnie.

Julia s'éloigne vers le comptoir, revient avec un diabolo menthe, s'assied.

— Votre fils, Maurice, j'ai appris que vous alliez le faire entrer au collège Rollin, à Pierrefitte. Maison sérieuse. Ça lui fait quel âge ?

— Treize ans et déjà un caractère difficile. À l'école primaire de Montmartre il n'a pas fait de miracles. Il est vrai qu'à son âge je n'en faisais pas non plus.

— Ça vous a pas empêchée de devenir une artiste et de faire un riche mariage.

Sourire de Suzanne derrière son verre embué. Une artiste ? Oui, enfin... c'est ce vers quoi elle tend. Quant au « riche mariage », il est vrai qu'elle ne pouvait espérer mieux. Elle n'a pas eu lieu de regretter que Paul Moussis, l'année précédente, lui ait passé la bague au doigt. Depuis, si ce n'est pas un bonheur de carte postale en couleurs, cela y ressemble. Elle est « établie », comme dit sa mère. Chaque matin, à son

10

réveil, elle ressent la même impression tenace : elle va se laisser emporter un jour de plus comme une péniche sur la Seine, entre deux rives monotones sur lesquelles défilent des images que le temps commence à éroder ; Puvis, Renoir, Degas, Lautrec, Satie... De beaux fantômes, des voix diffuses.

Julia se lève en s'excusant pour gagner sa cuisine d'où vient un parfum de ragoût. Les yeux mi-clos, Suzanne suit d'un regard distrait la carriole de gitans chargée de planchailles, poussée et tractée à la bricole par deux gamins en guenilles. Par-delà le dévalement des toitures, des verdures luxuriantes et des friches envahies par les clématites et les ronciers, sous un floconnage de brume recouvrant la plaine de Saint-Denis et de Saint-Ouen, émergent quelques amers : le clocher de la basilique, des immeubles en construction, des cheminées d'usine. La chaleur commence à tomber.

Retour de sa cuisine, Julia soupire :

— Oui, madame Moussis, vous avez fait un riche mariage. Mon Émile, c'est pas avec son salaire qu'on pourrait se débrouiller. Avec le Bon Coin on joint tout juste les deux bouts mais c'est pas toujours facile.

Elle s'interrompt pour lancer aux deux gamins qui soufflent au carrefour :

— Qu'est-ce que vous avez à nous regarder comme des bêtes curieuses ? Filez, graine de voyou !

Elle reprend :

— Votre mère, on la voit jamais. C'est-y qu'elle est malade ?

— Elle se porte bien, à part ses rhumatismes. Elle a soixante-six ans. Alors... Comme elle ne peut rester sans rien faire, elle s'occupe encore du ménage et de la cuisine.

D'ordinaire, lorsque Suzanne s'arrête au Bon Coin, c'est « bonjour », « bonsoir », ou quelque banalité sur le temps qu'il fait. Aujourd'hui, Julia semble disposée à tailler une bavette. Ce n'est pas tous les jours qu'on peut causer avec cette femme étrange, impressionnante, dont on commence, dit-on, à parler dans la presse. Sous une curiosité légitime se devine pour Julia, sensible à l'expression un peu crispée du visage de l'artiste, à des toussotements, à des frottements de mains sur les genoux, une question difficile à formuler. Suzanne a des rapports courtois avec cette matrone blondasse mais ne semble pas disposée aux confidences.

Julia repousse la pièce que Suzanne a posée sur la table.

— C'est ma tournée, dit-elle. Contente d'avoir bavardé avec vous. C'est pas souvent qu'on en a l'occasion, pas vrai ? Je voulais vous dire, au sujet de votre fils... Vous le savez peut-être pas mais il m'arrive d'avoir sa visite.

— C'est normal. Vous avez un fils du même âge. Ils se connaissent, je crois.

— C'est pas pour mon fils qu'il vient, mais pour boire, et pas de la limonade ! Tenez : un soir il s'est trouvé au comptoir avec des plâtriers, de sacrés soiffards, sauf votre respect. Ils lui ont fait boire un verre de vin, puis un autre. Au troisième, j'ai dit : « Halte-là ! » Le bougre : il m'a insultée. J'ai pensé vous prévenir, mais, après tout, ça me regarde pas.

Suzanne sent la moutarde lui monter au nez.

— Si, justement, Julia, ça vous regarde ! Vous n'avez pas le droit de servir du vin à un mineur. C'est la loi.

Julia réplique d'un air penaud :

— Je sais bien, mais faut comprendre : votre garçon fait plus que son âge. Et puis un client c'est un client. Faut bien vivre.

Pour Suzanne ce n'est pas une révélation. Cela fait des années que Maurice s'adonne à la boisson : depuis qu'avec les voyous de la Butte il écume les réserves des épiceries et des bistrots. La faute en incombe à Madeleine : sous prétexte d'accélérer sa croissance elle lui a donné l'habitude du chabrol en noyant de vin le bouillon restant au fond de son assiette. Il aime ça, le bougre ! Ce qui n'était qu'une habitude est devenu un vice. Suzanne a eu beau se gendarmer, rien n'y a fait : Madeleine que Maurice jugeait cette pratique salutaire. Suzanne ne peut, aujourd'hui, surveiller ses sorties, ses fréquentations, l'enfermer. « Si tu étais moins souvent absente, lui dit Madeleine, nous n'en serions pas là. Moi j'arrive pas à le tenir ! » Elle n'a pas tort. Alors que l'on emménageait à la Butte-Pinson, Suzanne se disait qu'éloigné de ses mauvaises fréquentations, Maurice perdrait ses habitudes d'intempérance. Il a fallu déchanter.

— Faut plus lui donner d'argent, conseilla la patronne, sinon il continuera.

Suzanne ne lui donne pas d'argent ; Madeleine si : pour s'acheter, dit Maurice, des sucreries ou des crayons de couleur. Si Madeleine lui en refuse, il sait dénicher le magot, ou alors il puise dans la poche de monsieur Paul. Aucune notion de moralité ne peut faire obstacle à son penchant.

— Je devine que vous m'en voulez, dit Julia.

— Je vous en veux, c'est vrai, et je vous conseille d'interdire votre comptoir à mon fils. Je ferai la même démarche auprès des autres cafetiers. Quant à Maurice, je lui ferai la leçon. Je ne veux pas qu'il sombre dans l'ivrognerie.

— La leçon, ça suffira pas. Faut le priver d'argent et le punir.

Punir Maurice ? facile à dire. Cette donneuse de conseils connaît pourtant ses colères lorsqu'on s'oppose à sa volonté ou à ses désirs. Elle sait qu'il peut devenir féroce.

— Et M. Moussis, dit Julia, comment prend-il la chose ?

Suzanne hausse les épaules. Lorsque Paul rentre le soir — quand il ne reste pas coucher à Paris —, c'est pour mettre les pieds sous la table, s'installer sur la terrasse ou devant la cheminée et lire les cours de la Bourse dans *Le Temps*. Il sait que Maurice est un garçon difficile mais il ignore ou feint d'ignorer son vice. Dans la petite bourgeoisie à laquelle il se flatte d'appartenir il est de bon ton d'occulter ce genre de problèmes.

— Il faut que je rentre, dit brusquement Suzanne, et je tiens à régler l'addition.

13

Elle fait glisser la pièce vers Julia comme un pion sur un damier. La patronne a dû oublier sa proposition de faire porter le barda à la Butte-Pinson par son mari. Suzanne place les châssis sous son bras.

— Je vous rappelle votre promesse : plus le moindre verre pour mon fils !

Madeleine donnait la pâtée aux canards tandis que Maurice jetait avec un bâton le trouble dans une paisible tribu de tortues d'eau. Derrière, assise dans l'herbe, la petite Rosalie démembrait une vieille poupée.

— Eh bien ! dit la grand-mère, tu en as mis du temps ! Tu es folle de courir avec cette chaleur, chargée comme un baudet !

— Rosalie, dit Suzanne, si tu es prête, nous allons travailler.

La petite voisine hocha la tête : elle était toujours prête pour ces séances de pose qui l'amusaient. L'idée de Suzanne de la choisir comme modèle pour des nus remontait au début de l'été, lorsqu'elle avait observé la fillette en train de jouer à la balle près du bassin avec Maurice. Elle l'avait trouvée jolie et gracieuse dans ses attitudes. Le soir même, en la raccompagnant, elle avait proposé aux grands-parents de la lui confier pour des scènes de toilette. De toilette ? nue ? Oui, nue, et pourquoi pas ? Tous les artistes, depuis toujours, peignaient des nus et de tout âge. Puvis de Chavannes notamment. Oh, alors, si M. Puvis... Reste qu'il fallait en parler aux parents, et rien ne disait qu'ils accepteraient : un honnête ménage d'ouvriers, pensez donc ! Rosalie poserait en présence de la grand-mère ? Là, ça changeait tout...

Après quelques réticences, le conseil de famille avait donné son accord, d'autant plus facilement que Mme Moussis avait promis une récompense : quatre francs ; toujours bon à prendre...

Rosalie n'avait fait aucune difficulté pour se mettre nue. Elle avait l'âge de Maurice, des fesses bien rondes, une poitrine déjà pommelée, des bras un peu maigres mais des jambes parfaites. Une petite femme, déjà.

Lorsque Maurice, ébahi, assistait au déshabillage, Suzanne lui demandait de déguerpir. Pour ne pas lasser la petite, les premières séances avaient été brèves : le temps de jeter sur le papier quelques esquisses au crayon ou au fusain. Rosalie assise au bord du lit, une jambe repliée cachant son sexe impubère... Rosalie debout, se grattant l'épaule... Rosalie ôtant sa chemise... Comme naguère pour les séances de pose avec Maurice, Madeleine était omniprésente pour provoquer un contraste : sa lourde démarche de duègne, ses vêtements épais et ternes mettaient en valeur la grâce et la beauté charnelle du modèle.

Edgar Degas se montra sensible à ce souci d'instaurer des contrastes dans la composition des dessins de la « terrible Maria ». Lorsque Suzanne lui avait présenté ses dernières œuvres il revenait d'une cure au Mont-Dore pour y soigner ses bronches et d'un séjour à Montauban pour y admirer les œuvres d'Ingres.

— Cette enfant, dit-il avec émotion, est l'image même de la vie. Elle semble à peine sortie du ventre de sa mère. Toutes les proportions sont respectées et les attitudes naturelles. Ma petite Maria, on peut dire que vous avez l'œil !

Suzanne avait tout déballé : sanguines sur papier jaune, crayons gras sur papier, pierre noire... Il lui avait acheté deux dessins et s'était promis de lui en faire vendre d'autres. Les collectionneurs commençaient à montrer le bout de leur nez et le coin de leur portefeuille devant ses œuvres.

Ces quelques semaines hors de Paris lui avaient été salutaires mais il lui tardait de retrouver les ballerines de l'Opéra, ses « petites chéries », et ses promenades à travers Paris.

Bien qu'elle signât ses œuvres Suzanne Valadon il persistait à l'appeler Maria. Il s'excusa de ne pas lui avoir écrit plus souvent mais cet exercice lui était de plus en plus pénible : sa vue baissait et il maniait plus aisément le pinceau que la plume. En fait, il ne lui avait jamais écrit.

Degas avait emporté dans son voyage sa « chambre photographique Eastman-Kodak » mais ne s'en était pas servi, malgré la passion qu'il vouait à cet art nouveau pour lui et dans lequel il excellait. Il avait promis à Maria de prendre des clichés d'elle, vêtue ou dénudée, mais semblait y avoir renoncé.

— Cela ne me surprend pas, ma petite, avait dit Zoé. Le maître vous aime beaucoup mais vous l'impressionnez. Je crois qu'il a peur de vous...

Cet amour contrarié par la timidité et la crainte, Suzanne s'efforça de le déceler sur la photo que le sculpteur Paul Bartholomé avait faite du vieil artiste : assis sur le divan, de profil, vêtu de sa blouse d'atelier, accroché aux coussins comme à une bouée ; sous la casquette de sportsman le visage de vieil ermite semblait attendre les premières ombres de la nuit ; on y lisait le désespoir et la tristesse.

Zoé avait ajouté :

— Si le maître ne se montre pas plus audacieux envers vous, c'est à cause de la *vieillerie*, mais il y va aussi de votre faute. J'ai la conviction qu'il vous aime. Je le surprends parfois en admiration devant vos dessins, avec une larme au coin de l'œil. Alors, pourquoi ne pas faire le premier pas ?

Une aventure avec Degas ? Cette perspective aurait séduit Suzanne quelques années auparavant. Aujourd'hui, il était trop tard. Cela aurait ouvert la porte à trop de déceptions, d'amertume, de querelles. Elle se satisfaisait de la confiance et de l'amitié qui les unissaient depuis leur première rencontre.

Suzanne lança ses crayons de sanguine sur la table à dessin et s'écria joyeusement :

— Fini pour aujourd'hui ! Tu peux te rhabiller. Tu sais où se trouve la boîte de chocolats : tu te sers.

Tout en grignotant Rosalie jeta un regard aux esquisses, inclinant la tête de droite et de gauche avec un petit râle de plaisir au creux de la gorge.

— Joli... joli... mais, la grand-mère ?

— Je l'ajouterai plus tard. Je la placerai derrière toi, dans cette scène et dans cette autre. Là, elle sera en train de préparer ton bain...

Suzanne ajouta en l'aidant à se rhabiller :

— Tu vas rentrer bien sagement. Maurice t'accompagnera. Moi, j'ai du travail...

Paul ne rentrera pas ce soir : l'heure est passée où son arrivée est annoncée par les sonnailles de la mule. Il sera resté coucher au 2 de la rue Cortot, dans l'appartement que le ménage a conservé. Ces absences sont coutumières et Suzanne n'y attache guère d'importance, mais il lui aurait plu qu'il fût présent : après des heures dans son atelier, elle appréciait cette présence rassurante, cette tendresse qu'il lui témoignait, cet amour qu'il lui dispensait quand la fatigue ne lui pesait pas trop. Elle sait que ces absences ne sont pas prétexte à des sorties nocturnes. Elle n'a nul besoin de preuves pour se convaincre de la fidélité de Paul : ses certitudes lui suffisent.

Après un an de mariage, Paul a changé, mais en bien. Son visage s'est arrondi et affermi ; la moustache qui lui barre le visage lui donne du sérieux. Sa toilette soignée confirme l'importance de ses fonctions dans sa société. Lorsque, de retour à la Butte-Pinson, il la serre dans ses bras, elle respire sur lui l'odeur du bureau et le parfum qu'elle lui a offert.

À peine la mule dételée il lui dit :

— As-tu bien travaillé aujourd'hui ? Montre-moi...

18

Elle le conduit à l'atelier, déballe ses dessins dont certains vont être publiés par Ambroise Vollard, l'un des meilleurs marchands de Paris. Paul les examine avec soin, y apporte quelques critiques qui révèlent chez lui, à défaut de connaissances artistiques, du bon sens. Suzanne lui fait confiance : il est son premier public, et le plus attentif.

— Cette attitude manque un peu de naturel... Je trouve cette jambe un peu longue... Trop de blanc dans cette ébauche...

Il lui apporte plusieurs fois par semaine des livres et des journaux. Leurs veillées sont paisibles : il se plonge dans la lecture du *Temps*, Suzanne feuillette les gazettes, Madeleine tricote, Maurice suce son porte-plume et bâille sur son devoir.

On pourrait comparer cette scène à une image du bonheur conjugal, mais ce n'en est que l'apparence bien imitée. Lorsque Suzanne s'interroge, elle découvre la même réponse : « Je suis comme une curiste en voie de guérison. » Le bain de bien-être que lui apporte chaque journée fait illusion sur sa vacuité.

Couper définitivement les ponts avec Montmartre : cette idée n'a jamais effleuré Suzanne.

Elle s'y rend seule, une fois ou deux par semaine, par le train ou en tilbury, avec ou sans Paul. Elle passe son temps à courir les galeries et les petits marchands, à flâner dans les rues de la Butte et les allées sauvages du Maquis où des promoteurs immobiliers détruisent pierre à pierre, parcelle à parcelle, ce qui restait de charme agreste dans ces lieux chargés pour elle de souvenirs. Elle rend parfois visite à son ami Paul Bartholomé qui travaille à son projet de monument aux morts du Père-Lachaise, passe une heure ou deux à la terrasse d'un café avec Zandomeneghi, arpente les salles et les galeries du Louvre ou du Luxembourg dont elle ressort avec une impression heureuse de vertige.

Un soir, Paul posa sa canne sur l'épaule de son épouse comme pour l'adouber. Il lui dit d'un air sentencieux :

19

— Samedi, ma chère, vous devrez vous faire belle. Nous dînerons au Grand Hôtel. Mon chef vénéré, M. Fourneuse, nous a invités. Il souhaite vous connaître.

Le Grand Hôtel...

Suzanne avait pénétré pour la première fois dans ce somptueux établissement au bras de Puvis de Chavannes il y avait treize ans, pour fêter le triomphe au Salon du *Bois sacré*. Depuis cet événement elle avait peu revu le maître : il baignait dans les honneurs, recevait des commandes officielles, s'offrait les plus beaux modèles de Paris. Il venait d'épouser la princesse Marie Cantacuzène et avait quitté Pigalle pour la prestigieuse avenue de Villiers. Après toutes ces années il avait dû oublier celle qui avait été à la fois son modèle et sa maîtresse.

Se faire belle ? Facile à dire.

Suzanne passa une heure à essayer toilette sur toilette. Aucune ne lui convenait. Elle finit pourtant par choisir, avec l'assentiment de Paul, une robe en poult-de-soie de couleur puce, serrée à la taille ; elle devrait la porter avec un corset, ce qui la terrorisait à l'avance, habituée qu'elle était à avoir la taille libre bien qu'elle commençât à s'épaissir.

— Le corset est indispensable, dit Paul. Il faudra de même soigner ta coiffure, porter la toque à aigrette noire que je t'ai offerte l'an passé. Fourneuse est très strict en matière de toilette et sa femme est considérée comme un arbitre de la mode dans le quartier de la Bourse. Tu prendras l'éventail peint par Renoir : Fourneuse apprécie cet artiste.

Renoir... S'il l'entendait... Lorsque Aline se plaignait qu'il ne lui donnât pas les moyens de s'habiller correctement, il bougonnait : « Tu m'emmerdes ! Quand il s'agit de mode on dirait que les femmes n'ont plus de cervelle ! »

— Tu devras aussi surveiller ton langage. Fourneuse déteste la vulgarité, surtout chez les femmes.

Fourneuse par-ci... Fourneuse par-là... Il n'y en avait que pour ce potentat. Paul eût été invité à déjeuner à la cour du tsar qu'il eût fait moins de manières. Elle prit la mouche.

20

— J'en ai assez de *ton* Fourneuse ! Tu iras seul à ce déjeuner. Tu diras... tu diras que je suis souffrante !

— Impossible : la table est retenue et ce repas est prévu à ton intention.

Il déploya des trésors d'arguments pour la convaincre, si bien qu'elle finit par céder, décidée au demeurant à se conduire à sa façon.

— Et merde pour Fourneuse et sa femme !

En apparence, Eugène Fourneuse était un homme très ordinaire : fort sans être adipeux, à moitié chauve, visage rouge et carré encadré de favoris comme au bon vieux temps, voix aux accents faubouriens qui détonnait avec son statut social. Son épouse, Irma, semblait détachée d'une gravure de mode ; elle devait être issue de cette caste de bourgeoises mondaines, artistes et volontiers délurées qu'on appelait les *demi-castors* ; elle se piquait de défendre l'avant-garde de la peinture.

Entre le champagne et la hure d'esturgeon Suzanne apprit l'essentiel de ce qu'elle eût préféré ne pas connaître de ces bourgeois : dans leurs rapports avec leurs pairs ils respectaient les notions de grande et de petite saison ; ils possédaient chasse en Gâtinais où ils pratiquaient les « curées aux flambeaux » et villa à Deauville ; ils étaient invités aux bals masqués de Boni de Castellane. Leurs autres obligations mondaines se partageaient entre les parties de chasse à la grouse en Écosse, les courses, les soirées au théâtre ou à l'Opéra (pour elle), les parties de baccara au cercle (pour lui), suivies d'une visite aux « petites femmes ». Il lui avait offert pour son dernier anniversaire un trotteur et un élégant coupé ; elle aurait préféré une rivière de diamants...

Irma minaudait en faisant claquer son étui à cigarettes.

— C'est une vie exténuante, ma chère ! Vous n'imaginez pas. Toujours en réception, en voyage, à la chasse. Je reste parfois des semaines sans avoir une heure à moi !

21

Entre les grives au gratin et le vol-au-vent, Irma Fourneuse lâcha à l'oreille de Suzanne, derrière son éventail :

— Ces obligations sont heureusement compensées par quelques plaisirs. Vous voyez de quoi je parle... Il s'appelle Gaston. C'est un merveilleux baryton de l'Opéra. Si vous l'entendiez dans *Rigoletto*...

Elle ajouta en abaissant sa serviette :

— Je vous appelle Suzanne, appelez-moi Irma.

En allumant son havane entre les fromages et la glace Mangin, Eugène paraissait au bord de l'apoplexie. Conviée à parler de son travail de peintre, Suzanne, mise en verve par le champagne et les vins, raconta quelques anecdotes sur les grands artistes qu'elle avait connus, en dépit des signaux de détresse que Paul lui adressait à travers la fumée de sa cigarette.

— Mon Dieu ! s'exclamait Irma, qu'elle est drôle ! Vous avez de la chance d'avoir vécu dans ce milieu bohème.

— Ma femme est passionnée par la peinture moderne, dit Eugène. Il faudra qu'elle vous montre sa collection d'estampes japonaises érotiques. Son nouveau caprice : elle aimerait que vous fassiez son portrait. À vos conditions, cela va de soi.

— Je suis désolée, Irma. J'ai renoncé depuis quelque temps aux portraits pour me consacrer au dessin, et j'ai de nombreuses commandes en train.

— Mais, voyons, ma chérie..., protesta Paul.

Suzanne le foudroya du regard ; il se tut. Ulcérée de cette réponse qui ressemblait fort à une fin de non-recevoir, Irma jouait nerveusement avec son fume-cigarette.

— Nous en reparlerons, dit Eugène. Au moins trouverez-vous le temps de nous rejoindre en Gâtinais l'automne prochain pour une chasse à courre ? Ce spectacle vous divertira certainement, et notamment la « curée aux flambeaux ».

Suzanne répliqua sèchement :

— J'en doute, monsieur Fourneuse. J'aime trop les animaux pour me divertir à les voir souffrir et mourir.

Elle fut ébahie d'entendre Eugène éclater de rire et s'exclamer :

— Voilà qui est parlé ! J'aime cette franchise, madame Moussis. Au moins accepterez-vous de participer à l'une de nos soirées : un bal mauresque avec des danses orientales en intermède. Des danses du ventre, comme dans l'éléphant du Moulin-Rouge, pour appeler les choses par leur nom.

— Eugène ! glapit Irma. Un peu de décence, je vous prie.

— Il y aura du beau monde, ma chère, poursuivit Eugène. J'ai même prévu d'inviter un chanteur de l'Opéra, un certain Gaston. Il sera costumé en brigand de l'Atlas...

— Cela suffit ! éclata Irma. Vous devenez indécent !

— ... ou trop lucide, ma chère.

Suzanne se leva brusquement et fit signe à Paul de l'imiter. Elle prétexta un rendez-vous urgent. On n'attendrait pas les mazagrans et les liqueurs.

— Ce que femme veut... murmura Eugène. Madame Moussis, j'aime les femmes qui ont du caractère et de la personnalité. Mon épouse vous ressemble au moins sur ce point.

Salutations. Baisemain. Promesse de se revoir.

Dans le tilbury qui les ramenait à leur banlieue, Paul éclata : Suzanne s'était montrée d'une rare incorrection. Qu'est-ce que les Fourneuse allaient penser d'eux ?

— Ça, alors, mon cher, c'est le dernier de mes soucis.

— Pas pour moi ! Fourneuse me tient dans sa main et je veux garder ma situation.

— Il ne te lâchera pas. Tu lui es trop précieux. Tu lui sers de paillasson.

— Je ne te permets pas de dire ça ! Ce ménage est d'un commerce agréable et nous avons tout intérêt à le fréquenter.

— Lui, peut-être. C'est un vieux cochon. Il n'a pas arrêté de me faire du pied. Mais il est compréhensif et indulgent. Quant à elle, tu ne me feras pas changer d'avis : c'est une conne et je n'ai pas envie de la revoir.

Ce fut leur première brouille.

Durant une semaine, il fit chambre à part. Le matin il partait sans l'embrasser, rentrait le soir sans un mot, n'ouvrait pas la bouche durant les repas et allait lire *Le Temps* dans sa chambre.

— Si vous vous êtes chamaillés, dit Madeleine, c'est sûrement ta faute. Je te connais...

— Fous-moi la paix, maman ! Si nous nous sommes engueulés c'est qu'il voudrait m'imposer son Fourneuse et sa bourgeoise.

— J'espère que ça durera pas trop longtemps.

— J'en sais rien ! Nous ne vivons pas dans le même monde, lui et moi, tu comprends ? Lui, c'est les affaires et moi, l'art. Comment veux-tu que ça marche ?

— Au moins tu regrettes ce qui s'est passé ?

— Oui, là, je le regrette ! Mais c'est pas moi qui ferai le premier pas.

— Alors je vais lui parler.

— Je te l'interdis ! C'est pas tes oignons.

Madeleine lui parla. Quelques jours plus tard, à son retour de Paris, il embrassa Suzanne et déposa une enveloppe sur la table.

— C'est un cadeau. J'espère qu'il te plaira.

C'était une petite sanguine de Degas : une fille à sa toilette. Suzanne contempla longuement cette œuvre, sentit ses yeux se mouiller, se jeta dans les bras de son mari.

— Tu ne pouvais pas me faire un plus grand plaisir. Il faut me pardonner si...

— N'y pensons plus. Pour moi c'est oublié.

Il ajouta, resplendissant :

— Dimanche prochain, mes enfants, nous irons déjeuner à Enghien, au bord de la Seine...

Cette sortie à Enghien relevait du serpent de mer. Paul en parlait souvent mais remettait chaque fois son projet aux

24

calendes. Cette fois-ci, il semblait décidé. Madeleine renonça à les suivre : le tilbury ravivait ses rhumatismes. Maurice, lui, était aux anges. Suzanne heureuse.

Le déjeuner les changea de celui du Grand Hôtel : omelette et friture, plantureux plateau de fromages et tarte aux pommes, le tout arrosé de château-chinon avec, pour terminer, des cerises à l'eau-de-vie. Il faisait un doux temps d'arrière-saison. Barques, yoles et vapeurs glissaient avec indolence sur le fleuve, bleu comme dans l'*Argenteuil*, de Manet, qui avait fait un scandale au Salon. Lorsque les musiciens du dimanche se mirent en place pour le bal, Paul se leva.

— Nous allons en « suer une », comme on dit rue de Lappe. Ensuite nous irons nous promener.

Ils dansèrent une valse puis une polka et laissèrent Maurice jouer sur la berge avec des adolescents de son âge.

— J'ai reçu, dit Paul, un carton de Fourneuse. Il nous invite pour le début d'octobre à son bal masqué. Je n'ai pas voulu lui répondre avant de t'en parler.

— Tu sais ce que j'en pense. Pour moi c'est non. Mais toi tu fais comme tu veux.

— Cette invitation m'embête, mais je crains, en refusant, de mécontenter mon patron. Je vais répondre que nous serons absents.

Elle lui prit la main, se serra contre lui.

— Ce soir, tu me feras l'amour. Ça fait près de quinze jours que tu boudes, et moi j'ai besoin de ça, tu comprends ? Je n'ai pas encore l'âge de l'indifférence.

Ils poussèrent jusqu'à une ferme sur le mur de laquelle séchaient des filets, restèrent un moment à regarder évoluer les porcs et la volaille dans la cour.

— À Bessines, dit-elle, c'est moi qui donnais à manger aux poules et aux canards. Je les appelais et ils accouraient. Parfois je prenais une poule et je la caressais. C'était lisse et chaud, surtout sous le ventre. Quand on en tuait une je me cachais et je pleurais.

Le corniaud de la ferme, venu les saluer, effectuait autour d'eux une danse de séduction comme pour les inviter à entrer et à jouer.

— J'aimerais avoir un chien, dit-elle. Un bon gros toutou comme celui que j'avais à Bessines.

— Tu l'auras. C'est promis.

Ils retournèrent à pas lents, bras dessus, bras dessous, vers l'auberge.

— Mon Dieu ! s'écria Suzanne, qu'est-ce qui lui est arrivé ?

Maurice gisait dans un fauteuil de rotin, une blessure au front. La patronne expliqua qu'il avait provoqué un groupe d'adolescents. Une bagarre avait suivi. La blessure était sans gravité.

— Faut dire, ajouta la patronne, que votre gamin a le diable au corps. Il a bu le vin que vous aviez laissé. Ensuite il a fait le tour des tables et vidé les fonds de bouteille. Ah ! il était dans un bel état, le bougre...

Le « bougre » se refusa à la moindre explication et se débattit quand on voulut l'embarquer dans le tilbury. En route, Paul dit à Suzanne :

— Ton fils me donne décidément bien du souci. Qu'allons-nous pouvoir en faire ? Le mettre en pension au collège, peut-être. Ce serait la meilleure solution...

— Ou la pire.

L'attirance pour l'alcool en moins, Suzanne se reconnaissait en lui lorsqu'elle avait son âge : même indépendance d'esprit, même répugnance aux contraintes, même goût de la provocation. Plutôt que de le punir, elle s'efforçait de se mettre à sa place, de découvrir ce qui provoquait son comportement asocial. Elle n'y parvenait pas. Madeleine se contentait de répéter :

— Je me demande de qui il tient ça...

L'entrée au collège se fit sans histoire de la part de Maurice. Il revenait chaque fin de semaine à la Butte-Pinson.

Lorsque ni Paul ni Suzanne ne pouvaient venir le chercher il montait à pied, s'arrêtait devant le Bon Coin et, campé sur le seuil, lançait :

— Julia ! une mominette, vite fait !

Lorsque la Polonaise, indignée, quittait son comptoir il lui faisait un bras d'honneur avant de déguerpir.

Il fallait bien en convenir : Maurice était une nature « difficile ». Les notes rapportées du collège n'étaient pas brillantes : un élève à la limite du médiocre. Suzanne les commentait d'un ton acerbe.

— Deuxième prix en mathématiques ? Pas mal, mais c'est surprenant. Troisième accessit en langue française ? Ben, c'est pas brillant. Quant à tes notes de dessin, je te fais pas de compliments : zéro ! Pourtant tu aimes dessiner, non ?

Il ne pouvait en disconvenir, mais les sujets proposés par M. Perruchot, son professeur, ne l'inspiraient guère : des plâtres de l'Antiquité... Il écoutait d'une oreille distraite les banalités moralisatrices de *monsieur Paul,* comme il appelait son beau-père : dans la vie on ne fait pas forcément ce qu'on a envie de faire... Il faut s'imposer des sacrifices, une discipline si l'on souhaite réussir... Lui, à son âge...

Réussir ? Dans quelle branche et pourquoi ? Certains mots glissaient sur Maurice, vides de sens. Il répondait effrontément qu'il n'avait nul besoin de « réussir » pour vivre ; il connaissait des gens qui vivaient de rien et n'en souffraient pas.

— Je sais à qui tu penses ! répliquait monsieur Paul : aux romanichels de la Redoute. Eh bien, si leur sort te semble digne d'envie, va les rejoindre ! On verra si tu supporteras longtemps leur crasse et leur vermine !

Un soir, par acquit de conscience, il demanda à feuilleter le cahier de dessin de son beau-fils. Des notes inférieures à la moyenne sabraient les marges et des commentaires affligeants fleurissaient en rouge autour des bustes de Périclès ou d'Antinoüs.

— Pitoyable... commenta monsieur Paul. Je serais surpris que tu fasses une carrière dans la peinture, comme ta mère.

Le cahier claqua en se refermant avec un bruit de gifle.

Suzanne dit à Paul, en aparté :

— Ne soyons pas trop sévères avec lui. Une enfance et une jeunesse sans père, j'ai connu ça. Il faut bien convenir que nous ne sommes pas suffisamment présents et ma mère n'a pas une vocation de garde-chiourme.

— J'admets qu'il m'est difficile de le juger, moi qui ai vécu dans une famille unie, prospère, qui ai fréquenté les meilleurs collèges. Mais que faire ? Il m'est impossible d'exercer mon métier depuis la Butte-Pinson pour le surveiller comme à toi de renoncer à tes démarches à Paris.

— Le jour où il fera une grosse bêtise nous serons bien obligés de réagir...

La « grosse bêtise », Maurice la fit durant les fêtes de fin d'année.

En l'absence de sa mère partie faire des emplettes à Paris, Maurice se trouva seul avec Madeleine. Seul et morose. Essayait-il de réviser ? Les mots lui effleuraient l'esprit sans le pénétrer. Se plongeait-il dans la lecture des livres « osés » que monsieur Paul cachait dans sa bibliothèque ? Ils lui tombaient des mains. Il aurait aimé rendre visite à ses copains de la Redoute et vider une bouteille avec eux mais il tombait une pluie mêlée de neige qui le décourageait.

Il se rendit en bâillant au salon où Madeleine somnolait sur son tricot.

— Donne-moi la clé du buffet.

— Je l'ai perdue.

— Alors celle de la cave.

— Monsieur Paul l'a sur lui, tu le sais bien.

Il se gratta nerveusement le crâne.

— Alors faut que je sorte. Donne-moi des sous. Deux ou trois francs, ça ira.

— La cassette est dans le buffet et je te répète que j'ai perdu la clé. D'ailleurs, qu'est-ce que tu veux aller faire dehors avec ce temps de chien ?

— Ça me regarde ! Si tu refuses d'ouvrir le buffet je vais forcer la porte.

Elle se dit qu'il n'oserait pas et laissa faire. Lorsqu'elle entendit le bruit d'une serrure forcée et du verre brisé elle se porta lourdement vers la cuisine et poussa un cri : Maurice était en train de boire l'eau-de-vie des cerises.

— Fameux ! lança-t-il avec un sourire de défi, mais je préfère le vin. La clé de la cave, vite ! Je sais que tu as un double.

Elle jura ses grands dieux qu'elle ne la détenait pas et lui demanda de tout remettre en ordre. Elle expliquerait ce bris de verre par une maladresse de sa part. Il s'approcha d'elle, lui souffla au visage une haleine qui puait l'alcool.

— Je sais où est la clé : dans ta poche, avec ton trousseau.

Il la plaqua contre le buffet, la fouilla, découvrit le trousseau, mais sans la fameuse clé. Tant pis ! il forcerait la serrure.

— Je te l'interdis ! Petit brigand ! Arrête !

Elle saisit une poêle suspendue au-dessus de la cuisinière et l'en menaça. Il éclata de rire, ouvrit la porte du placard à balais, y poussa de force la pauvre vieille et referma en criant :

— Comme ça tu me foutras la paix, la vieille !

Il fit éclater une autre vitre du buffet, tomba sur la boîte à sucre où l'on puisait l'argent des emplettes, fourra quelques pièces dans sa poche en ignorant les gémissements et les coups sourds venant du placard à balais. Il revêtit son manteau, chaussa ses bottes et s'enfonça dans la brouillasse.

Arrivant une heure après Suzanne, Paul flaira une ambiance inhabituelle. Madeleine était déjà au lit et Suzanne aux fourneaux. Quant à Maurice... Il jeta un coup d'œil dans la chambre vide, demanda où il était passé. Suzanne s'éclaircit la voix et parvint à articuler :

— Il est invité à passer la soirée chez les parents de Rosalie et ma mère s'est alitée : une crise de rhumatismes. Elle a même fait des dégâts aux vitres du buffet. Ses pauvres mains, tu comprends ?

Ils dînèrent en tête à tête, silencieux et maussades. À la fin du repas, alors qu'elle rangeait la vaisselle, Paul lui fit part de son trouble : cette atmosphère lui paraissait singulière. Il voulut en avoir le cœur net.

— Tu me caches quelque chose. Où est Maurice ?

— Je te l'ai dit.

— Alors je vais le chercher. Il se fait tard.

— Inutile. La vérité c'est que je ne sais pas où il est. Ça fait plus de trois heures qu'il est parti.

— Et tu restes là sans broncher ! C'est insensé !

— Je ne vais tout de même pas courir les bistrots pour le ramener, avec le temps qu'il fait !

— Eh bien j'y vais, moi !

Il sortit en trombe dans la nuit noire et glacée, fila droit chez Julia. Le « Maumau » ? on ne l'avait pas vu depuis belle lurette. Il descendit jusqu'à Pierrefitte, se rendit directement à la Demi-Lune où on lui fit le même accueil. Au Café de la gare on ne le connaissait même pas. Il poursuivit la tournée des troquets sans plus de succès. À tout hasard, en remontant à la Butte-Pinson, il frappa à la porte des voisins, les Dauberties : pas de Maurice...

C'est alors que Paul songea au campement des nomades. Il y parvint à bout de souffle, sous une bourrasque de pluie glacée, marchant à l'aveuglette dans une boue puante, réveillant au passage les chiens de garde. Il toqua à la porte d'une roulotte : on l'écouta puis on lui ferma la porte au nez. Un jeune romano lui conseilla d'aller voir chez le gardien de la Redoute, le père Sommier.

Il eut du mal à repérer la longue bâtisse sans étage aux vitres de laquelle clignotait la lumière d'une lampe à pétrole. Une grosse femme portant un marmot dans ses bras ne parut pas surprise de le voir.

— Vous venez chercher Maurice ? Il est là.

Maurice était allongé sur des couvertures, au fond de la cuisine. Sommier, qui était occupé à écaler des châtaignes, ne daigna pas se lever. Il désigna son hôte de la pointe du couteau.

— Il est en train de cuver son vin, votre môme. Une fameuse biture, tonnerre de Dieu ! Bourré comme il l'est, il aurait pu attraper la crève à coucher dehors. Devriez mieux le surveiller...

— Il est incapable de vous suivre, dit la femme. Vous inquiétez pas. Mon mari vous le ramènera demain matin.

Suzanne était en train de fignoler une sanguine lorsque Maurice poussa la porte.

— Cette lettre... J'y arrive pas.

Il avait entrepris de rédiger à l'intention de son père une lettre de vœux. Les mots venaient mal ou pas du tout et ne correspondaient en rien aux sentiments qu'il aurait voulu exprimer pour cet inconnu. Il avait beau se répéter : « Mon père... Miguel Utrillo y Molinas est mon père... On dit que c'est un grand artiste... », sa plume restait en panne. Miguel donnait rarement de ses nouvelles ; Suzanne lisait ses lettres et les faisait lire à son fils, sans qu'elle sentît le moindre frémissement dans ses fibres. Quant à Maurice, il restait indifférent : il aimait ce prénom étrange : Miguel, mais le nom d'Utrillo le laissait perplexe.

— Dis-toi bien, Maurice, affirmait Suzanne, qu'Utrillo est aussi ton nom. Répète : « Je m'appelle Maurice Utrillo. »

— Je préfère m'appeler Valadon, comme toi.

Elle lui rappela qu'elle ne signait Suzanne Valadon que pour sa peinture, qu'elle s'appelait Suzanne Moussis. Il regimbait : pour lui elle était Suzanne Valadon et il était son fils. Au collège, d'ailleurs, ses copains l'appelaient Valadon.

— Je vais t'aider, soupira-t-elle. Il faut bien en finir avec cette lettre.

Elle s'assit près de lui, sous la lampe. Il avait revêtu son tablier de collégien, qui sentait le plumier.

31

— Commence : *Mon cher papa...*

— Je préfère : *Mon cher Miguel...* Et après ?

— Après... après... Tu lui dis que tu penses beaucoup à lui et que tu l'aimes.

Il soupira, écrivit : *Je ne veux pas commencer cette nouvelle année sans te dire que je t'aime et que je pense à toi...*

— C'est bien. Continue tout seul.

Maurice poursuivit : *Pourquoi ne viens-tu pas à la maison* ? *Pourquoi ne penses-tu pas à moi ? Je suis bien malheureux parce que maman me dit tout le temps que tu ne reviendras plus jamais près de nous et je pleure en t'écrivant...*

— C'est un peu trop sentimental, dit Suzanne, mais tu es sur la bonne voie. Continue. Je vais aider grand-mère à la cuisine.

Pris soudain d'une vague d'émotion, il rédigea deux pages d'une traite. À travers les lignes laborieusement calligraphiées il lui semblait recomposer mot à mot l'image du père, le dégager d'une brume d'incertitudes, lui conférer une apparence de plus en plus concrète, qui rejoignait l'image qu'il en connaissait par le portrait que sa mère avait conservé et une photo prise à Sitges.

Suzanne lut le brouillon, corrigea quelques fautes, lui conseilla de s'appliquer en le recopiant. On posterait la lettre demain.

En récrivant au propre, Maurice ajouta :

Maman est bien malheureuse et toujours malade. Tu ne la reconnaîtrais plus tellement elle a vieilli. C'est grand-mère qui m'a dit de te l'écrire... Depuis longtemps je voulais t'écrire, mais maman ne voulait pas me donner ton adresse... car elle me disait que tu ne voulais plus me voir[1] *(...)*

Il glissa la lettre dans l'enveloppe qu'il colla.

— C'est bien, dit Suzanne. Tu vois, quand tu veux...

---

1. Texte original.

2

LA SOIRÉE CHEZ VOLLARD

Puvis de Chavannes venait de mourir. Suzanne apprit la nouvelle une semaine plus tard, de la bouche d'Ambroise Vollard. Son déménagement dans l'hôtel de la princesse Cantacuzène ne lui avait pas porté chance : quelques semaines après, son épouse décédait. Puvis l'avait suivie de peu dans la tombe.

Il venait d'achever une de ses grandes compositions : *Sainte Geneviève veillant sur Paris*, pour laquelle la princesse, comme d'autre fois, lui avait servi de modèle. On avait pu admirer ses dernières œuvres peu avant sa mort, à l'exposition Durand-Ruel, parmi d'autres peintres aussi célèbres : Pissarro, Monet, Renoir, Sisley... Suzanne ne l'avait pas revu depuis des années et répugnait à solliciter une visite pour ne pas risquer de troubler son intimité.

— Sa mort n'a pas fait beaucoup de bruit, dit Vollard. Il est vrai qu'avec l'affaire Dreyfus et le barouf que Zola mène autour d'elle avec son « J'accuse », l'art passe au second plan.

Puvis n'avait pas eu d'élèves dignes de ce nom, plutôt quelques épigones au nombre desquels se comptait Suzanne Valadon. Elle avait aimé en lui l'homme plus que l'artiste. En remontant le fil de ses souvenirs elle s'efforçait d'éliminer les éléments incompatibles avec l'image lumineuse qu'elle voulait conserver de lui : leurs longues promenades de Neuilly à Pigalle, ses soliloques sur l'art, leur tendresse...

Que restait-il des maîtres qu'elle avait aimés ? Lautrec, rongé par l'alcoolisme et la syphilis, était insaisissable. Renoir, perclus de rhumatismes, s'était retiré à Essoyes, près de Bar-sur-Seine, où Aline avait sa famille, et ne tarderait pas, disait-il, à se retirer dans le Midi. Erik Satie venait de s'exiler à Auteuil où il vivait entouré des souvenirs de son cher *Biqui*. Seuls Degas et Zandomeneghi s'incrustaient à Paris.

La nouvelle résidence de Suzanne, en l'éloignant de Montmartre, l'avait coupée de quelques relations qui, naguère, avaient donné un sens à son existence. Le succès lent mais continu qui accueillait sa production compensait imparfaitement cet abandon volontaire.

« Un jour, se disait-elle, je reviendrai à Montmartre pour de bon. C'est là qu'est ma vie... »

Ambroise Vollard venait de recevoir les épreuves d'un album de gravures réalisées par Suzanne sur la presse de Degas.

Elle éprouvait vis-à-vis de ce personnage une gêne qui tenait moins à son cadre de vie qu'à sa nature et à son comportement.

La galerie de Vollard se situait au 6 de la rue Laffitte, entre la rue La Fayette et le boulevard Haussmann. Elle ne payait pas de mine avec sa façade jaune sale rébarbative et le désordre qui régnait à l'intérieur. La galerie occupant le rez-de-chaussée se prolongeait en entresol par une sorte de crypte transformée en souk où régnait une odeur insolite de cuisine exotique, ce créole natif de la Réunion y régalant ses amis.

Les rapports avec le marchand étaient difficiles et pénibles. Son aspect relevait d'un compromis entre l'ours et l'« orang-outan ». Plus jeune que Suzanne, il semblait avoir dix ans de plus qu'elle, avec son visage épais de primate, son crâne précocement dégarni, ses yeux de cocker neurasthénique. Il donnait l'impression d'être sur le point de sombrer

36

dans une somnolence profonde, paupières mi-closes et lèvres pendantes.

À leur première rencontre à Montmagny où il s'était invité, Suzanne avait pensé qu'elle ne ferait jamais d'affaires avec ce zombi. Enfoncé dans son fauteuil, il paraissait totalement indifférent aux dessins qu'elle lui présentait et se contentait de pousser de temps à autre un sourd grognement. Il l'avait quittée sans qu'elle ait pu lui arracher un jugement. Quelques jours plus tard il lui demandait de passer rue Laffitte et lui soumettait son projet d'album.

L'existence d'Ambroise Vollard était connue de Moussis. Il savait qu'il avait pris sur le marché de l'art la succession du père Tanguy et de Théo Van Gogh, qu'il avait défendu Renoir, Cézanne, Degas, Gauguin et quelques jeunes peintres encore dans les limbes. Les expositions qu'il organisait dans ce que Suzanne appelait son *foutoir* étaient très fréquentées.

Persuadé qu'ils avaient des tempéraments de maquignon et qu'ils exploitaient la misère et la crédulité des jeunes artistes, Moussis se méfiait des marchands. Il n'avait pas tort mais, pour quelques requins qui évoluaient dans ces eaux, combien d'entre ces négociants avaient fait sortir de l'ombre des peintres qui, sans eux, y seraient demeurés ?

Suzanne avait surpris un jour le fauve dans sa tanière, en pourparlers avec un client amateur de Cézanne. Vollard ne quittait pas des yeux ce jeune bourgeois qui se délectait à contempler des toiles représentant des paysages de Provence, en détaillant chaque coup de pinceau.

— Ce paysage de montagne me plaît particulièrement. Combien en demandez-vous ?

Vollard enleva le tableau et le retourna contre le mur.

— Pas pour vous ! Rien qui puisse vous intéresser.

Le jeune homme se dirigea vers un autre tableau.

— Et celui-ci, pensez-vous qu'il puisse me convenir ?

— Sûrement pas. D'ailleurs il n'est pas à vendre.

Outré, le gandin salua et prit la porte sans un mot.

— Je ne comprends pas, dit Suzanne. Pourquoi avez-vous refusé de vendre ces toiles ?

— Ma fille, je connais ma clientèle. Ce petit monsieur a tourné autour de l'hameçon et reviendra pour y mordre. C'est alors que je lui demanderai le prix fort. Mais ce client-là n'a pas une tête à acheter un Cézanne, ou alors ce sera pour épater la galerie. De toute manière il n'en trouverait pas ailleurs. Cézanne m'écrivait récemment : *Vous seul vendrez mes toiles. Les autres marchands se foutent de ma peinture.*

Intelligent, doué d'un flair magique, dynamique en dépit des apparences, Vollard refusait de se cantonner dans des valeurs acquises. Dix ans auparavant, alors qu'il avait fait son beurre avec les impressionnistes, il s'était mis sur la piste d'un groupe postimpressionniste, les nabis, qui évoluaient entre les estampes japonaises et Gauguin, et dont Maurice Denis était le chef de file. Dix ans plus tard ce groupe se lézardait et chacun reprenait son autonomie, après avoir illuminé comme le passage d'une comète les cimaises parisiennes.

— Vous qui avez un pied-à-terre à Montmartre, dit Vollard, que pensez-vous de ces jeunes fous du Bateau-Lavoir ?

Suzanne n'en pensait pas grand-chose, sinon rien. Au cours de ses haltes rue Cortot elle était passée devant la grande bicoque de la rue Ravignan, plus délabrée que le Château des Brouillards. Picasso vivait là en compagnie d'autres peintres parmi lesquels des compatriotes aussi miséreux que lui.

— Ma question est ridicule, j'en conviens, dit-il. Vous n'avez aucun lien avec eux. Vous vivez dans un autre monde, n'est-ce pas ? en dehors de toutes les modes, de toutes les écoles. C'est ce qui fait votre force et c'est ce que j'aime en vous.

Persuadée que Paul n'aurait pas été à l'aise dans ce milieu et en cet endroit, Suzanne avait décidé de se rendre seule à la soirée à laquelle Vollard l'avait conviée, en prenant soin de la prévenir d'éviter les recherches de toilette. Elle pouvait venir en cheveux.

C'était au début de 1899, quelques mois après la sortie de son album de gravures, par un temps de neige. L'ouvrage publié par Vollard avait attiré l'attention des critiques d'art sur Suzanne Valadon. Elle voisinait dans le catalogue avec des noms illustres.

C'est Misia Natanson qui l'accueillit. Vollard, aidé d'un maître queux et d'accortes servantes, était aux fourneaux. En quelques mots, en dégustant un punch, cette grande blonde élégante la mit au courant de sa situation : elle s'appelait de son nom de famille Gobebska, était l'épouse de Thadée Natanson, rejeton d'une famille de banquiers juifs polonais établie en France. Ils possédaient une importante collection, notamment de nabis, dans leur hôtel de la rue Saint-Florentin.

— Ma chère, dit Misia, nous avons deux de vos sanguines et nous en sommes fiers. Votre modèle était, autant qu'il m'en souvienne, votre femme de ménage, Catherine.

— Votre mémoire est excellente. Cette femme passait plus de temps à poser pour moi qu'au ménage. Elle était grosse et laide mais ce n'est pas parmi les girls de Mortimer que je choisis mes modèles.

Misia paraissait peu pressée de rejoindre ses amis dans la crypte de l'entresol d'où montaient déjà une rumeur joyeuse et une savoureuse odeur de cuisine. Misia reprit :

— C'est Edgar Degas qui le premier m'a parlé de vous. Nous l'avons invité à plusieurs reprises rue Saint-Florentin. Il s'est chaque fois montré insupportable, contestant son voisinage à table, jetant des piques à tort et à travers, critiquant la qualité des vins, se lançant dans des charges contre les dreyfusards. Il n'accepte d'être reçu que dans des familles où il n'y a ni enfant ni chien ni Juif. C'est dire que nous nous passons désormais de sa présence.

Sans cesser de parler, de fumer des crapulos dans son fume-cigarette d'ambre cerclé d'or, de savourer son punch,

Misia fouillait d'un doigt léger dans les peintures alignées le long des murs.

— J'abuse peut-être de votre patience, dit-elle, mais, au milieu de ces exaltés, de ces rabâcheurs, nous aurions du mal à converser sérieusement. Attendez-moi là, dans ce fauteuil, je vais vous chercher un punch.

Quelques minutes plus tard elle présentait un verre à Suzanne et lui offrait une cigarette.

— Votre parfum m'intrigue, dit Suzanne. Il vous *habille* parfaitement.

— Héliotrope blanc, dit Misia. Je vous donnerai l'adresse de mon parfumeur, si cela vous tente. Si je me permets de vous retenir quelques minutes, c'est pour vous parler de Lautrec. Nous l'avons hébergé l'été dernier dans notre domaine de Villeneuve-sur-Yonne. Il n'allait pas fort. Il restait des jours sans paraître à table, à demeurer enfermé dans sa chambre, à rêvasser, à boire, à écrire à sa mère pour lui réclamer de l'argent, à travailler sans conviction. Il ne fera pas de vieux os : l'alcool et la syphilis ne font pas bon ménage, surtout quand on y ajoute l'éther et l'opium. Oui, notre ami se drogue, ma chère. Pour oublier. Vous notamment.

— M'oublier, moi ? Je croyais que c'était fait !

— Allons donc ! Vous savez bien qu'il a mal accepté votre rupture. Vous avez été la seule femme qu'il ait vraiment aimée. À Villeneuve il me parlait souvent de vous. De vous et de son cormoran.

Lautrec avait acheté et apprivoisé ce cormoran qu'il appelait Tom et qu'il promenait sur la plage de Taussat, près d'Arcachon. Un chasseur imbécile l'avait tué.

Au début de l'année il avait été conduit dans une maison de santé de Neuilly où il était resté plusieurs mois. Misia était allée lui rendre visite et l'avait sermonné : mener cette vie de patachon, passer des nuits au bordel, boire et se droguer le conduiraient rapidement au cimetière. Il s'en foutait. Il lui avait répondu avec sa désinvolture habituelle : « T'occupe pas de ça, Charlotte ! »

Après avoir quitté la rue Tourlaque il s'était installé rue Frochot, près de Pigalle pour y travailler et avait loué un appartement rue de Douai. Il avait invité ses amis à pendre la crémaillère et leur avait offert du lait !

— Selon vous, demanda Suzanne, combien de temps lui reste-t-il à vivre ?

— Deux ans... Trois tout au plus... Vous devriez lui rendre visite.

— Je n'en ai pas le courage. D'ailleurs, à quoi bon ?

La main de Misia se posa sur l'épaule de Suzanne.

— Allez-y, je vous en prie. Pour lui. Il a besoin d'amitié. De même, faites-moi le plaisir de votre visite rue Saint-Florentin. J'ai l'impression que nous avons beaucoup de choses à nous dire.

Suzanne hocha la tête en se disant qu'elle se garderait de répondre à cette invitation : Misia vivait dans un monde trop différent du sien, comme les Fourneuse. Tout ce qu'elles avaient à se dire elles se l'étaient dit.

Vollard surgit de l'entresol, le visage congestionné par le feu des fourneaux.

— Nous allons passer à table ! s'écria-t-il. Nos amis vous réclament.

Elles furent accueillies par des regards interrogateurs et quelques acclamations de gens qui connaissaient Suzanne mais qu'elle-même ne se souvenait pas avoir rencontrés. Vollard lui fit servir un autre verre de punch. Il avait un peu forcé sur le rhum qu'il se faisait envoyer de la Réunion où son père était notaire. À part Maurice Denis, Odilon Redon, Alfred Jarry, qu'elle avait croisés dans diverses expositions ou des cafés d'artistes, les autres convives lui étaient inconnus. Misia les lui nomma : des poètes, des romanciers de seconde zone mêlés à des célébrités comme Octave Mirbeau.

Vollard laissa ses invités s'installer à leur guise et réclama le silence pour expliquer qu'à la Réunion la préparation des repas est d'une simplicité biblique : les femmes jettent du riz mélangé à de l'eau dans une calebasse qu'elles placent sur un feu de débris de canne et laissent cuire le temps de la sieste. Quand elles se réveillent le riz est cuit à point...

— Et il est délicieux ! Les indigènes ne possèdent pas de montre. Le sommeil est leur unité de temps.

Misia se pencha à l'oreille de Suzanne.

— En matière de sommeil, notre ami s'y entend. Au bout d'un moment il s'endormira. On dit qu'il a été piqué dans sa jeunesse par la mouche tsé-tsé. Quant à l'histoire qu'il raconte, elle est sûrement inventée.

Les conversations roulaient tambour battant, brouillonnes mais intenses. Elles portaient sur l'affaire Dreyfus, la première de la *Pavane pour une infante défunte*, de Maurice Ravel, sur le soutien de la gauche au ministère Waldeck-Rousseau, sur l'exposition du groupe nabi à la galerie Durand-Ruel, sur la première à l'Opéra des *Troyens*, d'Hector Berlioz, sur la guerre des Boers qui venait d'éclater en Afrique du Sud...

Habituée aux paisibles dîners sous la lampe, à la Butte-Pinson, Suzanne se sentait ballottée comme dans une tempête. Engourdie par le rhum et les vins capiteux, elle avait peine à suivre les conversations qui bourdonnaient autour d'elle et a fortiori à y participer.

Les plats succédaient aux plats sans marquer de trêve. Le cuisinier métis les annonçait et les commentait sans omettre de mentionner les épices dont ils étaient relevés.

— Cela nous met le palais en feu, dit Misia, mais, Dieu merci, nous avons de quoi le combattre. Que dites-vous de ce bourgogne, Suzanne ? Eh bien, secouez-vous, ma chère ! Vous n'allez pas imiter Ambroise et vous endormir !

L'une des servantes, Odette, piquante dans son costume des îles, se penchait fréquemment à l'oreille de Misia ; elles éclataient de rire, se jetaient de rapides baisers sur les lèvres en se tenant la main, les doigts croisés.

Le voisin de gauche de Suzanne, le poète Léon Dierx, paraissait bien connaître cette servante.

— Joli brin de fille, n'est-ce pas, madame Valadon. Mais mieux vaut ne pas l'approcher de trop près : elle peut vous mener en enfer.

— Travaillerait-elle, répondit Suzanne, dans la boîte du boulevard de Rochechouart qui porte ce nom ?

Dierx éclata de rire.

— C'est une ancienne servante du Hanneton, une amie de Marie de Régnier, la femme du poète, de Colette Willy, de Pierre Louÿs qui s'en est inspiré, dit-on, pour ses *Chansons de Bilitis*. Misia est sa compagne la plus proche. Une relation qui risque d'ébranler son ménage déjà vacillant. Ma chère, ne vous formalisez pas de mes propos. De nos jours, toutes les femmes du monde sont lesbiennes ou rêvent de le devenir.

Misia intervint bruyamment.

— De quoi parliez-vous, cachottiers ?

— Nous méditions, dit Dierx, sur le mot de cet inverti de Jean Lorrain : *Fin de siècle, fin de sexe !*

— Très drôle, dit Misia d'une voix pincée.

Après deux verres de punch et des libations de bourgogne, Suzanne commençait à sombrer dans une brume où floconnaient des images de marines à cocotiers et de corps à la Gauguin. De temps en temps elle sentait la cuisse brûlante de Misia presser la sienne et sa tête s'appuyer contre son épaule dans un effluve d'héliotrope blanc et d'épices.

— Odette, dit Misia, me racontait qu'Ambroise est amoureux d'elle et qu'à la fin de ces bamboches il l'oblige à partir de peur de ne pouvoir résister à la tentation. En amour il est d'un étonnant élitisme : il lui faut des femmes de la haute société ou personne.

— Vous aurait-il fait des avances ?

— Dieu m'en garde ! Vous me voyez en train de faire l'amour avec cet orang-outan ?

Alors qu'affluait sur la grande table la théorie des desserts exotiques, Suzanne, à travers la fumée opaque de la tabagie, parvenait mal à distinguer les convives qui lui faisaient face et dont les silhouettes confuses se balançaient comme des peupliers sous le vent. Son fume-cigarette planté dans ses moustaches, Mirbeau ne la quittait pas des yeux. Elle avait du mal à reconnaître Alfred Jarry qui déblatérait après s'être fait une barbe de crème chantilly. Un cigare aux lèvres, yeux mi-clos, Odilon Redon levait et abaissait la main sur la table comme pour donner sa bénédiction.

Il lui semblait avoir de la pâte d'amandes à la place des gencives lorsqu'elle dit à Misia :

— Je ne me sens pas bien. Je vais partir. Pardonnez-moi.

Elle ne put en dire plus. Misia posa ses mains sur ses épaules pour la maintenir assise et lui appliqua un baiser sur les lèvres.

— Ne pars pas encore, ma chérie. La soirée n'est pas terminée. Ambroise ne te pardonnerait pas ta désertion.

Vollard sortait de temps à autre de sa torpeur, avalait une gorgée de vin, piquait un morceau dans son assiette, puis ses paupières lourdes s'affaissaient sur les petits yeux gris qui allaient et venaient avec une régularité d'automate, ne perdant rien de l'attitude et des conversations de ses convives.

Misia sortit de son réticule un étui de cuir noué d'un lacet et commença à rouler une cigarette. Elle la tendit à Suzanne.

— Tu vas fumer ça, dit-elle, et ton malaise disparaîtra. Ce n'est pas du tabac mais du haschisch. Il faut aspirer profondément et garder la fumée en toi le plus longtemps possible.

Elle alluma la cigarette, la glissa entre les lèvres de Suzanne, en roula une autre pour elle et Odette, ajoutant :

— Les couche-tôt ne vont pas tarder à se débiner. Odette, prépare-toi à faire ton numéro.

— Faut que je demande la permission à M. Vollard.

— Il ne refusera pas.

Odilon Redon et sa femme, une créole antillaise, filèrent à l'anglaise. Jarry, accompagné d'une créature dépoitraillée, lut un poème pour annoncer qu'il levait l'ancre. Deux autres couples suivirent, accompagnés par Mirbeau qui baisa la main de Suzanne : il aurait aimé parler avec elle ; sa collection de peintures comptait plusieurs de ses œuvres. Dierx s'était littéralement évaporé.

Pendant que les servantes débarrassaient la table en ne laissant aux deux bouts que des coupelles d'hibiscus et d'orchidées, le maître queux, Raymond, joua sur sa guitare quelques airs de la Réunion et de Maurice en fumant une petite pipe de bambou qui répandait une odeur opiacée.

Misia paraissait sérieusement allumée. Dressée sur sa chaise, elle lança :

— Place au spectacle, mes amis. Au programme : une « vision d'art », comme aux Folies-Bergère, mais en plus pimentée. Ouvrez vos mirettes !

Comme à travers un voile de gaze Suzanne perçut la silhouette d'une longue femme nue qui, en s'aidant d'une chaise, escaladait la table. Comme dans le poème de Baudelaire, elle n'avait gardé que ses *bijoux sonores* et un foulard des îles qui faisait deux cornes sur sa tête. Le temps que Raymond égrène quelques notes sur sa guitare, elle garda la posture de la statue de cire que Degas avait modelée d'après l'une de ses « petites chéries » de l'Opéra, sauf qu'Odette avait piqué dans la toison de son pubis des boutons de rose et un gros gardénia.

Soudain, comme sur un déclic d'automate, la statue s'anima avec des mouvements de filao dans le vent du large. Les bras dressés en gestes serpentins semblaient cueillir des fruits ou des fleurs dans un arbre invisible, les jambes mimer une marche sur le sable d'une plage dans une rumeur d'océan, le ventre tressauter comme pour mimer le plaisir. Elle tomba à genoux, cuisses ouvertes, sa lourde chevelure rousse balayant la nappe, la croupe animée d'un mouvement de possession, puis elle se releva lentement, se tendit de toutes ses fibres vers le lustre comme pour en absorber la lumière par tous ses pores. Dans l'épaisse fumée qui noyait la crypte, elle prenait insensiblement l'apparence d'une statue barbare évadée des Marquises ou des forêts vierges du Douanier Rousseau. La chaleur ambiante et l'effort faisaient sourdre de sa peau une nacre humide qui lui donnait la carnation des statues de Gauguin dont Vollard avait meublé son appartement.

La fumée du haschisch aidant, Suzanne se sentait projetée dans un exil bienheureux, un Éden sauvage où s'abolissaient le futur et le passé, où le présent dansait sur un fil d'émotion. C'était mieux qu'un rêve : la transposition d'une réalité à une autre.

Lorsque la danseuse se pencha vers elle et Misia pour les prendre dans ses bras, qu'elle respira son odeur musquée et son souffle âpre, elle se dit qu'il est des réalités que même les rêves les plus débridés n'auraient pu lui proposer. Lorsque Vollard, qui venait de se lever pesamment, donna le signal de la fin, Suzanne tenta de s'arracher à sa chaise et dut se cramponner au bord de la table pour ne pas s'écrouler.

Soudain tout chavira autour d'elle dans un grésillement de guitare en folie.

C'est une sensation de froid qui réveilla Suzanne. Il faisait grand jour. Elle enjamba le corps d'une femme endormie, s'avança en titubant vers le carré de lumière blanche, écarta le rideau de la fenêtre et cligna les yeux.

Où se trouvait-elle ? Dans quel quartier, dans quelle rue ? La neige avait recouvert les toits et la chaussée jusqu'au jardin public qui occupait l'extrémité de la rue et composait une délicate fantaisie de Noël.

Prise d'une soudaine nausée, elle alla vomir dans le cabinet de toilette. De retour dans la chambre elle constata avec effroi que la pendule marquait dix heures. Deux femmes, Misia et Odette, dormaient nues sous une couverture. Assise au bord du lit dont les montants avaient été sculptés par Gauguin de motifs polynésiens, elle s'efforça de reconstituer la soirée de la veille. Des images émergeaient sans lien entre elles, par bribes, confuses comme ces rêves que, le matin, on tente de rattraper par la queue. Elle se dit qu'elle devait partir, qu'on allait s'inquiéter à la maison.

Elle fit une rapide toilette et s'habilla sans que ni Misia ni Odette se réveillent. Vollard dormait encore, vêtu du costume qu'il portait la veille, allongé sur le divan de la salle à manger, ronflant comme un bienheureux.

Le froid était intense. Elle se serra dans son manteau et se dirigea vers la station de fiacres, près du jardin. Elle se hissa dans le premier qu'elle trouva et lança :

— À la gare du Nord !

3

NU SUR UN DIVAN

Avec Maurice ils n'étaient pas au bout de leurs surprises.

Monsieur Paul fut le premier à s'interroger. En ouvrant la lettre du collège annonçant la distribution des prix, il eut un sursaut d'étonnement : Maurice Utrillo était « à l'honneur » ; il avait décroché une mention en morale pratique. Maurice, une mention ! Maurice, à l'honneur !

La deuxième surprise arriva à la famille sous forme d'une lettre personnelle du directeur faisant état des commentaires des professeurs : on reprochait à l'élève Utrillo Maurice insuffisances, négligences et absences répétées.

— Je ne comprends pas, dit Suzanne. Un jour nous apprenons que tu es un élève « honorable » et « honoré », et le lendemain que tu es un cancre. Ça rime à quoi ces *absences répétées* ?

Il ne se laissa pas démonter, répliqua avec aplomb :

— J'ai fait comme toi : j'ai séché les cours qui me barbaient.

— Apparemment tous ou presque tc *barbaient*, sauf la morale appliquée. Toi, champion de la morale... Je rêve !

Un post-scriptum avertissait la famille que Maurice et quelques autres élèves de son acabit seraient appelés à redoubler. C'était à n'y rien comprendre : un prix d'honneur qui redoublait !

— C'est un collège de fous ! Je vais demander une entre-vue au directeur.

— Inutile. J'ai décidé d'arrêter mes études.

— Tu préfères travailler ? Et dans quelle profession ?

Maurice haussa les épaules. Monsieur Paul avait le bras long. Il lui trouverait une situation.

— Tu veux dire une sinécure ! Une place où tu pourrais t'absenter à ta guise.

C'était bien ce qu'il souhaitait : ce que la grand-mère appelait un *plaçou*. Ou alors rejoindre ses amis nomades qui, eux, savaient vivre et appréciaient la liberté. Ils le connais-saient bien, lui offraient à chacune de ses visites un canon de rouge. Il lutinait leurs filles, les aidait à rechercher des escar-gots, des hérissons, des couleuvres. Lorsqu'il revenait de la Redoute, sa mère respirait sur lui une étrange odeur de vin, de feu de bois et de poussière.

À la fin du mois de juin, Paul et Suzanne assistèrent à la distribution des prix. Lorsque Maurice monta sur l'estrade, auréolé de son prix d'honneur, ils se dirent qu'ils avaient peut-être, un peu hâtivement, préjugé de sa nature, qu'il leur cachait des qualités.

Paul avait son idée : client du Crédit lyonnais, il avait de bons rapports avec le directeur de la succursale du boulevard des Italiens ; il lui demanderait un emploi pour son beau-fils.

— Bonne idée, dit Suzanne.

Elle n'en croyait rien : Maurice était fait pour des petits boulots provisoires ou des expédients. Même sous le patro-nage de monsieur Paul, il était à craindre qu'il ne fît jamais rien de bon de sa vie.

— Tu as tort de le mésestimer, dit Paul. Inséré dans un service, avec un minimum de responsabilités et un salaire modique, il pourrait renoncer à son vice et à ses excentricités.

Les festivités qui marquèrent le passage au xxᵉ siècle furent sans incidence sur la vie du couple. Si l'on dédaigne les manifestations officielles et artificielles, un siècle qui bascule dans le passé ne se traduit par aucun signe tangible. Sur les hauteurs de la Butte-Pinson, l'horizon, ce matin du 1er janvier 1900, se révélait identique à celui de la veille : même pluie insistante, même brouillard sur la plaine de Saint-Denis. On avait simplement observé dans la nuit un semis inhabituel de lumières à Pierrefitte et Montmagny, des rumeurs de musique et de chants, des pétarades comme pour le 14 Juillet.

Paul avait passé la nuit de la Saint-Sylvestre chez les Fourneuse. Suzanne s'était récusée : elle ne tenait pas à affronter les harcèlements d'Eugène et les élucubrations d'Irma.

Elle avait repoussé une autre invitation : Misia Natanson souhaitait qu'elle la rejoignît au Weber pour le réveillon ; elle y retrouverait la bande à Villard. Elle prétexta une indisposition, et elle ne mentait pas.

Parfois, le matin, en faisant sa toilette, elle confie au miroir le soin d'un bilan. Maudit témoin ! Chaque fois l'envie la prend de le fracasser, de faire disparaître avec lui l'image de cette femme de trente-cinq ans, au visage déjà empâté, aux yeux fatigués, à la mine plombée, aux formes alourdies.

Un jour, sur le mode ironique, elle s'était plainte à Paul de ce qu'elle considérait comme le début d'une déchéance physique. Il lui avait répondu en la prenant dans ses bras :

— Quelle idée, ma chérie ! T'ai-je jamais donné l'impression de te considérer comme un laideron ? Je t'aime toujours autant, tu le sais.

Elle le savait. Paul ne la négligeait pas, même si elle eût aimé de sa part plus d'assiduité et de flamme.

Au mois d'avril, ils allèrent en famille visiter l'Exposition universelle installée au Champ-de-Mars, que le président Loubet venait d'inaugurer en même temps que le pont Alexandre III. Ils y passèrent la journée, déjeunèrent au restaurant du Transsibérien, dans le dining-car d'où l'on assistait à la projection d'un *panorama mouvant*. Paul acheta un jeu de poupées russes pour sa femme, des chocolats suisses pour Madeleine et, pour son beau-fils, une trompette qui sonnait « sous les vibrations de la voix ».

Au retour Maurice insista pour que l'on prît le chemin de fer métropolitain dont la première ligne allait de l'Étoile à la Nation.

Il y avait ainsi, dans la vie de Suzanne, des jours bien calmes qui ressemblaient au bonheur.

Depuis l'invitation des Fourneuse au Grand Hôtel, Suzanne supputait l'existence d'une liaison entre Paul et la belle Irma, mais sans faire jamais état de ses soupçons. Jalouse ? même pas. La jalousie est le corollaire de l'amour et ce qu'elle éprouvait pour son mari inclinait de plus en plus vers une banale affection, avec par moments des élans de tendresse auxquels il répondait sans affectation. Elle se gardait par fierté de fouiller les poches de ses complets mais respirait sur eux des effluves différents des parfums qu'elle lui avait offerts. Dans le milieu familial de Paul, si l'adultère était en quelque sorte banalisé, le mot de divorce était honni. Le vaudeville, oui, le drame, non ! Il eût été singulier que Paul, lorsqu'il découchait, ne suivît pas son patron et complice à une table de baccara, puis dans une maison de filles. Elle avait d'ailleurs la quasi-certitude qu'il en était ainsi.

Elle ne pouvait passer plus de deux ou trois jours à la Butte-Pinson sans ressentir, comme une chape de plomb, les premières atteintes de l'ennui.

Elle respirait dans cette maison un air à la fois confiné et lénifiant. Les objets devenaient étrangement obéissants ; ils avaient pris de la mollesse, de la soumission. Elle avait parfois l'impression de vivre dans un monde où la moindre révolte, le moindre accès de mauvaise humeur menacerait d'occasionner des séismes. Il convenait de marcher doucement, à pas feutrés, de parler sans hausser le ton, ne pas chanter trop haut pour ne pas risquer de provoquer des lézardes.

Au début de cette année 1900, Suzanne décida de s'essayer de nouveau à la peinture.

Elle se souvenait d'avoir abordé cette technique, quelques années auparavant, à l'incitation de Degas et de Zando, non sans quelque réticence. Elle avait l'impression d'aborder un monde hostile qui, pour s'entrouvrir, réclamait un sésame qu'elle ne possédait pas encore. Elle se souvenait de la réaction du vieux peintre quand, huit ans auparavant, elle lui avait présenté sa première œuvre peinte : la *Jeune Fille faisant du tricot.* Enthousiaste, il l'avait incitée à persévérer. La suite, il en était convenu, était décevante. Autant ses dessins lui semblaient témoigner d'un talent inné, autant la pratique du pinceau lui semblait gauche, non aboutie. Dans ce domaine nouveau pour elle, Suzanne avait tout à apprendre ; en premier lieu à maîtriser ses appréhensions. Le public exigeait d'elle autre chose que des dessins, des pastels, des sanguines ; elle le sentait à l'affût, prêt à briser ses nouvelles tentatives.

Un premier essai, en ce début d'année, fut une déception. Pour la Saint-Sylvestre, Paul lui avait offert un chevalet perfectionné, doté d'une poulie et d'une crémaillère. La belle affaire ! Ce n'était pas ce qui lui donnerait du talent.

En réalisant son autoportrait on eût dit qu'elle se vengeait en les soulignant des signes d'une proche déchéance physique. Elle avait accentué le trait jusqu'à la violence, traçant des rides où il n'y en avait pas, forçant le pli amer des lèvres, ébouriffant sa chevelure.

— Mais, maman, ce n'est pas toi ! avait protesté Maurice.

— On te donnerait cinquante ans ! avait glapi Madeleine.

— Non, vraiment, avait renchéri Paul, ça ne te ressemble pas. On dirait que tu as cherché sciemment à t'enlaidir.

Elle en était convenue et avait détruit son œuvre.

Suzanne faillit renoncer définitivement au pinceau lorsqu'elle reçut, à quelques mois de là, une visite qu'elle n'attendait plus : celle de son amie Clotilde qu'elle alla chercher à la gare en tilbury.

Cette visite ne l'enchantait guère. Son installation à Montmagny lui avait permis de couper court à des rapports qui lui étaient devenus importuns : elle voyait en Clotilde l'image récurrente d'un passé fait de misère, de petites passions, d'amours misérables, qu'elle souhaitait oublier.

Clotilde avait bien changé. Sous la voilette, son visage était celui d'une duègne : lèvres épaisses fardées d'un rouge outrancier, à la Van Dongen, triple menton, cheveu lisse et gras.

— Tu es superbe ! lui dit Suzanne en l'embrassant.

— Si tu fais allusion à ma toilette, peut-être, parce que je ne m'habille pas au décrochez-moi-ça. Pour le reste, n'en parlons pas.

Elle était montée en grade au Hanneton : la patronne lui avait confié les responsabilités de la boîte, avec un honnête pourcentage sur les consommations. Sa clientèle *up to date* se composait essentiellement d'Américaines et d'Anglaises. Elle faisait sa pelote en attendant de lever le pied pour d'autres perspectives.

Elles passèrent ensemble une agréable journée de juin. Accompagnées de Maurice et du chien Lello que Paul avait offert à Suzanne pour son anniversaire, elles traversèrent la forêt de Montmorency et déjeunèrent dans une auberge de Sarcelles.

Au retour elles s'attardèrent dans la chambre-atelier. Suzanne offrit à son amie l'album publié par Vollard, avec une dédicace à son *amie de toujours*, lui montra ses derniers dessins, ceux notamment qui concernaient la petite Rosalie.

— C'est excellent, dit Clotilde, mais je regrette que tu aies renoncé à la peinture. J'aimais bien celles que tu faisais de moi il y a quelques années. Pourquoi as-tu abandonné ? S'il te manque un modèle adulte, je suis à ta disposition, encore que mon galbe ait subi quelques dommages. L'abus d'alcool, tu comprends...

Elles convinrent de se retrouver rue Cortot où Suzanne avait conservé un modeste atelier : le vieux chevalet de Renoir, vestige de l'époque où il allait *paysager* sur les bords de la Seine avec Gauzy, quelques toiles vierges, un reliquat de pinceaux et de tubes...

— Tu risques d'être déçue, lui dit Clotilde.

— La beauté du corps m'importe peu. C'est sa vérité qui m'intéresse. Je ne suis pas obsédée par la grâce et je ne chercherai pas à t'avantager. Te voilà prévenue.

Elles se retrouvaient une fois par semaine rue Cortot. L'élaboration de la toile allait bon train : à chaque séance une dizaine d'études de diverses attitudes. Petit à petit, Suzanne s'acheminait vers la formule définitive : le modèle allongé sur le divan comme un cétacé rejeté par la mer, mamelles lourdes, ventre flasque, cuisses de matrone.

— Ouais... marmonnait Clotilde. On peut pas dire que tu m'aies avantagée, mais j'ai relevé le défi. Comment vas-tu intituler cette toile ?

— Simplement *Nu sur un divan*, ou quelque chose de ce genre. Il faudra une semaine au moins pour terminer cette toile. Je le ferai à Montmagny. Je ne veux pas te revoir avant le dernier coup de pinceau. Quand je peins, je n'aime pas qu'on regarde par-dessus mon épaule...

Elle se mit à l'œuvre comme on se jette à l'eau pour apaiser sa fièvre. Elle y fut encouragée par de bonnes nouvelles : un marchand, Le Barc de Bouteville, avait vendu un lot de ses eaux-fortes et de ses dessins ; Vollard, ayant presque tout vendu de son album, lui réclamait des peintures...

Les journées n'étaient pas assez longues. Pour se détendre elle lisait, allait sarcler la mauvaise herbe, se promener avec Lello jusqu'à la Redoute, cette taupinière géante creusée de cryptes pharaoniques.

Maurice prenait son mal en patience.

Il avait fini par accepter un travail dans l'agence du Crédit lyonnais. Monsieur Paul lui avait fait couper par son tailleur un costume seyant, l'avait coiffé d'un chapeau melon, lui avait offert une canne, ce qui lui donnait l'allure d'un clerc de notaire.

Suzanne en était aux retouches de son *Nu sur un divan* lorsqu'elle reçut un billet de Zoé : M. Degas n'allait pas bien du tout et souhaitait qu'elle lui rendît visite.

À dates espacées, Suzanne recevait des nouvelles du vieux maître qui persistait à l'appeler la « terrible Maria » ou l'« illustre Valadon ». Il lui demandait chaque fois ou presque de lui apporter quelques-uns de ses dessins dont les « gros traits souples » lui plaisaient tant. Son dernier poulet datait du début de l'année ; il lui faisait grief de ses absences et de son silence : *Je deviens vieux. De temps en temps, dans ma salle à manger, je regarde votre dessin au crayon rouge... et je me dis toujours : « Cette diablesse de Maria avait le génie du dessin... »*

Profitant d'une entrevue avec Vollard, elle décida de rendre visite au vieux maître. C'est une jeune servante, Argentine, qui ouvrit ; elle secondait la pauvre Zoé qui devenait bien vieille, elle aussi, et servait de modèle au peintre ; elle avait un visage réjoui de paysanne, des formes pleines, une allure godiche.

Degas était allongé sur le divan de son atelier, en blouse, la visière de sa casquette sur le nez. Il était en train d'examiner avec une loupe, comme s'il les flairait, des estampes japonaises.

— Vous, enfin ! dit-il d'une voix âpre. Je commençais à me dire que vous m'aviez oublié. Quelle idée d'aller se cloîtrer dans cette banlieue minable ! Heureusement que vous n'avez pas eu l'idée d'aller peindre en Creuse comme certains que je connais ! C'est la mode ! Ils iront tous. Il y aura bientôt dans ce désert autant de peintres que de vipères...

Il lui raconta que Guillaumin et Monet y travaillaient. Désireux de peindre le site de Crozant mais gêné par un arbre, Monet avait loué les services d'un paysan pour dépouiller l'arbre de ses feuilles.

— Vous semblez d'excellente humeur, maître, dit Suzanne.

— Parce que vous voilà, ma chérie ! En fait, depuis quelques jours je broie du noir. Cette rupture avec Mary Cassatt m'obsède.

Les relations de Degas avec cette artiste américaine remontaient à plus de vingt ans. Elle s'était insérée dans le groupe des impressionnistes et s'y sentait chez elle. Depuis, ils n'avaient cessé de se voir, d'échanger des idées, de se soutenir. Sans atteindre le renom de son compagnon de route, elle s'était acquis une certaine notoriété. Elle se défendait d'être l'élève de Degas mais l'influence du maître affleurait dans ses œuvres, d'un caractère plus intimiste. Malgré quelques éclats sans conséquence leur amitié semblait devoir résister au temps. Soudain, patatras !

— Mary est vraiment très susceptible, dit-il. L'âge, sans doute. La moindre critique la met dans les transes. Quant à l'humour, elle en est totalement dépourvue.

Mary avait invité quelques amis et Degas pour leur présenter ses dernières œuvres dans son atelier. Avec cette causticité irrépressible qui était sa faiblesse, Degas avait émis quelques critiques : il trouvait tel sujet mièvre, tel personnage maladroitement dessiné, telles couleurs mal conçues. L'atmosphère était devenue glaciale lorsque, devant une maternité, il avait laissé échapper un bon mot : « On dirait le petit Jésus avec sa nurse anglaise. »

Une phrase de trop. Mary lui avait envoyé un billet fort raide qui mettait un terme à leurs relations. Cet éclat précédait un long voyage qu'elle devait faire en Égypte puis aux États-Unis.

— Je sens que je ne me relèverai pas de cet incident, déclara-t-il d'un air accablé. Elle partie, vous trop absente, que vais-je devenir ? Je finirai mes jours comme un vieux croûton derrière une malle.

Elle détestait cet air geignard et le lui dit. Il protesta.

— Vous en avez de bonnes ! Vous êtes encore jeune et jolie, vous semblez en bonne santé, alors que moi...

— Mary vous reviendra, maître. Elle vous doit trop. Et puis vous avez Argentine pour vous consoler...

— Une cruche ! Tout juste bonne à racler mes palettes.

— Elle vous sert de modèle. Peut-être pourrait-elle vous rendre quelques services... plus intimes.

Les yeux vitreux du presque aveugle s'écarquillèrent.

— Vous plaisantez, ma chérie ? J'aurai bientôt soixante-dix ans. À cet âge on renonce aux galipettes. Il y a vingt ans, peut-être...

— Il y a vingt ans, vous me connaissiez et pas une seule fois vous n'avez tenté de me séduire ou même de me faire poser.

Il lui prit les mains, les appliqua contre son visage, y laissa une trace humide et chaude. Elle le plaignait mais rien ne l'incitait à répondre à cet épanchement sénile.

— Tout ce qui vous arrive, cette solitude dont vous vous plaignez mais qui est toute relative, c'est votre faute. Vous possédez une sorte de don maléfique pour écarter de vous des amis sincères.

— Que voulez-vous, soupira-t-il, il n'y a que vous que je supporte. Si vous m'abandonniez, je crois que je...

Elle lui mit une main sur la bouche pour l'empêcher de poursuivre. Elle se leva et dit :

— Je vous ai apporté un carton de dessins...

Décidément, cette toile lui faisait peur.

Elle ne se décidait pas à écrire à Clotilde pour lui demander de venir voir son œuvre terminée, rue Cortot. Les lignes du corps évoquaient une sorte de monstre à figure humaine ;

la pâte était lourde, molle, comme travaillée à la graisse d'oie. Seul le décor, une tenture indienne louée à un broco de Montmartre, le père Deleschamps, apportait une note gracieuse. Elle se dit que Clotilde allait regimber, provoquer peut-être une rupture.

Elle apporta la toile à Degas. Il la considéra longuement, l'éloignant, la rapprochant avec un grommellement.

— Vous m'épatez, ma petite Maria ! dit-il. C'est bien vous qui avez peint cette toile ? Tonnerre de Dieu, c'est un travail d'homme.

— C'est mauvais, n'est-ce pas ?

— Vous plaisantez ? C'est superbe ! Ces lignes à la fois souples et accusées, cette pâte charnelle, cette vigueur sans complaisance, ce souci de vérité...

Il ajouta en la pressant contre sa poitrine :

— Souvenez-vous, Maria, de ce que je vous ai dit lorsque vous m'avez apporté vos premiers dessins : « Vous êtes des nôtres : une grande artiste... »

Paul Moussis songeait à quitter Eugène Fourneuse. On venait de lui proposer un poste d'attaché à la Banque de France, ce qui lui ouvrait des perspectives mirobolantes. S'il atermoyait, se disait Suzanne, c'était moins pour éviter d'affronter son patron que pour ne pas risquer de devoir rompre avec Irma. Elle avait acquis la certitude que des rapports intimes s'étaient noués entre eux. Clotilde lui avait rapporté qu'on les voyait souvent ensemble au Grand Hôtel.

À la fin de l'année, elle refusa d'inviter les Fourneuse à la Butte-Pinson pour fêter la Saint-Sylvestre : cette bicoque, accueillir un homme d'affaires de cette importance et sa pimbêche d'épouse, il n'y pensait pas ! Il protesta.

— Mais enfin, qu'est-ce que tu leur reproches ?

— À Eugène, rien. En revanche, à Irma... Nous nous comprenons. Si tu tiens à ce réveillon, réserve une table au Grand Hôtel. Tu y as tes habitudes...

Il rougit violemment, se frotta les moustaches, laissa éclater une colère pitoyable comme un pétard mouillé. Des ragots ! encore des ragots malveillants ! Il réclamait des preuves. Elle haussait les épaules : sa liaison était de notoriété publique.

— Mon pauvre ami... Tu as pris la succession du ténor. Irma ne perd pas au change. Il n'était guère généreux. Toi, en revanche, tu la couvres de cadeaux, et moi je n'ai droit qu'à la portion congrue.

Il enfourcha ses grands chevaux. Lui avait-il jamais refusé ou reproché l'argent nécessaire au ménage ? Et pourtant, c'était un vrai panier percé. Et son ivrogne de fils, qui est-ce qui subvenait à son entretien ? Elle ne réagit pas quant à ses dépenses excessives ; en revanche, l'injure faite à Maurice lui fut sensible : son beau-père le traitait comme un étranger, ne lui avait jamais témoigné la moindre affection sincère ! Il répliqua :

— Je lui ai donné sa chance. Il n'a pas su en profiter. Faut-il te rappeler ce qui lui est arrivé ?

Suzanne ne l'avait pas oublié. Maurice n'avait pas renoncé à boire, même pendant son travail à l'agence du Crédit lyonnais. Le jour où on l'avait brocardé sur son chapeau *made in London*, il s'était pris de querelle et avait à demi assommé un collègue. Sa mise à pied l'avait soulagé : il détestait ce travail de gratte-papier.

— Qu'est-ce qu'on va bien pouvoir en faire ? s'écria Paul. Il est incapable d'assumer un travail de manière continue. Je ne vais tout de même pas lui faire une rente !

— Tu préfères dépenser ton argent avec cette... cette grue !

Il lui reprocha ses rapports avec Puvis, avec Renoir, avec Lautrec. C'était comme une nausée longtemps contenue qui lui montait aux lèvres. Excédée, elle saisit un vase et le jeta dans sa direction ; il l'évita de justesse. Madeleine surgit, s'exclama :

— Allez-vous finir de vous chamailler ? J'en ai assez ! Va falloir que je balaie les débris. Un si beau vase... Le seul souvenir qui me restait de Bessines...

La réaction de Clotilde devant le *Nu sur un divan* fut mi-figue, mi-raisin. Elle eut un recul puis, à la réflexion mais sans enthousiasme, elle jugea cette œuvre originale dans sa conception et dans sa forme. Quant à la faire acheter par la patronne de La Souris pour la faire figurer au-dessus du bar, c'était une autre affaire. Elles s'étaient d'ailleurs querellées pour des questions de service, au point que Clotilde allait précipiter son départ. Elle avait fait sa pelote et songeait à acquérir un local pour y ouvrir une boîte.

— Tu veux dire un bordel pour femmes ?

Ce n'était pas vraiment son intention, mais elle se dit qu'après tout ce n'était pas une mauvaise idée : de plus en plus de femmes de la haute société se livraient aux jeux de Lesbos.

Vollard était occupé dans son souk à peintures avec des collectionneurs américains amis de Gertrude Stein et amateurs de Cézanne. Il leur tenait, avec son apparente indolence, la dragée haute. À l'entendre gémir on eût dit qu'on lui arrachait ses enfants.

— Vous comprenez, expliquait-il, j'aime tant ces toiles que c'est un crève-cœur que de m'en séparer. Je vais réfléchir. Repassez un de ces jours...

Quand ils furent partis, Vollard fit un clin-d'œil à Suzanne.

— Bien manœuvré, hein ? Je viens de faire monter la côte des Cézanne. Qu'est-ce qui vous amène, ma chérie ? Ça fait des mois que je n'ai pas eu votre visite.

— Des mois, oui : depuis ce piège que vous m'avez tendu.

Il protesta mollement : ses convives s'étaient bien divertis et Suzanne n'avait pas boudé son plaisir.

— Misia a gardé un excellent souvenir de vous.

— Je n'en dirais pas autant de cette gousse.

Vollard examina la toile que lui présentait Suzanne. Ses paupières d'orang-outan se déplissèrent, laissant s'échapper une étincelle de surprise.

— Ne me dites pas que c'est vous qui avez peint ça ?

— Si ça ne vous plaît pas, dites-le !

— J'ai pas dit ça, mais ça m'en fiche un coup, nom de Dieu ! Pas l'habitude de voir ça. C'est fort. Trop peut-être.

Il posa la toile sur les bras du fauteuil, se gratta furieusement la barbe.

— Qu'est-ce que vous voulez que je fasse de cette chose ? Elle flanque la trouille ! Votre modèle, c'était qui ? Une vieille grenouille de la rue de Steinkerque ?

— Quelque chose comme ça... Gardez cette toile en dépôt. Je ne suis pas pressée.

— Bien... bien... Je vais essayer de vendre cette motte de beurre rance, mais je me demande qui ça pourrait intéresser.

Il ajouta :

— Apportez-moi quelques dessins. Je trouve toujours des amateurs. Les dessins, c'est ce que vous faites de mieux.

Il devenait difficile à Suzanne de veiller sur Maurice autant qu'à lui de se maîtriser : privé de vin ou d'alcool, il devenait intenable et, lorsqu'il était ivre, c'était pire.

Un soir de février on le lui avait ramené ivre mort à la suite d'une tournée de libations qui s'était achevée par un nouveau scandale sur la voie publique : il n'avait rien trouvé de mieux que de se planter entre les rails du tramway et d'en bloquer la circulation. Le commissaire de police s'était montré ferme : en cas de récidive, c'était la prison.

Suzanne lui trouva une situation de manœuvre à l'usine à plâtre. Il y resta trois mois. Sa journée de travail terminée, il retrouvait ses collègues au Bon Coin : il y avait ses habitudes et Julia avait renoncé à le sermonner depuis qu'il avait menacé de mettre le feu à la gargote si la patronne refusait de le servir. Son arrivée était accueillie par des ovations.

— Tiens, voilà Maumau !

— Salut, fiston ! Tu paies une tournée ?

Il ne lésinait pas. Tournée générale ! Du picrate de prolo, de celui qui met le feu aux tripes et des rêves dans la tête. La patronne protestait pour la forme. On la rassurait.

66

— T'en fais pas, Julia ! Faut bien qu'il apprenne à boire, le Maumau, s'il veut devenir un vrai plâtrier. Y a que le vin pour faire descendre la poussière.

Maurice opinait et remettait ça. D'où lui venait l'argent qu'il dépensait en beuveries ? Mystère. Il devait piquer la fraîche dans la poche de son beau-père, ou peut-être, avant, dans la caisse du Crédit lyonnais. Mais, après tout, on s'en foutait.

— Alors, Maumau, la dernière ?

— Laissez-le, ce môme, bande de soiffards ! s'écriait Julia. Il tient plus debout. Pourvu qu'il vomisse pas comme hier ! Maumau, les vécés sont au fond de la cour. Laisse pas échapper la marchandise en cours de route...

Ce qu'il y avait de bien avec Maumau c'est qu'il n'avait pas le vin mauvais. Il se livrait à des excentricités, se mettait à chanter *Nini Peau d'chien*, à danser et, spectacle de choix réservé aux grands soirs, à montrer son cul.

Il ne s'était pris de rogne, Maurice, que lorsqu'un malotru avait mis en doute la vertu de sa mère. Il avait saisi une chaise et s'apprêtait à la fracasser sur le crâne de son collègue. Il avait fallu quelques gros bras pour le maîtriser.

Histoire de détendre l'ambiance familiale, Paul proposa à Suzanne un voyage en Bretagne. Surprise, Suzanne accepta, à condition que Maurice fût de la partie.

Cette tentative de rabibochage se solda par une réussite. Maurice n'était pas très expansif mais au moins pouvait-on le surveiller.

À la faveur d'une accalmie on fit une excursion à Ouessant. Assise sur un rocher, au milieu des ajoncs en fleur qui répandaient leur odeur miellée sous le soleil et le vent âpre du large, Suzanne jetait des croquis sur son calepin, avec en marge des indications pour les couleurs. Allongé près d'elle dans la bruyère, Paul fumait sa pipe et somnolait, son chapeau sur le nez. Maurice regardait voler les mouettes et jetait des cailloux dans la mer.

Au retour, Suzanne trouva un mot de Zando : Lautrec souhaitait la revoir avant de quitter la capitale pour un séjour à Malromé, dans le château de sa mère. Le dernier, sans doute : on venait de le libérer de l'asile d'aliénés du château Saint-James, avenue de Madrid, et de le confier à un gardien.

Lorsque Suzanne pénétra dans l'atelier, le nabot se démenait comme une épave tournoyant dans des courants contraires, au milieu d'un capharnaüm de meubles, de toiles, de dessins, d'objets héréroclites, de costumes de carnaval, dans l'odeur de la poussière qui dansait au soleil.

Il feignit la surprise en la voyant paraître.

— Tu tombes bien, dit-il. Il faudra me donner un coup de main. Seul, j'y arrive pas. Quant à mon gardien, il s'en fout !

Il était en chemise et gilet, cravate dénouée, coiffé de son vieux galurin de feutre. Assis sur le bord du divan, ses pieds nus touchant à peine le plancher, il se tapait en cadence sur les genoux en soupirant qu'il n'y arriverait pas. Son visage s'était émacié ; sous la barbe rare et grisâtre les joues creusées avaient pris une couleur terreuse. Il promenait sur ce qu'il appelait son *bordel* un regard éteint. Seules les lèvres épaisses et humides avaient gardé leur pigment.

— J'ai soif ! dit-il en bâillant. Cette poussière, cette chaleur... Viaud, mon ange gardien, est allé se promener, ma chère. Le salaud ! Il doit être en train de se taper un bock bien frais à ma santé. Passe-moi mon crochet à bottines.

Elle lui tendit sa petite canne. Il dévissa le pommeau, le porta à ses lèvres. Et glou, et glou...

— Fameux... dit-il en rotant. Une canne-creuse, fallait y penser ! Viaud n'y a vu que du bleu. Toi, évidemment, tu m'as rien porté à boire. Si je comptais sur les amis... Plus de femmes à cause de ma syphilo, plus d'alcool à cause de mon foie et de ma cervelle... Me reste plus qu'à crever !

Il tapota la courtepointe du plat de la main.

— Viens t'asseoir près de moi. Ce divan... Il a souvent été à la fête. Hein, quoi ? tu te souviens, c'pas ? Toi... moi... des heures à s'en donner à cœur joie. Et aujourd'hui... aujourd'hui il m'arrive encore de bander, mais je vais tout de même pas baiser mon ange gardien, mon cornac ! Si tu voyais sa gueule...

Il se mit à chantonner d'une voix aigre et glaviotteuse :

> *Ah ! c'qu'on s'aimait, c'qu'on s'aimait*
> *Tous les deux...*

— Je viens d'apprendre que tu vas nous quitter, dit Suzanne. Tu comptes revenir quand ? J'ai l'impression que tu m'avais oubliée.

— Hein, quoi ? t'oublier, toi, Maria ? Pardon : paraît que tu te fais appeler Suzanne. Splendide ! Tu as suivi mon conseil. Suzanne Valadon... ça sonne vachement bien.

— En fait je suis Mme Moussis, mariée depuis cinq ans. Je partage mon temps entre Montmagny et la rue Cortot.

Il posa une main lourde et brûlante sur la cuisse de Suzanne.

— Mariée... Oui, oui, je suis au courant. Une bourgeoise à ce qu'on dit. Au moins tu continues à travailler. Ça, c'est bien. Vollard m'a montré tes dessins. Merveilleux ! Tu iras loin si tu te débourgeoises. Moi... moi j'ai l'impression que je suis fini. Plus de goût à rien.

Il prenait plaisir au spectacle des animaux, comme un enfant. Viaud le promenait en chaise roulante au Jardin d'Acclimatation. Il restait des heures à regarder de pauvres bêtes prisonnières crevant d'ennui, tirait de chacune de ces visites un sentiment d'amertume comme s'il retrouvait là une image de sa propre condition. Son amour des animaux n'avait fait que croître depuis qu'un chasseur imbécile avait tué son cormoran apprivoisé sur la plage de Taussat.

69

Son père était un chasseur invétéré. Il avait lui aussi un cormoran apprivoisé qu'il faisait pêcher dans le Tarn. Ses excentricités ne s'arrêtaient pas à ce jeu innocent. Il avait dressé une tente en poil de chameau devant la cathédrale d'Albi et y avait vécu quelques jours avec ses chiens et ses faucons : il voulait vivre au plus près de la « cathédrale de ses ancêtres ». Il avait offert, alors qu'il se trouvait à Paris, devant la vitrine d'un joaillier, une bague de diamant à une inconnue, sous prétexte qu'elle avait de beaux yeux.

Lautrec demanda à Suzanne comment elle vivait dans sa banlieue, si elle ne regrettait pas Montmartre et comment elle supportait son bourgeois de mari, puis, sans attendre sa réponse, il lui dit :

— C'est moi que tu aurais dû épouser, nom de Dieu ! Si je te l'avais proposé, aurais-tu accepté ? Tu aurais porté un titre de noblesse : comtesse de Toulouse-Lautrec, et moi je n'en serais peut-être pas là où j'en suis : pour ainsi dire à l'agonie...

Il paraissait avoir oublié l'incident qui avait occasionné leur rupture : cette conversation surprise par Gauzy entre Suzanne et sa mère qui la poussait à l'épouser.

— Ne revenons pas sur ce passé, dit-elle sèchement. Mon avis est que nous aurions sombré ensemble. Je m'en suis tirée à temps, mais toi...

— Moi, c'est fini. Le naufrage total, la mort à brève échéance, mais avec une consolation : j'aurai bien vécu. Mille vies en une !

Il sauta sur ses pieds, comme mû par un ressort, se planta en face d'elle, son visage flétri auréolé de soleil et de poussière.

— Ce qui m'aurait fait plaisir, c'est une dernière nuit au bordel, mais pas dans un claque minable de La Chapelle : au Chabanais, tiens ! Oui : une dernière nuit à zieuter des filles nues, à baiser à mort en buvant du champagne. Ah ! tonnerre de Dieu, si je pouvais vivre encore dix ans...

Il lui demanda de l'aider à classer des dessins, des calques, des ébauches. Il jetait dans le poêle Godin tout ce qui lui paraissait d'un intérêt négligeable. Il lui confia le soin de faire livrer à Deleschamps son vestiaire de travesti en ne gardant que son costume de geisha. Il revint en titubant s'asseoir sur le divan, déboucha de nouveau la canne creuse.

— Du whisky offert par les Natanson, dit-il. Si tu en veux une gorgée... Non ? bien... Dis donc, ma chérie, il semble que Misia en pince pour toi. Méfiance : c'est une bardache de l'espèce la plus redoutable. D'ailleurs, le ménage se lézarde. Ça sent le divorce...

Il avait envisagé, avant son départ pour l'asile, de faire le portrait de Misia. Consciente des risques de se retrouver sur la toile sous la forme d'une grosse araignée verdâtre, elle avait néanmoins accepté.

— Trop tard, soupira-t-il. Je le regrette. Veux-tu me faire un dernier plaisir ? Prépare-toi comme si tu allais poser pour moi. Tu enlèves tout, oui, tout.

— Ça te ferait vraiment plaisir ? Tu risques d'être déçu. Je n'ai plus vingt ans, tu sais...

— C'te blague ! Tu es bâtie comme une déesse. Le genre Misia, mais en plus... en plus étoffé. Pas pour me déplaire.

Suzanne obtempéra sans barguigner. Il ne la quittait pas des yeux. Son visage soudain empourpré, l'œil avivé sous le pince-nez, il lui demanda de rester debout, dans une attitude naturelle, il chercha un cahier à dessin, un Conté, se mit à crayonner avec une sorte de rage. Elle eut l'impression qu'il retrouvait les gestes de l'amour ou qu'il luttait contre son impuissance à la restituer dans sa vérité. Elle l'entendit gémir.

— J'y arriverai pas, nom de Dieu ! J'ai perdu la main !

À la dixième tentative il lui montra le dessin final. Elle eut un sursaut : c'était un gribouillage d'écolier ; Maurice faisait mieux.

— C'est excellent, dit-elle. Tu as bien chipé la ressemblance.

— Non ! De la merde... Je ne suis bon à rien.

Il lui tendit la main, l'attira contre lui, promena ses mains tout le long de ses flancs, lui pétrit les reins à la faire crier, enfouit son visage entre ses seins.

— Je suis fini, bredouilla-t-il, fini. J'ai même plus envie de toi. Tu avais raison en parlant de naufrage. Le mien est total.

— Remettons-nous au travail, dit-elle. Il reste beaucoup à faire.

En sortant de l'asile d'aliénés, Lautrec connaissait une rémission, pas une guérison. Le spectacle des fous auxquels il avait été mêlé le poursuivait et hantait son sommeil.

Zandomeneghi dit à Suzanne :

— J'ai pu parler récemment de notre ami avec le docteur Dupré, un des médecins aliénistes de l'établissement : il m'a avoué que son cas est désespéré. Son organisme est complètement délabré. J'ai vu sa dernière œuvre : le portrait d'une habituée de La Souris, Lucy Jourdan : c'est pitoyable. Le plus triste c'est qu'il a conscience de son état et de sa fin prochaine. Il a promis de me donner de ses nouvelles. Tu en seras informée.

Il ajouta :

— Je connais sa dernière passion : Misia Natanson. Elle lui rendait visite à l'asile. Il l'appelait son Hirondelle, sa Colombe de l'arche. Il est peut-être passé à côté d'un grand amour...

Le rendez-vous avait été pris pour le 15 juillet, gare d'Orléans.

Quelques fidèles s'étaient retrouvés sur le quai en même temps que Suzanne, pour ce qui ressemblait à des adieux plus qu'à un au revoir. Zando révéla à Suzanne qu'avant de quitter Paris pour n'y plus revenir, Lautrec avait brûlé par les deux bouts ce qui lui restait de chandelle. Trompant la vigilance de son gardien, il était retourné au Chabanais pour une dernière nuit de folie qui l'avait laissé abattu au point qu'il avait fallu le raccompagner, ivre mort, à son domicile.

C'est une sorte de fantôme sorti d'une peinture de Jérôme Bosch qui monta dans le train. Sur les marches du wagon il lança à ses amis :

— Pensez un peu à moi de temps à autre car nous ne nous reverrons plus.

De tout le temps qu'il resta à la portière on le vit agiter son gros mouchoir à carreaux.

4

DÉLIRIUM

Début septembre, Suzanne reçut un billet de Zandome-neghi la priant de lui rendre visite ; elle alla le jour même dans son atelier. Il venait de recevoir des nouvelles de Malromé lui annonçant la mort de Lautrec.

À la mi-août, à Taussat, au cours d'une promenade dans une pinède, il s'était effondré. Prévenue par Viaud, la mère de l'artiste était accourue pour le conduire à Malromé. Il avait perdu l'appétit et l'usage de ses membres, devenait sourd mais avait gardé, avec sa lucidité, la vivacité de ses reparties et son humour grinçant. Au cours de ses promenades en voiture dans le parc, il suivait inlassablement le vol des nuages et des passereaux à travers les branches.

Son père était arrivé la veille par le train. Le moribond l'avait accueilli avec un sourire ironique et lui avait dit :

— Un grand chasseur comme vous ne pouvait manquer l'hallali. C'est bougrement dur de mourir.

Il vit avec stupeur le comte prendre un élastique et s'en servir pour chasser les mouches qui importunaient son fils.

Le lendemain, qui était un dimanche, au milieu de la nuit, alors que l'orage menaçait, le comte, trouvant le temps long, monta au sommet d'une tour et, histoire de se distraire, se mit à tirer sur les chouettes et les chauves-souris, mêlant ses coups de feu aux roulements du tonnerre. Il ne redescendit de son poste que lorsqu'un serviteur lui annonça que son fils venait de s'éteindre. Il était deux heures du matin.

En matière d'excentricité, le comte n'était pas allé au bout de son talent. Les obsèques venues il remplaça au pied levé le conducteur du corbillard qu'il fit partir au galop, si bien qu'il arriva au cimetière de Saint-André-des-Bois avec une large avance sur le cortège.

— Dans cette famille, ajouta Zando, la comédie et le drame se côtoient en permanence. Lorsqu'on écrira la vie de Lautrec l'auteur devra passer sans relâche du rire aux larmes. Lautrec semblait se plaire dans cette équivoque et l'entretenir.

Il poursuivit :

— Je viens d'apprendre une bonne nouvelle : le prochain Salon des Indépendants présentera une rétrospective Toulouse-Lautrec. C'est un honneur qui lui était dû.

Suzanne revint à son domicile agitée par des sentiments contraires. Avait-elle aimé Lautrec ou aurait-elle pu aimer ce personnage qui semblait tout faire pour qu'on le détestât ? Il ne restait de leurs relations, après des années de séparation, qu'un goût d'orage suscité par la violente amour et les bourrasques de colère qui les dressaient l'un contre l'autre. Elle se répéta ce qu'elle lui avait dit avant son départ : « Nous aurions sombré ensemble. » Il avait sombré ; elle aussi, mais dans un autre monde et sans menace de perdition.

Lorsque, pour se rendre à son domicile de la rue Cortot, Suzanne longeait la façade du numéro 6, elle avait un regard pour les fenêtres fermées du « placard » qu'avait habité Erik Satie. L'appartement était à louer.

Satie avait quitté Montmartre quatre ans auparavant, tête basse. Son opéra avait été refusé ; ses symphonies et ses œuvrettes aux titres insolites n'éveillaient aucun intérêt ; l'effondrement de l'Église qu'il avait créée et dont il était le seul fidèle l'avait affecté. Il avait senti, comme dans le poème de Stéphane Mallarmé, que les oiseaux étaient ivres et qu'il était temps de prêter l'oreille au chant des matelots. Il avait levé l'ancre.

Son nouveau port d'attache se situait à Arcueil, une banlieue située entre la porte d'Orléans et L'Haÿ-les-Roses. Il s'y rendait par la ligne Paris-Limours. Il avait fait ce premier trajet jadis avec sa maîtresse. Il s'était épris de cet endroit ; elle l'avait détesté : l'air était empuanti par des fumées d'usine et des relents de tannerie ; des rues sans joie s'étiraient interminablement entre des files de masures, de potagers et de terrains vagues.

Quand on demandait à Satie les raisons de son choix, il répondait : « C'est le lieu d'élection de Notre-Dame de la Bassesse », ce qui n'avait de sens que pour lui.

Il choisit de s'installer au premier étage du café des Quatre Cheminées, sous l'aqueduc, près de la place de la République. Son déménagement à la cloche de bois, avec l'aide de Suzanne et de quelques amis, relevait de l'exploit. Il avait entassé son modeste mobilier dans une voiture à bras. Les naturels regardèrent d'un œil à la fois inquiet et compatissant arriver dans leur village ce Juif errant exténué mais radieux, aux allures de brocanteur.

— L'endroit me plaît, dit-il au patron du bistrot. Silence... dénuement total... Oui, je sais, il y a l'odeur des tanneries, mais on s'y fait. Quant aux moustiques qui me sont envoyés par les francs-maçons, j'en viendrai à bout.

Satie vivait dans ce taudis en célibataire. Il prenait ses repas au rez-de-chaussée, faisait son ménage, puisait l'eau à la fontaine voisine. Le patron, ses clients, les ouvriers qu'il croisait se demandaient de quoi pouvait bien vivre cet original vêtu d'un costume de velours rapé, sans que personne osât lui poser la question. Il payait régulièrement son loyer, se montrait discret et n'amenait jamais de femme dans sa chambre.

Les ressources dont vivait le musicien étaient des plus modestes. Il composait et parvenait à faire éditer des pièces brèves : *Danse de travers... Sonatine bureaucratique... Embryons desséchés...* Il écrivait des chansons pour le music-hall. Depuis son départ de Paris il avait renoncé à taper le clavier à l'Auberge du clou mais avait gardé un souvenir attendri de cet endroit où il avait rencontré celle qui avait été son grand et unique amour : Suzanne Valadon, son « Biqui ».

Suzanne... Il l'avait si peu oubliée qu'il lui dédia son nouveau sanctuaire et sa solitude. Il avait transmué son désespoir en une mystique de l'absence. On ne lui connaissait que deux aventures sérieuses : la première avec une compagne abusive dont il ne s'était débarrassé qu'en appelant la police ; la seconde avec Suzanne, et c'est elle, cette fois, qui avait rompu. Se marier ? Il y avait songé et avait même demandé la main de Suzanne, mais il avait fini par se persuader qu'il avait une vocation de solitaire et que ses activités cérébrales n'avaient nul besoin des stimulants de la passion.

S'il n'aimait guère les femmes, son amour pour Suzanne l'avait profondément marqué et son culte n'avait pas été terni par le temps. Il avait tapissé son logis de souvenirs : un autoportrait vénéré comme une icône, un peigne à chignon, un mouchoir maculé de rouge à lèvres, un foulard oublié, les quelques lettres qu'elle lui avait adressées...

Lorsque, ivre de cognac, il regagnait son domicile, il pliait les genoux et s'abîmait dans une prière à l'Élue.

Ses amis, Claude Debussy, Maurice Ravel, avaient fait leur chemin ; il était resté en rade. Si les journaux parlaient de lui, c'était sur le ton de la moquerie : une célébrité importune.

Petit à petit, par des informations glanées dans les milieux artistiques, Suzanne était parvenue à reconstituer le puzzle de cette existence.

Satie avait traversé sa vie comme un météore, laissant dans sa mémoire des traces de lumière et des bouquets d'étincelles. L'avait-elle aimé ? Comme pour ce qui était de Lautrec, elle en doutait. Les quelques bribes d'émotion qui surnageaient de leurs rapports ne suscitaient pas le moindre

regret de leur rupture. Un sourire lui montait aux lèvres lorsqu'elle songeait à sa ridicule demande en mariage. Quel couple auraient-ils pu faire ? Quelle vie auraient-ils pu mener ?
C'était la perspective d'une bohème sans issue, d'une misère
noire avec à terme une séparation inéluctable.

Elle ne pouvait oublier les propos de sa mère : qu'elle
persiste à mener cette vie de patachon et elle finirait sur le
trottoir ! Paul Moussis, avec son assise sociale, son élégance
de fonctionnaire, son charme discret, lui avait tendu la main
au bon moment.

Suzanne avait donné son accord à la suggestion de Paul de faire interner Maurice.

Après son poste au Crédit lyonnais, il s'était fait renvoyer de l'usine à plâtre, un travail qui ne lui convenait pas et qui l'eût conduit très vite à la déchéance. Libre de son temps, il trouvait toujours un expédient propice à une fugue qui le conduisait sur ses lieux de prédilection : les bistrots de Montmagny et de Pierrefitte.

Depuis les incidents qui avaient marqué ses récentes beuveries, les mastroquets étaient enclins à la méfiance et lui mesuraient la boisson, mais, comme ils étaient nombreux dans les parages, il trouvait toujours le moyen de satisfaire ses exigences.

Que faire ? Monsieur Paul proposa de poser des grilles aux fenêtres ; Suzanne s'y opposa : trop d'humiliation pour son fils. Il avança l'idée d'un garçon de son âge, qui pût faire office de gardien : cette fois-ci c'est Maurice qui regimba. Monsieur Paul baissa les bras.

C'est alors que Suzanne proposa une thérapeutique plus douce et moins coûteuse.

Elle avait observé que son fils prenait intérêt à son travail d'artiste. Elle se souvenait de la réflexion du professeur de dessin du collège Rollin : « Élève doué mais n'en faisant qu'à sa tête. » Elle sonda Maurice : ne s'intéressait-il aux séances

82

de travail de sa mère que pour lorgner le modèle nu, la petite Rosalie en l'occurrence, par le trou de la serrure, ou sentait-il en lui une attirance pour le dessin et la peinture ?

Un jour où la pluie lui interdisait tout vagabondage, il resta une heure auprès de sa mère pour la regarder travailler au fignolage d'une petite nature morte représentant quelques fruits, une bouteille et un verre. Pour ne pas donner à Maurice des idées perverses elle supprima la bouteille et le verre.

— Observe bien, dit-elle. Avec ces fruits, tout est dans la nuance, le dégradé. Il faut pour ces pommes un rouge qui insensiblement se fonde dans le vert. Avec la poire, c'est plus facile : elle est d'un jaune de chrome pratiquement uniforme que je vais atténuer avec du blanc de zinc. Là... tu vois ? Avec le verre de la coupe à fruits il faut évoquer la transparence. Et là, c'est plus délicat...

— Et le fond ? demanda Maurice.

— Je l'ai voulu tout simple afin qu'il ne surcharge pas la toile et ne disperse pas l'intérêt : des aplats bleus pour le décor du bas, ce qui fait ressortir la luminosité des fruits. Pour le haut j'ai prévu un mélange de couleurs ternes.

— La bouteille et le verre... Pourquoi tu les as supprimés ?

— On ne boit pas de vin rouge avec les fruits...

Il revint chaque jour surveiller l'élaboration de l'œuvre.

— Ça n'est pas du Cézanne, dit-elle d'un ton dépité. Je ne parviens pas à traduire la qualité de sa lumière, le velouté qu'on voit dans ses natures mortes. Tiens ! j'ai omis un détail : cette tache, là, sur la pomme rouge, celle de gauche. C'est comme pour les modèles nus : s'il y a un défaut il faut l'indiquer. Veux-tu essayer ?

Il se plut à cette tentative, cisela le bord de la tavelure d'un trait ocre.

— C'est très bien ! s'écria Suzanne. Tu es très doué, mon chéri.

Le soir, elle dit à Paul :

— Je crois que mon idée était la bonne. J'ai mis Maurice au pinceau et ça semble lui plaire. Nous avons peut-être trouvé la voie que nous cherchions.

Maurice sauvé du naufrage ? On n'en était pas encore là.

En rentrant de Paris Paul trouva les deux femmes plongées dans la consternation : Maurice n'était pas rentré de toute la journée. Il faisait une de ces nuits de printemps lourdes et sombres comme la poix.

— Il faut le retrouver, dit Suzanne. Je crains qu'il lui soit arrivé un accident. Il est parti s'acheter des cigarettes et nous ne l'avons pas revu.

Un accident ? Paul avait son idée : Maurice devait être en train de cuver. Mais savoir où ? Suzanne insistait : il fallait partir à sa recherche ; il ne devait pas être bien loin.

— Si tu surveillais mieux ton fils... dit Paul.

— Je ne suis pas un garde-chiourme, et toi tu te moques de ce qui peut bien lui arriver !

Ils partirent dans la nuit, chacun muni d'une lanterne et se partagèrent l'investigation. Maurice avait effectué des stations dans trois bistrots ; il avait quitté le dernier avec une bouteille dans la poche. Pour aller où ? Mystère. Paul, harassé, monta jusqu'à la Redoute, interrogea les nomades, faillit se faire mordre par un chien, poussa jusque chez le gardien du fort... Personne ne put lui fournir la moindre indication.

— Rien ! bougonna-t-il au retour. J'en ai plein les bottes. Je vais me coucher.

Suzanne veilla toute la nuit au coin de la cheminée en lisant un roman de Zola. Elle absorba du laudanum pour trouver une heure ou deux de sommeil, sans y parvenir.

Ce n'est qu'au début de la matinée qu'elle vit revenir Maurice, dans un triste état : la mine sombre, le col de sa veste remonté, son pantalon maculé de boue jusqu'aux genoux. Il traversa la salle à manger sans un mot, repoussa violemment Lello qui gambadait autour de lui et se fit chauffer un bol de café à la cuisine.

— Nous t'avons cherché des heures, dit Suzanne. Où étais-tu ?

Il avait passé la nuit dans une casemate de la Redoute. Rien de surprenant à ce qu'on ne l'ait pas trouvé dans cette taupinière géante. Il s'était enivré, oui ! Et alors ? Ça n'était pas la première fois.

Il ajouta d'un air hostile :

— Fous-moi la paix ! Je suis assez grand pour me conduire à ma façon.

— Cette fois-ci tu as passé les bornes. Paul est furieux.

— Je l'emmerde !

En se levant il décocha un coup de pied à Lello et s'engouffra dans sa chambre. À midi on l'attendit pour déjeuner ; il dormait encore. Il ne daigna se montrer qu'à la fin du dîner, maussade, les yeux rouges, la bouche amère.

— Te voilà enfin ! s'écria monsieur Paul. Décidément, découcher devient chez toi une habitude. Tu pourrais au moins prévenir.

— Fallait pas vous faire de la bile. Je suis majeur.

— Certes, mais incapable de te conduire.

— Laissez-moi tranquille. J'ai soif.

Il tendit la main vers la bouteille. Monsieur Paul la lui retira, lui intima l'ordre d'aller se changer et de faire un brin de toilette.

— Donnez-moi cette bouteille ! dit Maurice d'une voix qui cachait mal sa colère.

— Passe d'abord à la salle de bains.

— Je vous dis que j'ai soif, nom de Dieu !

— Eh bien, tu vas boire.

Monsieur Paul lui servit un verre d'eau. Maurice, avec un sourire ironique, prit le verre et lui en jeta le contenu au visage. Surpris de la riposte, monsieur Paul lâcha la carafe qui se brisa sur le parquet. Il s'essuya le visage, se leva, se dirigea vers son beau-fils et le gifla à toute volée. Maurice s'apprêtait à répliquer à coups de poing quand Suzanne et Madeleine s'interposèrent.

— Maurice, s'écria Suzanne, tu vas faire des excuses à ton beau-père.

— Il peut crever !

Il prit une assiette, l'envoya se fracasser contre la cloison, puis une autre et une autre encore, en criant :

— Le beau service en limoges de monsieur Paul, en miettes ! Ses cristaux, en poussière !

— Non ! glapit Madeleine, pas les cristaux !

Enfermé dans sa colère, Maurice fit la sourde oreille. Il tira brutalement sur la nappe, envoyant tout par terre. Les mains sur le visage, Madeleine se réfugia dans la cuisine pour laisser libre cours à ses lamentations. Comme Maurice, ivre de fureur, s'apprêtait à faire le vide dans le buffet et que monsieur Paul jurait qu'il allait le tuer, Suzanne, bras écartés, debout contre le marbre, lui lança un défi.

— Tu ne toucheras pas à ce buffet ! Ou alors il faudra me frapper. Eh bien, ose donc ! Frappe !

Soudain, alors qu'elle s'attendait à être bousculée, elle vit avec stupeur son fils s'effondrer à ses pieds, en larmes, lui entourer les jambes en gémissant.

— Oh ! maman... Te frapper, toi ! Je serais le dernier des salauds !

De l'entendre geindre avec sa voix de môme, de le voir sortir son mouchoir, s'essuyer le visage, de le deviner soudain désarmé et repentant, elle sentit fondre son ressentiment et, de très loin, renaître en elle l'indulgence qu'elle manifestait devant ses caprices d'enfant. Elle le releva, le pressa contre sa poitrine en le soutenant comme un infirme et le mena à la salle de bains. Elle l'aida à se défaire de ses vêtements souillés de vomissures et de terre. Aux odeurs sui generis de son corps se mêlaient des effluves de vin et d'herbe écrasée.

Elle ne l'avait pas vu nu depuis longtemps : depuis leur déménagement de la rue Tourlaque, sept ans auparavant. Il était alors, disait la grand-mère, « beau comme le Christ de

Bessines ». Il avait bien changé : ventre plat comme une galette, bras et jambes fluets et tendineux, une apparence pitoyable, avec des traces d'ecchymoses sur les reins et les fesses, une coupure toute fraîche à la lèvre.

— Tu t'es encore battu ?

— On m'a provoqué. Je me suis défendu.

— Si tu étais resté à la maison...

Elle badigeonna la plaie avec de l'alcool, ajouta :

— Puisque tu es à jeun, tu comprendras que nous ne pouvons continuer à vivre dans ces conditions. Ça finirait dans le drame. Alors, qu'allons-nous faire de toi ?

Elle versa de l'eau dans le tub, le força à s'agenouiller, le lava à l'éponge et au savon, comme Madeleine naguère. Il haussa les épaules. Une grimace parut annoncer une nouvelle crise de larmes. Il ne sut que répondre.

— À ton âge, ajouta Suzanne, on poursuit ses études ou on travaille. Monsieur Paul n'acceptera jamais que tu vives à ses crochets. Si seulement tu pouvais renoncer à boire... Eh bien, réponds-moi ?

— Maman, tu ne peux pas savoir combien j'ai honte. Te promettre de renoncer à boire, c'est facile, mais tenir parole, c'est autre chose. Le vin agit sur moi comme une drogue. Je bois un verre, puis un autre, et tout change autour de moi, je me sens plus fort, plus intelligent, maître de mes pensées et de mes actes. C'est après que ça se gâte, mais alors je ne suis plus moi, nous sommes deux, le vrai moi s'efface et c'est l'autre qui dicte ma conduite. Je devrais renoncer à ce premier verre qui est la cause de tout, mais c'est plus fort que moi : j'en ai besoin. Si on me le refuse, je suis capable de tuer. Ça a failli m'arriver. Est-ce que tu comprends ?

Suzanne se souvenait de l'étude au crayon bleu que Lautrec avait faite d'elle au début de leurs relations : il la représentait à la table d'un bistrot, avachie, le regard dans le vague ; il en avait fait une huile qu'il avait intitulée *La Buveuse* ou *Gueule de bois*. Elle ne pouvait non plus oublier ses beuveries en compagnie de Boissy et de Lautrec, surtout certain

87

soir de désespoir où la main gantée de noir d'Yvette Guilbert s'était posée sur son épaule, où elle lui avait dit à l'oreille : « Ça n'a pas l'air d'aller, ma fille. Vous avez trop bu. Un chagrin d'amour ? »

— Oui, dit-elle. Je te comprends.

Elle allait ajouter qu'au temps où elle évoluait dans l'orbite de Lautrec, elle était coutumière du fait et que les promesses qu'elle se formulait ne résistaient pas à la tentation mais elle se retint pour ne pas le déculpabiliser.

— Alors, mon petit, que décides-tu ? Vas-tu enfin te conduire en homme ?

— Je me pose chaque jour la question, dit-il, mais je ne trouve jamais la réponse.

La réponse, monsieur Paul l'avait trouvée au lendemain de l'algarade. Il dit à Suzanne :

— J'ai rencontré, à l'heure de l'apéritif, la semaine passée, un ami de Fourneuse, le docteur Vallon. Sans le nommer, j'ai fait état de la situation de ton fils. Il m'a répondu par un mot savant : dipsomanie, soit un alcoolisme périodique suivi de la décompensation d'une structure névrotique alternant avec des périodes d'abstinence. Ce sont ses propres mots. Ils décrivent parfaitement le cas qui nous intéresse. Souviens-toi : lorsque Maurice nous a suivis en Bretagne, il n'a pas bu une goutte de vin. Parce que nous étions présents, parce qu'aucun de ses actes ne pouvait nous échapper. Conclusion : il lui faut de nouvelles vacances.

— Des vacances ? Aurais-tu l'intention de repartir ?

— Je pensais à la maison de santé du docteur Vallon, à Sainte-Anne, au 1, rue Cabanis, quartier de la Glacière.

— Mais c'est chez les fous ! Et Maurice n'est pas fou !

— Pas encore, mais il peut le devenir. Le docteur Vallon m'a rassuré : ce cas ne relève pas de la psychiatrie. Autrement dit, nous pouvons encore le sauver. Du moins je me plais à l'espérer...

5

HOSTIES À L'ABRICOTINE

Le temps où il ne se passe rien est un temps mort ; exister n'est pas vivre.

Rejetée par un mouvement centripète, mais non contre sa propre volonté, hors du tourbillon de Montmartre, Suzanne rêve d'y replonger de nouveau pour s'y refaire une place, s'y retrouver, y rencontrer de nouveau ses amis et ses collègues, s'y exprimer par son talent et son comportement.

Elle se rend de plus en plus fréquemment à Paris, par le train ou en tilbury. Elle devine que le temps est proche où elle devra se décider, sans abandonner la Butte-Pinson, à s'installer de nouveau dans la capitale.

Maurice est resté deux mois à Sainte-Anne et son état s'est amélioré. Il a pris l'apparence d'un petit saint, mais, dans son cas, comment ne pas se méfier des apparences ?

Diagnostic du docteur Vallon :

— Je vous le rends guéri, mais il faudra le surveiller, éviter une rechute qui nécessiterait un nouvel internement. Au début, il nous a donné du mal avec ses crises de délirium : il se colletait avec les infirmiers, refusait de s'alimenter, réclamait sans cesse du vin. Nous lui en avons donné en diminuant les rations chaque jour. Rassurez-vous : ce cas ne relève pas de la psychiatrie. Depuis quand a-t-il commencé à boire ?

— Il avait treize ans environ. Avec une bande de copains, à Montmartre. C'était un enfant difficile et nous ne pouvions, ma mère et moi, avoir toujours l'œil sur lui.

Maurice a rapporté de l'asile un carnet de dessins. On le voyait souvent dans le parc, occupé à griffonner, principalement les locaux de l'établissement et les bâtiments d'alentour. Suzanne l'a feuilleté.

— Pas mal, dis donc... Tu as fait des progrès. Il va falloir continuer.

— Tu crois que je pourrais devenir un artiste, comme toi ?

— Pourquoi pas ? Il faudra te montrer raisonnable. Je t'y aiderai.

Maurice a dessiné la villa de la Butte-Pinson, celle des parents de Rosalie, le café Dauberties, des roulottes de ses amis romanos, des cabanes de jardinier... Lorsqu'on sera installé à Montmartre il ne manquera pas de motifs.

— Nous déménagerons bientôt, mon chéri. Monsieur Paul est en pourparlers pour acheter une grande maison, rue Cortot, tout près de celle que nous occupions. Nous aurons un atelier avec de grandes fenêtres donnant sur Paris.

— Grand-mère nous suivra ?

— Grand-mère... Lello... bien sûr. Il y a un grand jardin en pente derrière la maison. Tu pourras dessiner en plein air, comme ici, te faire des amis parmi les peintres de la Butte. Il y en a tout un groupe au Bateau-Lavoir.

— Un bateau-lavoir ? Mais il n'y a pas de rivière, à Montmartre !

— On l'appelle ainsi à cause de son allure. Il ressemble à ceux qu'on voit sur la Seine.

Si Suzanne a compté reprendre ses randonnées dans le Maquis, elle en est pour ses frais. Cet espace sauvage, au nord-ouest de la Butte, entre la rue Tholozé et la rue Caulaincourt, vit ses derniers jours. Un par un les parcs à l'abandon, les jardinets de retraité, les bosquets de noisetiers, de clématites et de lilas, les prairies où Madeleine allait cueillir les pissenlits et ramasser les escargots ont fait place à des chantiers de construction. Un grignotement lent, continu, obsédant, a transformé en désert ce petit paradis peuplé de chèvres et de chats à demi sauvages. Un désert où, déjà, s'élabore le schéma des futures cités et des hôtels particuliers. Le temps est proche où, ayant perdu son caractère, Montmartre perdra son âme. La qualité de l'air, déjà, semble avoir changé : dans les effluves qui montent des buissons en fleurs on respire l'âcre remugle des engins de démolition.

Ambroise Vollard était aux anges : il venait, d'un coup, de vendre un Caillebotte, deux vues de la Creuse par Guillaumin et trois Pissarro à des Allemands que lui avaient envoyés les Natanson. Il rayonnait de plaisir.

— Les affaires reprennent ! dit-il à Suzanne. J'ai presque vendu votre *Nu sur un divan*. J'ai appâté le client. Il reviendra sûrement.

Il examina la *Nature morte aux pommes* que Suzanne lui présentait. Cela lui plaisait.

— Du Cézanne, ma chérie, mais avec une autre pâte, plus franche, plus robuste. Il manque encore dans cette toile un peu de métier, un travail plus subtil sur la lumière, mais la couleur est superbe. Ça sera facile à vendre.

Comme elle s'apprêtait à se retirer il lui dit :

— Miguel Utrillo... l'avez-vous revu ?

— Pour ça il faudrait que j'aille à Barcelone.

— Ce serait inutile : il est à Paris.

Vollard avait reçu sa visite. Il avait acheté l'un des derniers albums de Suzanne et s'était attardé à contempler le *Nu sur un divan*.

— J'ai bien cru qu'il allait m'acheter cette toile !

Suzanne, les jambes sciées, se laissa tomber dans le fauteuil de vannerie. Miguel... Miguel à Paris... Et pas le moindre signe de vie pour elle et son fils.

— Comment est-il ? Je veux dire : a-t-il changé ?

— Un gros visage empâté, le cheveu rare, l'allure indolente, élégant... Encore quelques années et il me ressemblera.

Ils avaient parlé. Miguel vivait à Barcelone, animait un cabaret qui rappelait Le Chat noir : El Quatre Gats (Les Quatre Chats). Il avait récemment consacré une exposition au jeune peintre Pablo Picasso, qui avait son atelier au Bateau-Lavoir et commençait à faire parler de lui.

— Vous aurez sûrement l'occasion de rencontrer cet artiste, dit Vollard. Le Bateau-Lavoir n'est pas loin de la rue Cortot.

À quelques jours de sa dernière visite à Lautrec, Suzanne fit la connaissance du père Deleschamps. Aidée de Zando, elle venait lui livrer un charreton plein de défroques dignes du magasin aux accessoires du Châtelet.

Dans le milieu pittoresque de la Butte, Deleschamps tenait le haut du pavé. Il avait plusieurs cordes à son arc : brocanteur, marchand de tableaux, poète et, à l'occasion, cocher de fiacre. Il rappelait au physique le personnage haut en couleur du *Bon Bock*, de Manet : une trogne d'éthylique rachetée par une faconde subtile et un penchant pour la philosophie, la lèvre humide sous la moustache d'officier de l'armée des Indes.

Il avait affiché au fronton de son hangar une inscription dont Suzanne lui demanda ce qu'elle signifiait : *Premier Ministre de la mort.*

— Élémentaire ! dit-il. On trouve chez moi des objets qui ont servi, ne servent plus, serviront peut-être de nouveau. Madame Moussis, cette boutique est un cimetière et j'en suis le gardien.

Comme elle se montrait surprise qu'il connût son nom, il éclata de rire : il connaissait toute la population de Montmartre, des rempailleurs de chaises aux artistes en passant par les matelassiers.

— Je sais plus de choses sur vous, ma petite dame, que vous ne pourriez le supposer. Tenez, regardez...

Il lui montra une porte d'armoire où il avait épinglé des articles de journaux qui parlaient d'elle.

— Suzanne Valadon... dit-il. J'aime ce nom. Il sonne bien.

Il lui rappela ses multiples activités, son rôle d'argus notamment, de service de renseignements dans tous les domaines de la vie montmartroise. Cela expliquait qu'il fût souvent absent de sa boutique.

Zando l'avait aidé à trier et à examiner les costumes que Lautrec lui faisait livrer pour quelques sous. Il ne s'attendait pas à en tirer un gros bénéfice en les vendant, mais il pourrait les louer pour des bals masqués.

— Trouvez pas qu'il fait soif ? dit-il d'un ton jovial.

Sans attendre la réponse il sortit d'une armoire Louis XV une bouteille de beaujolais entamée et deux verres qu'il essuya avec son tablier. Lorsqu'ils eurent vidé le leur, le vieux bonhomme montra ce qu'il appelait par dérision sa « galerie » mais qui, à quelques exceptions près, ne se composait que de croûtes.

— Je paie ces barbouilles avec des haricots, dit-il, et je les revends à des madames qui souhaitent décorer leur salle à manger ou leur salon avec un sous-bois aux cerfs.

Tandis que Zando examinait un faux Degas, Suzanne annonça à Deleschamps qu'elle allait s'installer rue Cortot. Il lui faudrait des meubles. Le broco finit son verre, s'essuya les moustaches et, par jeu, entama un boniment d'arracheur de dents.

— Dix francs pour ce meuble de bureau ayant appartenu à M. de Talleyrand ! J'y ajoute ce globe terrestre qui a servi à Magellan pour faire le tour du monde. Quinze francs seulement, je dis quinze, pour l'armoire de Marie-Antoinette, avec en prime les robes qu'elle portait à Trianon ! Joséphine a couché dans ce lit, à la Malmaison. Eh bien, ma petite dame, pas cinquante francs, pas vingt, pas quinze, dix seulement et il est à vous !

Alors que Suzanne étouffait un rire derrière ses mains, le broco ajouta :

— Tout ça, vous l'avez compris, c'est du baratin pour les gogos. Revenez quand vous voudrez, vous trouverez ici tout ce qui vous conviendra, et moins cher que chez Dufayel. J'ajoute qu'il y aura toujours une bouteille au frais...

Les rapports entre monsieur Paul et Maurice se cantonnaient dans un modus vivendi. Maurice avait renoncé à ses excès de boisson ; monsieur Paul à ses humeurs.

Lorsque Clotilde, à la requête de Suzanne, vint rendre visite à son amie dans la maison de la rue Cortot, elle ne tarit pas d'éloges. C'était autre chose que la Butte-Pinson.

— Il était temps que je déménage, dit Suzanne. À Montmagny je commençais à prendre racine et à me fossiliser. J'aime la nature, mais, là-bas, elle avait fini par ressembler à un décor d'enterrement. Ici je recommence à vivre et à respirer.

— Où en sont tes rapports avec Paul ?

— Nous nous tolérons. Triste à dire. Question sentiment, c'est le point mort, ou peu s'en faut. Depuis qu'il a quitté la société Fourneuse pour la Banque de France, il fait son monsieur, se met en rogne chaque fois que ma mère a mal repassé ses chemises. Il gagne davantage d'argent mais m'en donne de moins en moins. Il a loué un pied-à-terre dans le centre de Paris et y a installé sa maîtresse.

— Sa maîtresse ! s'écria Clotilde. Il a donc une maîtresse ?

Suzanne avait eu cette révélation par un mot discret de Mme Fourneuse qui voulait ainsi se venger de la rupture occasionnée par son amant.

— Elle s'appelle Marie Augier, ajouta Suzanne. Une petite chanteuse de beuglant qui rêve de devenir une vedette des Folies-Bergère.

— Et toi, tu...

— Oui, moi je laisse faire. Ça fait belle lurette que je ne suis plus jalouse. Paul a sa vie, j'ai la mienne. De mon côté, calme plat...

— À ton âge, encore séduisante, tu ne peux rester seule. Les occasions ne doivent pas te manquer ?

— Si je cédais, je sais où cela me mènerait, mais je ne peux jurer de rien. Je ne vais pas finir ma vie dans la continence.

Clotilde avait fini par donner son congé à la patronne de La Souris. Elle avait découvert rue de Steinkerque, au bas de la Butte, un local qu'elle avait mis en travaux pour y installer une boîte. Elle avait même trouvé le nom : ce serait le Manhattan.

— À cause des Amerloques, tu comprends ? Je compte sur toi pour l'inauguration.

Dès le premier jour de leur installation Madeleine se plut rue Cortot. Elle avoua à sa fille que la solitude de la Butte-Pinson commençait à lui peser et qu'elle s'y ennuyait. Ici les commerces étaient à proximité, elle pourrait tailler une bavette avec les voisines, regarder passer les gens...

Maurice menait une vie normale. Toujours aussi taciturne, impénétrable, il quittait le matin le domicile familial pour se rendre à son travail chez un fabricant d'abat-jour et d'éventails où Suzanne lui avait trouvé un emploi. Il y resta un mois, le temps de se convaincre que ce métier ne lui convenait pas et que douze heures par jour de travail, c'était au-dessus de ses forces.

Suzanne eut recours aux services du père Deleschamps qui se mit en campagne et proposa une place de livreur chez Félix Potin. Au bout d'une semaine Maurice était renvoyé pour des raisons qu'il ne daigna pas révéler. Il se maintint quatre mois dans un poste de débardeur aux Halles pour un salaire de misère et des horaires de nuit qui l'épuisaient, si bien que Suzanne elle-même lui demanda d'arrêter.

Il décida qu'il serait artiste. Au cours de ses flâneries il avait observé des rapins plus ou moins talentueux qui plantaient leur chevalet dans les vieilles rues de la Butte. Il s'était dit qu'il pourrait en faire autant.

Un matin il partit avec un carnet à dessin et un crayon Conté pour aller dessiner une enfilade de moulins. Au retour il montra ses essais à sa mère : elle lui demanda de persévérer ; il était sur la bonne voie. Elle fit voir ces esquisses à Paul.

— Eh bien quoi ? dit-il. Rien d'extraordinaire. À son âge je dessinais aussi bien que ton fils et ça ne m'a pas réussi. Si tu crois qu'il va gagner sa vie avec ça...

Un matin que Maurice était occupé, une planche à dessin sur les genoux, à croquer la façade du Bateau-Lavoir dominant les derniers espaces vierges du Maquis, il devina une présence dans son dos. Comme il n'aimait guère être observé dans son travail il se leva pour partir. Une voix l'interpella.

— Eh bien, jeune homme, je vous fais peur ?

Celui qui l'abordait ainsi était un personnage qui paraissait un peu plus âgé que lui. De taille modeste, rondelet, précocement chauve, le menton ombré d'une légère barbe, le sourire affable, il avait une curieuse dégaine avec sa cravate noire nouée sur un col de chemise grisâtre, son caban breton à doublure rouge cerise, son pantalon trop large et trop long d'auguste.

— Me permettez-vous de jeter un coup d'œil sur votre dessin ?

Maurice lui tendit sa planche d'un air maussade.

— Mais, dites-moi : où avez-vous appris à dessiner ?

— Avec ma mère.

— Pas mal... Pas mal du tout... Vous avez bien rendu la perspective, l'allure bancale de cette bicoque du premier plan. Vous venez souvent dessiner dans ces parages ? Vous demeurez dans le quartier ? Comment vous appelez-vous ?

— Utrillo. Maurice Utrillo.

— Utrillo ? Cela me dit quelque chose. J'ai connu un certain Miguel Utrillo. Il vivait, je crois, avec une artiste peintre, Suzanne Valadon.

— Ce sont mes parents.

— Tiens, tiens... Si vous avez terminé votre dessin, faisons quelques pas ensemble, voulez-vous ? J'habite à deux pas d'ici, rue Gabrielle. Mon nom est Max Jacob...

Au printemps, Maurice s'attaqua à la peinture. Sans enthousiasme, avec les mêmes réticences que sa mère autrefois. Suzanne l'y encouragea.

Elle le faisait sortir du lit de bonne heure.

— Allez, mon garçon, file sur le motif, et plus vite que ça !

Il ne se faisait pas prier. Le motif, c'était pour lui la place Saint-Pierre, la rue Saint-Vincent, le Château des Brouillards, Le Bateau-Lavoir... Dès qu'un groupe de curieux se formait dans son dos il faisait mine de plier bagage et ne reprenait sa tâche que lorsque le dernier importun avait disparu.

Un jour que Suzanne était allée trinquer avec le père Deleschamps, le broco lui montra deux dessins d'un jeune artiste : une vue du Lapin agile et une perspective de la rue Norvins.

— Encore un peu maladroit mais assez bien vu, dit-il. Ce garçon est un débutant, ça se sent, mais il promet. Regardez le bas de la feuille : c'est signé « M. Valadon ».

— Mais c'est mon fils ! s'écria Suzanne.

— J'ai fait affaire avec lui. Pour ces deux dessins je lui ai donné dix francs, ce qui est très bien payé. Je lui aurais annoncé qu'il exposerait au Salon d'Automne, il n'aurait pas été plus heureux.

Précédé de Lello, Maurice revenait du motif et s'engageait dans l'allée quand Suzanne l'intercepta.

— Tu as bien travaillé aujourd'hui ? Tu es content de toi ?

— Comme ça... Des bricoles...

— C'est bien, mais tu aurais pu me parler de tes rapports avec le père Deleschamps. Dix francs, c'est une jolie somme. C'est ton beau-père qui va être agréablement surpris.

— Ne lui dis rien, je t'en prie. Ça ne le regarde pas. Je me moque de son opinion comme lui se moque de mes dessins.

La première visite de Maurice à Max Jacob lui avait donné envie de retourner à son domicile de la rue Gabrielle.

Il y avait un tel décalage entre cet aimable excentrique et sa demeure que Maurice, à sa première visite, crut rêver. Max logeait dans une cabane en planches, au fond de la cour, commune à plusieurs immeubles. Des monceaux de détritus, des flaques d'eau sale, des effluents de tinette montait une odeur fétide. Les fenêtres, d'où des ménagères portant un enfant dans leurs bras l'observaient sans aménité, étaient pavoisées de linges douteux.

— Mon palais ! lança joyeusement Max Jacob. Il ne paie pas de mine mais je ne le changerais pas pour un hôtel particulier à Neuilly. Entrez donc, mon jeune ami ! Inutile de vous essuyer les pieds.

Poète et artiste peintre, Max était trop pauvre pour se payer le matériel nécessaire à la peinture à l'huile : il se contentait de la gouache. Il montra quelques œuvrettes à son visiteur qui lui en fit compliment. Il lui donna lecture de quelques passages d'un conte qu'il rédigeait : *Histoire du roi Kaboul Ier et du marmiton Gauvain*.

Durant la lecture Maurice laissa son regard embrasser le décor pittoresque du « palais » : murs couverts de zodiaques mêlés à des images pieuses, sommier posé sur des briques en guise de lit, rangées de livres sur des étagères affaissées en leur milieu, table surchargée de paperasses et d'un encrier en faïence bretonne, placard à vêtements doté d'un seul battant... La lumière crue tombant de la lucarne ouverte dans la toile goudronnée accentuait les détails sordides du lieu.

Maurice commençait à se sentir mal à l'aise. Il s'apprêtait à prendre congé, quand Max lui dit :

— Nous nous connaissons depuis moins d'une heure mais déjà je devine en vous un personnage hors du commun, en proie à des contradictions. J'aimerais, si cela vous agrée, établir votre horoscope. En attendant, donnez-moi votre main. Je vais tâcher d'y lire votre caractère et votre destin.

Maurice lui tendit une main moite qui semblait répugner à s'ouvrir et à se livrer. Le poète promena sur la paume un œil inquisiteur et referma la main comme un coffret.

— Vous avez de belles lignes, dit-il, et très bavardes, si vous ne l'êtes guère. Pas beaucoup de femmes dans votre vie, hein ? Vous êtes l'homme d'une passion et d'une seule, qui est l'art. Je vois surgir des difficultés, des choses qui vous grignotent et risquent de faire obstacle à votre réussite. On parlera beaucoup de vous...

Lorsque Maurice lui raconta son entrevue avec ce personnage singulier, Suzanne lui dit :

— Prends garde, mon chéri : la Butte est le refuge d'un tas de personnages originaux qui peuvent être dangereux.

Deleschamps connaissait bien Max Jacob.

— C'est un Juif breton, né à Quimper. Il a une réputation d'homosexuel et d'excentrique, mais peu redoutable. Il a vécu durant quelques années chez son frère, un tailleur d'habits du boulevard Barbès. Il vit de peu : des contes et des articles, quelques gouaches, et il lit dans les lignes de la main...

Fasciné autant que rebuté par ce personnage, Maurice revint quelques jours plus tard chercher son horoscope. Max s'apprêtait à passer sa soirée sur les boulevards ; il s'était mis sur son trente-et-un : redingote, gilet de soie, huit-reflets et monocle : une image parfaite de gentleman.

— J'ai travaillé pour vous, mon cher, dit-il. Voici l'image de votre destin en quelques traits...

Il lui tendit une feuille graisseuse sur laquelle figuraient des lignes mystérieuses traversant une circonférence entourée d'une ronde de signes cabalistiques. Max parla de Saturne et d'Uranus, de l'influence des astres, de magnétisme et de nombre d'or : un charabia auquel le pauvre Maurice ne comprit goutte.

— Vous avez devant vous, conclut le magicien, un destin exceptionnel. Ne me remerciez pas : je suis fier d'être votre ami.

Il offrit à Maurice une pilule dans une innocente boîte de pastilles de menthe, ajoutant que c'était de l'abricotine, autre nom pour l'éther. L'odeur fit grimacer Maurice.

— Mes voisins, dit Max, se plaignent de ce que l'odeur de l'éther monte jusque chez eux. Ils exagèrent, pour me nuire mais je m'en fiche. L'abricotine, mon cher, cela aide à supporter l'insuccès et la misère.

Il ajouta en ajustant son monocle qui venait de choir sur le revers de sa redingote :

— Êtes-vous croyant ?

Pris de court, Maurice répondit par un bredouillis.

— Au moins, n'avez-vous rien contre la religion ?

— Ben, non, mais...

— Alors il faudra que nous nous soutenions mutuellement. Je suis à la recherche de la foi et tout me dit qu'il en est de même pour vous. Venez me rejoindre demain à Saint-Pierre. Nous prierons ensemble. La prière est le meilleur chemin pour aller vers Dieu.

Saint-Pierre de Montmartre... Maurice avait déjà dessiné et peint cette église, sans que l'envie ou la curiosité le poussât à y pénétrer. Dans son émouvante banalité cette architecture lui plaisait.

Il y retrouva Max le lendemain. Le poète avait perdu sa fraîcheur de la veille et son alacrité : il avait du sang au coin des yeux et la bouche amère. Il invita Maurice à lui donner la main et à prier à haute voix : il lui suffirait de répéter.

— Mais, dit Maurice, ces gens, autour de nous...

— Ces gens sont des fidèles. Nous ne ferons que traduire ce qu'ils ont d'amour pour le Christ dans le cœur. Nous sommes dans la maison du Seigneur, ne l'oubliez pas : il peut tout entendre de ses fils.

Ils prièrent à haute voix. Peu à peu, la gêne qu'il avait ressentie au début fit place chez Maurice à une impression de sérénité : ce que Max qualifia d'« introduction à l'état de grâce ». La vie de Maurice allait en être bouleversée.

Dans les jours qui suivirent, Maurice guetta le changement annoncé et n'en perçut pas les moindres symptômes. Il gardait de cette première séance de prière une impression diffuse mais agréable qui se confirma le jour où Max lui montra le chemin du confessionnal. Il se trouva confronté à un jeune prêtre à peine plus âgé que lui, qui lui parla et l'interrogea sans y mettre trop de formes, sur des problèmes que Maurice laissait macérer en lui. Cette confession que ne suivit aucun pensum lui causa un tel sentiment d'euphorie qu'il revint de lui-même solliciter un nouvel examen de conscience de la part de ce jeune religieux qui avait su le comprendre et l'absoudre. Un jour, poussé par Max, il demanda la communion.

— Eh bien ! lui dit Suzanne, qu'est-ce que j'apprends ? Tu tournes à la bigoterie ? On t'a vu sortir de Saint-Pierre. Je suppose que ce n'était pas pour dessiner la nef et le crucifix...

Il se referma comme une huître. Elle ajouta :

— Après tout, ça m'est égal. Je préfère te savoir à l'église que dans les bistrots.

Informé du comportement singulier de son beau-fils, monsieur Paul ne cacha pas sa satisfaction. Lui-même était croyant et pratiquant, ce qui occasionnait parfois des frictions avec son épouse qui, elle, en raison des mauvais traitements subis chez les sœurs, se méfiait de tout ce qui avait trait à la religion.

— Notre Maurice saisi par la grâce ! s'exclama-t-il. Il n'a pas fini de nous étonner, le bougre. S'il pouvait entrer au séminaire nous en serions débarrassés...

En même temps qu'à l'hostie à laquelle Max l'avait préparé, le néophyte avait pris goût à l'abricotine. Ce mélange, affirmait le poète en se référant à la secte médiévale des Haschischin, ne pouvait que conforter l'état de grâce. Maurice devait convenir que les boulettes procuraient un réel soulagement.

— Un jour, lui assura Max, les portes du Ciel s'ouvriront pour nous. Sans les premiers élans de la foi qui m'animent, crois-tu que j'aurais pu supporter la misère et l'indifférence ?

Depuis que la grâce l'avait effleuré de son aile il attendait le Signe qui le ferait pénétrer dans le domaine des certitudes éternelles.

Un soir qu'ils venaient de prier ensemble après une débauche d'abricotine, Max lui dit d'une voix pâteuse :

— Il faut, puisque nous marchons côte à côte comme deux pèlerins sur le chemin de Jérusalem, que nos êtres se confondent, que notre chair soit à l'unisson de nos âmes.

Ce pathos laissa Maurice éberlué. Il demanda à Max ce qu'il attendait de lui. Le poète n'y alla pas par quatre chemins ; qu'il se déshabille et se mette au lit.

— Indispensable, ajouta-t-il, si nous souhaitons sincèrement ne faire qu'un, devenir en quelque sorte des époux mystiques.

Dans un état second, Maurice fit ce que son directeur de conscience lui demandait. Nu, il s'allongea sur les draps crasseux et puants où s'ébattaient des punaises. Agenouillé à son chevet, Max laissa ses mains courir sur le corps du néophyte qui, à défaut de la communion attendue, sentait lui courir sur la peau des picotements désagréables.

— Les punaises ! gémit-il. Sales bêtes ! Elles vont me dévorer !

— N'insulte pas les punaises, dit Max. Ce sont des créatures de Dieu. Laisse-toi plutôt pénétrer par la grâce.

Les expériences juvéniles de Maurice s'étaient bornées, avec la bande de voyous de la Butte, à des attouchements mais il en avait appris suffisamment pour percer à jour les intentions perverses du poète dont l'exaltation ne faisait que croître et qui gémissait :

— Créature de Dieu, montre-moi le chemin de l'extase !

Maurice bascula hors du lit, se gratta avec des gestes frénétiques et se rhabilla.

— J'en ai assez de vos simagrées ! cria-t-il. Hypocrite ! Faux dévot !

Toujours agenouillé au bord du lit, mains jointes sur la poitrine, Max battit sa coulpe.

— Pardonnez-moi, Seigneur ! Merci de m'avoir permis, grâce à cet agneau pétri d'innocence, de sonder la profondeur de mon infamie ! Béni sois-tu, Maurice ! Grâce à toi j'ai triomphé du démon.

On ne pouvait plus habilement retourner à son avantage une situation embarrassante.

— Décidément, ricana Maurice, vous avez réponse à tout. Adieu...

Paul contemplait le tableau, s'en éloignait, y revenait : un manège qui exacerbait les nerfs de Suzanne. C'était la deuxième peinture de femmes nues à laquelle elle s'était appliquée, après le *Nu sur un divan* que Vollard avait fini par vendre.

— Vas-tu enfin me dire ce que tu en penses ?

De plus en plus fréquentes et vives depuis que Paul découchait deux ou trois fois par semaine, ces disputes ne la privaient pas de solliciter ses avis en matière d'art, car, ayant gardé la nostalgie d'une vocation contrariée par sa famille, il avait le goût assez sûr et avait conservé avec les milieux artistiques des rapports constants. Accompagné souvent par son épouse, il assistait aux vernissages. Il avait acquis des estampes japonaises pour sacrifier à la mode et des œuvres de Pissarro par goût de l'impressionnisme : une école qu'il plaçait au-dessus de toutes les autres.

— Cette toile me déconcerte, je l'avoue, dit-il. *La Lune et le Soleil...* C'est un bon titre, mais deux femmes ! C'est contraire à la mythologie...

— Oh, moi, la mythologie, répliqua Suzanne, je m'en moque. Tu n'as pas tort, mais représenter un homme nu sur une toile, quel scandale ! Dis-moi plutôt ce que tu penses de l'exécution.

106

Il se gratta la joue. Cette composition le surprenait : elle révélait l'influence de Puvis de Chavannes, mais avec une touche très personnelle ; de Gauguin aussi : les premières poses avaient été réalisées dans un coin discret des jardins du Luna Park, avec un fond de verdures exotiques. Les aplats étaient trop tranchés, le cloisonnement trop vigoureux, le parti pris de réalisme trop évident.

— On ne peut pas dire que tu donnes dans la nymphette ! Qu'est-ce qui t'incite à peindre des bouchères ?

— J'aime les femmes aux formes généreuses, tu le sais.

Revenant au titre, il proposa : *La Brune et la Blonde.*

— Tu as raison, soupira Suzanne. Tu as toujours raison.

Vollard manifesta moins de réticences que Paul : il trouvait cette œuvre réaliste, virile. Il dénicherait facilement un acheteur : les Allemands étaient friands de ce genre de toiles.

Il lui proposa d'examiner quelques œuvres du jeune Pablo Picasso, qu'on appelait le Malaguène du fait qu'il était natif de Málaga. Vollard avait organisé une première exposition de cet artiste du Bateau-Lavoir deux ans auparavant, en 1901 : une soixantaine d'œuvres rapportées d'Espagne, scènes de tauromachie, paysages urbains de Barcelone, spectacles de la rue, et quelques portraits...

Ce qui avait occasionné l'échec de cette exposition, c'était en partie la diversité des styles qui donnait l'impression désagréable que l'artiste se cherchait : il évoluait entre Lautrec, Degas, Kees Van Dongen. Son talent, son énergie partaient dans tous les sens. On eût aimé une force centripète ; elle n'était que centrifuge.

— Ce garçon fera son chemin dès qu'il se sera débarrassé de toutes ces influences, dit Vollard.

Il s'avoua surpris que Suzanne ne l'eût pas encore rencontré, le Bateau-Lavoir étant proche de la rue Cortot. Picasso vivait là, dans la dèche, avec un groupe de peintres aussi nécessiteux que lui. Depuis le début du siècle et son arrivée en France, il faisait des aller-retour entre l'Espagne et

Paris, comme s'il cherchait où nicher. Il semblait avoir choisi Paris.

Suzanne partageait l'avis du marchand : il y avait dans ces toiles un talent fougueux qui pouvait annoncer une grande œuvre.

Vollard entraîna Suzanne dans l'entresol, avec un sourire narquois. Il dégagea une toile d'un alignement.

— Vous vous lancez dans le paysage montmartrois ? dit-il. Pas mal du tout cette rue Norvins...

La toile était signée M. Valadon. Même scène que chez Deleschamps et même stupéfaction pour Suzanne ! La moutarde lui monta au nez : elle avait pourtant intimé à Maurice l'ordre de ne plus signer Valadon. Il s'appelait Utrillo ; il devait signer Utrillo !

— Vous devriez intervenir sans tarder pour éviter toute équivoque, suggéra Vollard. Il a porté des œuvres du même tabac chez d'autres marchands.

— Je sais, dit sombrement Suzanne. Chez le père Deleschamps notamment...

Elle l'avait reconnu de loin, bien qu'il fût assis sur une borne et qu'il lui tournât le dos. Picasso était facile à reconnaître avec sa combinaison bleue d'ouvrier.

Elle venait de descendre de l'omnibus Pigalle-Halle-aux-Vins (Pigalle-aux-Vins, comme on disait). Les bras encombrés d'emplettes, elle avait remonté la rue Lepic. En débouchant sur le square Saint-Pierre elle avait aperçu le jeune peintre : il était entouré d'un groupe de gamins pour lesquels il dessinait sur le sol avec la pointe d'une branche. Il leva la tête et lui sourit.

— Vous êtes Pablo Picasso ?

— Et vous Suzanne Valadon ?

— Si je ne suis pas indiscrète, que faites-vous là ?

— Vous le voyez : j'enseigne la peinture dans mon université de la rue. Ces gosses sont curieux de nature. Au lieu de leur farcir le crâne de sciences et de mathématiques on devrait leur apprendre l'art. Le monde en serait changé.

Il se leva, frotta amicalement quelques crânes tondus.

— Allons boire un verre chez Émile, dit-il. Je vous invite.

Il avait gardé un reste de son accent malaguène, avec une suave lenteur dans son élocution, comme s'il voulait éviter d'achopper sur des mots difficiles. Il prit d'autorité les paquets, proposa de s'installer sur la terrasse, au soleil. Elle commanda une bière, lui un café.

— Je ne bois pour ainsi dire jamais d'alcool, dit-il. Je m'en méfie. On sait où ça mène.

Il avait vu ses dessins et ses toiles chez Vollard et lui en parla avec chaleur. Ils restèrent une heure à bavarder. Il lui raconta comment il travaillait dans cette ruche qu'était le Bateau-Lavoir, en compagnie de Fernande Olivier, une superbe odalisque brune, son modèle et sa maîtresse. Elle lui parla de la Butte-Pinson et de son nouveau domicile de la rue Cortot. De Maurice aussi...

— Je le vois parfois, dit Pablo, avec Max Jacob, en train de vadrouiller autour de Saint-Pierre. J'ai bien connu son père, Miguel, et je lui dois beaucoup. C'est grâce à lui si je peux travailler ici. Il fait du bon travail, à Sitges et à Barcelone.

Il ajouta en se levant :

— Une famille d'artistes... Quelle chance vous avez !

6

JEUNE HOMME BLOND
AVEC ÉCHELLE

Au début de l'été Suzanne décida de passer quelque temps à la Butte-Pinson pour se reposer.

La campagne, la vraie, lui manquait. Elle trouvait dans les longues promenades menant à la lisière de la forêt de Montmorency, seule ou en compagnie de Lello et de la petite chienne Trompette que Rosalie lui avait offerte, une détente nécessaire.

Un autre motif l'avait décidée à lever l'ancre : Maurice avait replongé dans ses mauvaises habitudes. Au cours de ses pérégrinations on le trouvait plus souvent chez Émile ou au Clairon des chasseurs que devant son chevalet. Il avait suffi qu'il se laissât, un jour de grande chaleur, entraîner par un rapin pour que le cycle infernal reprît. Il évitait Max Jacob comme un lépreux.

Lorsque Suzanne lui avait annoncé sa décision il avait fait grise mine et protesté.

— Pars seule avec grand-mère. Moi je reste. Qu'est-ce que j'irais foutre dans ce bled ?

— Ne discute pas. ! Si je te laissais seul tu ne dessoûlerais pas. À Montmagny tu pourras peindre. Il y a de jolies paysages dans les environs.

Maurice n'aimait les paysages qu'à condition qu'il y eût dans la perspective l'enseigne d'un bistrot.

— Je compte sur toi pour surveiller ton fils, dit monsieur Paul. Je n'aimerais pas qu'il occasionne d'autres scandales. Avec ma nouvelle situation, tu comprends...

Elle comprenait fort bien : durant ces quelques semaines il pourrait se donner quotidiennement à sa jeune maîtresse.

Suzanne était installée depuis une semaine quand la sonnette du portail lui annonça une visite. En écartant le rideau elle aperçut une grosse femme qui ne lui était pas inconnue : elle la croisait parfois dans les commerces, autour de la gare de Pierrefitte.

Suzanne la fit entrer et demanda à Madeleine de leur servir du vin sous la charmille.

— Nous nous connaissons sans nous connaître, dit la visiteuse. Adèle, ça vous dit quelque chose ? À plusieurs reprises j'ai eu la tentation de vous aborder, mais j'ai renoncé : un grand peintre qui expose dans les salons et les galeries...

Adèle était une forte femme rousse, au visage plein, sans une ride. Elle devait, comme Suzanne, graviter autour de la quarantaine. En raison de la chaleur elle portait une tunique légère qui laissait deviner une charpente puissante, et une modeste clinquaille de bijoux. Elle demeurait près du Bon Coin, dans un pavillon avec jardinet dominant le paysage.

— Nous nous sommes sans doute rencontrées à Paris, dit Adèle, mais de part et d'autre d'une rampe. Vous fréquentiez l'Élysée-Montmartre en compagnie de Lautrec : un couple qui ne passait pas inaperçu, vous belle comme Diane, et lui...

— Vous étiez...

— Une danseuse vedette, et ça durant des années. La galère !

Elle habitait alors Montmartre et fréquentait le Cabaret des Assassins où son ami André Gil déclamait des poèmes mêlant l'anarchie à la gaudriole. Cette boîte était devenue un repaire de marlous et de prostituées. Chaque soir ou presque on tirait les couteaux.

— Lorsque Gil est mort, dit Adèle, j'ai pris sa succession après avoir fait ma pelote. Je n'avais pas froid aux yeux. J'ai mis la clientèle au pas, malgré les injures et les coups. J'avais de l'abattage comme on dit et j'ai tenu bon face à ces voyous.

Le Cabaret des Assassins était devenu le Lapin à Gill, puis le Lapin agile, en référence à l'agilité de celui qui sortait de la casserole, dans le panneau réalisé par l'artiste défunt.

— Faut dire qu'en plus de la gambille, sans me vanter, je suis bonne cuisinière. De plus j'ai appris à animer une soirée par des chansons et des histoires drôles. De ce coupe-gorge j'ai réussi à faire une honnête auberge de village. Il fallait bien, de temps en temps, que je mate les fortes têtes, mais personne n'osait me résister. J'ai fait des poids et haltè-res et, avec mon gabarit, je peux tenir la dragée haute aux lutteuses de la fête à Neuneu. Je suis bonne fille mais faut pas m'emmerder...

Adèle avala un deuxième verre et soupira.

— Tout a une fin. Il y a deux ans, j'ai vendu mon auberge. Ça m'a fait peine. Aristide Bruant, l'ancien patron du Mirliton, a acheté la boîte et y a mis un gérant : Frédéric, qu'on appelle le père Frédé. Un dur à cuire lui aussi.

— Vous avez donc pris votre retraite ? Si jeune...

— Ma retraite, à quarante ans ? Pas question ! J'ai des projets...

Adèle avait décidé de créer un restaurant au cœur de la Butte, rue Norvins. Rien de luxueux : une bicoque en plan-ches d'un style intermédiaire entre le chalet suisse et la cabane de trappeur. Elle l'appellerait Le Chalet.

— Les travaux seront terminés dans un mois environ. Ma clientèle, je la connais déjà : des artistes. Montmartre en regorge. Comme ce sont pour la plupart des traîne-guenilles je leur servirai le repas à deux francs, vin compris, mais atten-tion, pas de la gnognotte ! Ces rapins veulent qu'on les traite comme des rupins !

Elle ajouta en se levant :

— J'espère avoir votre visite, madame Moussis. Il y aura toujours une place pour vous.

Maurice se mettait à table, mangeait sans un mot et allait se coucher. Suzanne et Madeleine avaient fini par prendre leur parti de cette attitude, d'autant qu'il ne montrait aucune hostilité déclarée à son milieu familial. Il vivait replié sur lui-même, montrait les dents à la moindre observation mais sans ces éclats qui, naguère, le rendaient odieux.

Il partait de bonne heure, son attirail sur le dos, accompagné de ses chiens, comme pour un rendez-vous qui ne souffrirait pas de retard. C'était bien d'un rendez-vous qu'il s'agissait : avec cette campagne qui semblait avoir vaincu ses préventions et le fascinait.

L'une des premières toiles qu'il eût peintes de sa fenêtre représentait la maison Dauberties : *Café-Vins*. Le style ne manquait pas de vigueur. Il avait employé des couleurs en mineur, dans les ocres avec, ici et là, des taches de verdure. Une peinture sans joie.

Il craignait trop de s'exposer à des observations sévères en montrant ses toiles à sa mère : à la moindre critique il se bloquait et les compliments l'importunaient. Ces toiles qu'il lui cachait, elle savait où les dénicher. Chaque fois c'était une surprise. Elle retrouvait sa manière à elle, ses couleurs, son coup de pinceau, mais sa propre personnalité commençait à se dessiner.

— Ces croûtes, disait Madeleine, tu crois qu'il pourra les vendre ?

— Ça n'est pas facile mais il y arrive. Ce qu'il peint est d'une tristesse... Une peinture de malade.

— Maurice est malade ?

— Pas plus que toi et moi mais sa peinture donne cette impression.

Suzanne le surprit un jour à préparer sa palette pour peindre les maisons qu'il apercevait du perron. Il puisait d'étranges substances dans les boîtes à cirage et les mêlait aux couleurs des tubes.

— Quels sont ces mélanges ? demanda-t-elle.

Il consentit à lui expliquer que, pour donner plus de vérité aux sujets comportant des maisons, il incorporait aux couleurs traditionnelles les matériaux dont elles étaient bâties ou crépies : brique, ciment, plâtre, sable...

— Drôle d'idée... dit Suzanne. Mais enfin, pourquoi pas ?

Il lui montra quelques essais ; elle les jugea intéressants mais s'abstint de crier au génie. Une question lui trottait dans la tête.

— Ce garçon qui t'a raccompagné hier, en bleu de chauffe, avec une échelle sur le dos, tu aurais pu le faire entrer et lui offrir un rafraîchissement.

Maurice avait rencontré André Utter la semaine précédente, alors qu'il venait de planter son chevalet à l'ombre d'un platane, une bouteille de vin à ses pieds, pour peindre l'église de Pierrefitte. Un gamin s'était approché, puis un autre. Il y en eut bientôt une dizaine autour de lui, se poussant du coude en rigolant. Quand Maurice leur avait demandé de lui foutre la paix ils s'étaient dispersés mais étaient revenus en force.

Lorsqu'une pierre lancée par l'un d'eux brisa sa bouteille il entra dans une fureur telle que tout le quartier en fut alerté. La femme du boucher se planta sur le seuil de sa boutique, prit dans ses bras son chérubin affolé et menaça de prévenir la police si cet énergumène n'abandonnait pas la place. Des clientes de la boulangère s'alignèrent sur le trottoir en protestant.

— Si c'est pas une honte ! Injurier ces pauvres petits !

— Il ferait mieux d'aller travailler, cet ivrogne.

— Qu'il ose toucher à mon fils, tiens !

Bouillant d'indignation, Maurice commençait à replier son matériel quand il vit un jeune ouvrier plombier en salopette, une échelle sur l'épaule, coiffé d'une casquette de cuir

117

d'où dépassait une opulente chevelure blonde, se planter d'un air de défi devant les mégères. De ce qu'il leur dit, Maurice ne put rien entendre, mais il vit les femmes refluer dans les boutiques et l'arrière-garde de la bande s'égailler.

L'ouvrier traversa la rue, posa son échelle contre le platane et s'avança vers Maurice.

— J'ai assisté à la scène, dit-il. Ces gens sont odieux.

— Que leur avez-vous dit pour les calmer ?

— Que vous étiez un grand artiste et qu'ils vous fichent la paix. Je peins moi-même à mes moments libres, mais sans ambition.

— Je vous offre un verre, dit Maurice.

Il commanda deux mominettes au Café de la gare, écouta le plombier lui raconter comment il avait pris goût à la peinture en fréquentant un peintre juif italien rencontré à Paris : Amedeo Modigliani, dont Maurice n'avait pas entendu parler. Rien d'étonnant : cet artiste était arrivé récemment en France. Modi, comme il l'appelait, l'avait entraîné dans une orbite infernale : les femmes, l'alcool, la drogue. Après quelques semaines de cet enfer, le médecin lui avait conseillé d'aller se refaire une santé en banlieue. Comme il n'était pas maladroit et que la bohème ne nourrissait pas son homme, il avait trouvé un boulot dans une entreprise de plomberie.

— Intéressant, dit Maurice. Une autre mominette ?

— Merci. L'alcool ne me réussit pas. Si je rentrais ivre chez mon patron, ce serait la porte.

— J'aimerais que nous nous revoyions.

— Ça me plairait aussi. J'ai mes dimanches, mais je profite de ce que les jours sont encore longs pour aller peindre une petite heure dans les parages.

Il demeurait chez son patron, sentier des Cailloux, entre la ligne Créteil-Paris et l'avenue Élisée-Reclus. Maurice pourrait l'y retrouver.

— Vous demanderez André Utter, dit-il. Je finis ma journée à six heures car je commence tôt.

118

En l'espace de quelques mois Rosalie avait dépassé le stade que Suzanne appelait « fraise à la crème » pour devenir une adolescente, presque une femme. Au moment de la pose Suzanne voyait surgir un petit personnage pétri dans une pâte de sucre rose et blanc qui répandait l'odeur sui generis musquée qu'ont parfois les filles de cet âge postpubère.

Suzanne s'était rendu compte qu'elle devrait renoncer à la peindre : la gamme de couleurs dont elle usait ne convenait pas pour exprimer la fraîcheur de cette peau d'ange, sa texture subtile et lumineuse. Renoir et Berthe Morisot l'auraient sûrement trouvée à leur convenance, pas elle. En revanche, elle la fit poser de dos pour des dessins.

— Pourquoi tu me fais pas poser de face ? lui demandait la gamine. J'ai pas de beaux seins, peut-être. Et mon ventre ? Faudrait peut-être que je maigrisse...

Il était difficile à Suzanne d'expliquer la raison de ce parti pris. L'explication la plus plausible était que Rosalie la troublait. Elle s'ouvrit de ce comportement équivoque à Clotilde.

— Quand elle est revenue poser à ma demande, je l'ai aidée à défaire son corset. Un corset, à cet âge ! Il est vrai qu'elle a tendance à s'épaissir. Elle a bien changé, en peu de temps, cette gamine. Tu quittes une enfant et, une saison plus tard, tu la retrouves presque femme. Lorsque ma main a effleuré sa peau j'ai senti comme un courant magnétique. J'en suis au point où je n'ose plus la faire poser de face. Cette poitrine déjà formée, ce ventre un peu lourd, ces cuisses de paysanne, ce sexe apparent sous la première toison, cet air qu'elle prend comme pour me défier... Je n'ai jamais ressenti une telle sensation en présence d'un modèle féminin. Qu'est-ce qui m'arrive ?

Clotilde se mit à rire.

— Ma chérie, c'est que tu es amoureuse. C'est exactement ce que j'ai éprouvé la première fois que j'ai couché avec une fille de cirque. Rassure-toi : c'est naturel.

Elle demanda à Suzanne depuis combien de temps Paul ne l'avait pas baisée. Elle ne s'en souvenait plus ! Il avait assez à faire avec sa jeune maîtresse qu'il venait d'installer rue Lepic.

— Tu ne peux pas continuer comme ça. Il te faut un homme. Un conseil : ne touche pas à cette gamine, ça pourrait mal tourner si les parents apprenaient...

— Je ne m'y risquerai pas, mais cette fille est amoureuse de moi, alors que je fais tout pour la décourager.

— Renonce à elle, trouve-toi un autre modèle.

— J'y songe, mais, vois-tu, j'ai besoin de sa présence et j'en ai honte. Pourtant elle est vulgaire et sotte comme une cruche.

Lorsque Suzanne annonça à Rosalie qu'elle n'avait plus besoin de ses services, la petite éclata en sanglots, s'accrocha à son cou, la supplia de la garder. Par Madeleine, qui se rendait fréquemment chez les grands-parents, elle apprit que Rosalie traversait une période difficile : elle boudait, refusait de sortir, mangeait du bout des dents et avait de fréquentes crises de larmes.

On expliquait cela par la puberté, mais ce n'était pas si simple. Suzanne se sentait responsable : elle avait aidé Rosalie à s'extraire de son cocon de fillette, lui avait donné conscience de sa beauté charnelle, de sa vénusté, avait éveillé en elle les premiers élans amoureux. La pauvrette n'avait fait qu'éprouver ce que tout modèle féminin doit ressentir pour l'artiste masculin auquel elle offre le spectacle de sa nudité. Cette sensation, Suzanne l'avait souvent connue, jadis, sous l'œil des maîtres.

Au contact d'André Utter, Maurice s'était assagi. Leurs relations n'avaient pas tardé à se muer en une amitié scellée par un goût commun pour les arts.

Maurice allait souvent retrouver André dans la bicoque, une ancienne cabane de jardinier, où il avait élu domicile ; elle était ornée d'un portrait du jeune plombier, signé de

Modigliani, une simple étude au crayon sur un mauvais papier, et de croquis qu'il avait réalisés dans les environs. Lorsqu'il partait sur un chantier, son échelle légère sur l'épaule, il avait toujours dans la poche son carnet à dessin.

La patronne, Mme Soulet, avait interdit à son employé d'amener dans son logis des « créatures », mais n'avait pu éviter que sa fille, Armandine, ne lui rendît visite : elle lui apportait ses repas, faisait son lit et l'aidait volontiers à le défaire. Les parents désespéraient de trouver un fiancé à cette grande bringue osseuse et maniérée. Ils avaient bien pensé que leur ouvrier pourrait se dévouer, mais, à la réflexion, on ne voulait pas d'artiste dans la famille.

Elle n'avait manifesté aucune réserve lorsque André l'avait attirée sur son lit ; elle n'en manifesta pas davantage lorsque, son ami tardant à rentrer, Maurice avait profité de cette absence. Son expérience en la matière, à vrai dire, était assez sommaire ; elle suppléa à ses carences. Il avait espéré découvrir sous l'effeuillement de la jupe et des trois jupons les trésors de Golconde ; il fut déçu de ne découvrir qu'un article de brocante passablement usagé.

Lorsque le traître lui avoua son forfait, André se contenta de sourire.

— N'aie aucun remords. Cette fille n'est rien pour moi. Tous les ouvriers du père Soulet y ont passé avant nous. Si tu as pris ton plaisir avec elle, ne t'en prive pas...

Il se tenait timidement devant Suzanne, son échelle sur l'épaule. Elle lui demanda de la poser contre le poirier.

— Il fait chaud. Nous allons boire une bière bien fraîche.

Elle remonta du puits un casier à bouteilles qu'elle posa avec des verres sur la table du jardin, sous le poirier où la température était plus clémente. Aux alentours la chaleur bourdonnait dans la soirée comme une colonie d'essaims. Au-dessus de la plaine, du côté de Sarcelles, une grosse soupe d'orage mitonnait sur un feu d'éclairs.

André ôta sa casquette et s'essuya le visage en essayant de cacher ses ongles sales. En dépit des efforts que faisait Suzanne pour le mettre à l'aise, il était dans ses petits souliers. Suzanne lui demanda de lui parler de Modigliani qui avait récemment rendu visite à Vollard. Il parut gêné : comment avouer qu'il avait partagé durant quelques semaines la vie de ce bohème qui avait voué son existence aux plaisirs autant qu'à la peinture ?

— C'était l'enfer, dit-il. J'en suis sorti à temps. C'est cette échelle et cette boîte à outils qui m'ont sauvé : je veux dire mon travail.

Il ne resta que le temps de sécher une canette. Il voulait rentrer avant que l'orage n'éclatât.

— Revenez quand vous voudrez, dit Suzanne.

Alors que l'orage venait d'ouvrir ses vannes, elle dit à Maurice de préparer le tilbury et d'atteler la mule pour raccompagner le plombier. Elle lui dit en aparté :

— Ton copain me plaît. Il a une bonne influence sur toi. Tu peux le ramener à la maison. J'aimerais voir ses dessins.

Elle ajouta :

— Crois-tu qu'il accepterait de poser pour moi ?

L'automne ramena la famille rue Cortot. Ce séjour lui avait été bénéfique. Suzanne n'avait pas oublié les fantasmes qui l'obsédaient en présence de Rosalie. L'adolescente venait d'ailleurs de réintégrer le collège ; Suzanne ne la revoyait que de loin, lorsqu'elle jouait dans le jardin des grands-parents avec des copines.

Paul n'avait fait que deux ou trois apparitions à Montmagny, son poste à la Banque de France lui laissant peu de loisirs. Il descendait avec des paquets plein les bras de la voiture de location qu'il prenait à la gare de Pierrefitte. Pendant un jour ou deux on faisait bombance car les produits qu'il rapportait venaient des meilleurs fournisseurs.

Ses rapports avec son beau-fils semblaient évoluer favorablement : plus de ces querelles qui dégénéraient ; une indifférence glacée, une attention distante mais judicieuse pour les toiles de l'artiste.

Au début d'octobre, Suzanne confia à Ambroise Vollard quelques natures mortes auxquelles il ne prêta qu'une attention distraite, en lui promettant de les négocier : le marché de l'art avait repris ; il venait de vendre deux petits Renoir un bon prix. Il chantonnait en baisant la main de Suzanne et la prit familièrement par la taille.

— Il est rare de vous voir d'humeur aussi joyeuse, dit-elle. D'ordinaire on a l'impression de déranger un ours en hibernation.

— Comment ne le serais-je pas ? Savez-vous qui m'a acheté mes deux petits Renoir ? Ces gens, au fond de la boutique. La grosse dame, c'est Gertrude Stein. La maigre s'appelle Alice Toklas, une sorte de gouvernante à tous usages si vous voyez ce que je veux dire. Lui, le gandin qui les chaperonne, c'est Michael, le frère de Gertrude. Ces Juifs américains couchent sur des matelats de dollars et ils ont un goût parfait en matière d'art.

Il partit d'un rire gras qui fit se retourner le trio.

— À propos de Renoir, ajouta le marchand, il ne vous a pas oubliée, ma chérie. Lorsqu'il est venu en chaise roulante m'apporter ses toiles il m'a parlé de vous avec la larme à l'œil. Vous lui manquez. Allez donc lui faire une visite.

Pour rencontrer Renoir il fallait jouer les chasseurs de papillons. En l'espace de trente ans il avait déménagé plus de dix fois, mais jamais loin de la Butte. Plusieurs mois par an il séjournait à Essoyes, près des parents d'Aline, ou chez ses amis Baudot, à Louveciennes, quand ce n'était en Provence où il faisait construire une villa.

Renoir venait de quitter son domicile de la rue de la Rochefoucauld pour installer ses pénates au 43 de la rue Caulaincourt. Suzanne tenta une approche par un billet ; la réponse ne se fit pas attendre : elle serait la bienvenue. Le billet était signé Aline.

Suzanne se rendit le jour même chez son vieil ami avec sous le bras un carton où elle avait glissé quelques dessins de Rosalie. Elle comptait lui en faire choisir un.

Elle eut un sursaut d'émotion en le revoyant ; elle aurait eu du mal à le reconnaître. Sous le chapeau rond qu'il ne quittait jamais, son visage, comme dévoré de l'intérieur, était celui d'un vieil ermite ; le nez paraissait s'être allongé, au-dessus d'une barbe grise et rare ; il se déplaçait avec des béquilles. Lorsqu'il lui tendit la main elle se contenta de l'effleurer tant elle lui semblait fragile.

Aline aida le maître à s'asseoir dans son fauteuil de travail capitonné de coussins, devant le chevalet où figurait, brossée à grands traits, une nature morte. Aline dit à Suzanne :

— Nous recevons peu de visites car cela fatigue mon mari. La vôtre est la bienvenue. Il m'a parlé de vous toute la matinée.

Assise sur un escabeau, Suzanne laissa le regard du peintre l'envelopper de tendresse et, peut-être comme naguère, estimer son potentiel esthétique, sans qu'il pût se hasarder à la palper comme une pouliche sur un champ de foire, ainsi qu'il le faisait au temps où elle posait pour lui.

— Je vous en veux, dit-il. Cela fait cinq ans, peut-être plus, que nous ne nous sommes pas rencontrés.

Cela faisait près de dix ans. Leur dernière entrevue remontait à l'année 1894, au Château des Brouillards, pour le baptême de Jean, son deuxième fils.

— Montmartre..., dit-il. Le Château des Brouillards... J'ignore qui habite aujourd'hui cette demeure. Que de souvenirs, nom de Dieu ! Combien de mes toiles sont sorties de cet atelier, de ce jardin merveilleux !

Il partit d'un rire grinçant en se remémorant une anecdote qui l'avait amusé. Une bigote qui se rendait aux vêpres de l'église Saint-Pierre venait d'apercevoir, à travers les grilles du parc, Renoir en train de peindre un modèle nu. Elle avait prévenu la police qui avait failli mettre au trou cette folle.

— Montmartre a bien changé, soupira-t-il. Ça me rend triste. Les émules du baron Haussmann s'en donnent à cœur joie, les salauds ! Qu'est devenu notre Maquis ? Qu'ont-ils fait de la maison de Berlioz, de celles de Mimi Pinson et de l'ouvrière Jenny ? À leur place nous allons voir pousser des immeubles pour les bourgeois. Ce sera plus sain, affirment les constructeurs, ces vandales. Tu parles ! Quand ils auront supprimé les derniers espaces sauvages on ne respirera plus que l'odeur des automobiles. C'est beau, le progrès !

— C'est son dada, dit Aline. Ça le rend malade.

Il bougonna dans sa barbe, demanda à Suzanne ce qu'elle lui apportait dans ce carton. Elle lui montra ses croquis et lui proposa d'en choisir un. À ses bruits de gorge, à son sourire, elle comprit qu'il était satisfait. Il choisit celui qui représentait Rosalie debout, vue de dos, appuyée au dossier d'un fauteuil. Sa main s'anima sur la feuille comme pour redessiner le croquis avec un air de jubilation.

Il lui dit d'un air contrit :

— Maria, je vous dois des excuses. Je suis un vieil imbécile pour n'avoir pas cru à vos dons artistiques. Il était inconcevable pour moi qu'une femme qui n'était pas passée par une académie puisse prétendre devenir artiste. Vollard, lui, a deviné votre talent. Il me parle de vous comme s'il était amoureux. Ma petite, vous irez loin.

Il s'indigna des faux Renoir qu'il avait localisés chez Durand-Ruel, parla de sa maladie qui faisait des progrès incessants depuis quelques années : les rhumatismes prenaient possession peu à peu de cet organisme débilité ; ils s'attaquaient à l'œil gauche et aux mains, si bien qu'il avait du mal à tenir son pinceau et sa palette.

— Je n'ai pas oublié le temps où vous posiez pour moi, dit-il. J'étais alors vif comme un gardon. Je jonglais avec des pommes, je jouais au bilboquet, je pouvais sauter d'un bond sur une table. Et aujourd'hui, misère...

Il lui parla de son projet d'installation aux Colettes, près de Cagnes, du besoin de plus en plus impérieux qu'il avait de la vraie lumière et de la chaleur. Il ajouta :

— Merci pour votre dessin. Il sera en bonne place aux Colettes. Ce qui m'aurait plu c'est que vous fassiez mon portrait au temps où j'étais encore présentable.

— Ç'aurait été un grand honneur, maître, mais il n'est pas trop tard.

126

Il eut un geste de la main au-dessus de sa tête pour signifier qu'il n'était plus temps.

Il arrivait sur la pointe des pieds, repartait de même, si bien que Suzanne et sa mère se demandaient si elles n'avaient pas été l'objet d'une hallucination.

Chaque jour, presque à la même heure, il entrait par la porte de derrière pour ne pas déranger, accédait à la chambre de Maurice et s'y enfermait avec son ami jusqu'à l'heure du dîner.

— Vous pouvez rester, disait Suzanne. Nous allons ajouter un couvert.

Il ne se faisait pas prier. Suzanne se plaisait à constater la fascination qu'elle exerçait sur ce garçon de vingt ans plus jeune qu'elle. Ses gaucheries, la rougeur qui inondait son visage de blond dès qu'elle lui adressait la parole l'amusaient et l'émouvaient. Au cours du repas elle s'efforçait de formuler les propos du quotidien, d'observer un comportement banal afin qu'il se sentît délivré de sa timidité et consentît à s'exprimer sans contrainte. Elle le mettait à l'aise, lui suggérait les réponses qu'il était lent à formuler, le provoquait en lui demandant d'évoquer ses succès sentimentaux.

— Beau garçon comme vous l'êtes, vous devez en faire, des conquêtes !

Il piquait du nez dans son assiette, le rouge au front.

Elle l'avait observé avec quelque inquiétude, au début de ses relations avec son fils, mais avait vite acquis la certitude que cette amitié n'avait rien d'équivoque. Elle eût aimé qu'André se confiât à elle : après tout il eût pu largement être son fils, bien que la différence d'âge qui les séparait ne fût guère sensible lorsqu'on les voyait ensemble.

D'un air enjoué elle le poussait aux confidences.

— Avez-vous passé une bonne nuit ? Vous avez l'air fatigué. Comment s'appelait votre *fatigue* ?

— Pas de *fatigue* cette nuit, madame. Pas plus que les autres d'ailleurs.

C'était devenu un jeu entre eux. Parfois il s'inventait des *fatigues* auxquelles il donnait des prénoms imaginaires. Il pouvait même, pour le plaisir de la revanche, lui fournir des détails salaces.

— Il se vante ! décrétait Maurice. Depuis cette grande perche d'Armandine je ne lui connais aucune aventure.

Seule avec son fils elle lui disait :

— Tu me racontes des sornettes. À son âge, plein de santé et beau comme un demi-dieu germanique, tu ne me feras pas croire qu'il n'a pas une amie !

Il devait convenir qu'il allait parfois au bordel ou montait avec une prostituée, mais il n'avait aucune attache. Elle ne pouvait se défendre d'une impression de soulagement.

Au début de l'automne, le moment venu de revenir à Paris, Maurice avait promis à André de lui trouver une place dans la capitale. Rien ne s'opposait à ce que l'ouvrier plombier abandonnât sa situation, d'autant que les exigences d'Armandine lui pesaient : elle s'était mis en tête d'informer ses parents de leur liaison, ou de les mettre au pied du mur en se faisant engrosser.

Pour lui dénicher un emploi on fit appel à monsieur Paul qui avait des relations dans tous les milieux du commerce et de l'industrie. Au printemps suivant on lui proposait un poste à la Compagnie générale d'électricité, sous-station de l'avenue Trudaine, dans le bas de Montmartre. Sa convalescence laborieuse à Pierrefitte lui avait réussi : il avait retrouvé vigueur et entrain, et l'amitié qu'il partageait avec Maurice lui donnait le sentiment de n'être plus seul au monde.

Discret en ce qui concernait son travail d'artiste, Maurice l'était davantage encore pour ce qui était de sa vie sentimentale.

Les investigations de Suzanne ne lui avaient révélé aucune piste sérieuse. Aucune image féminine n'émergeait de ses cahiers de dessin. Alors, Maurice, impuissant ? Elle avait du mal à l'imaginer ; sa brève liaison avec Armandine témoignait du contraire, de même que les traces suspectes relevées dans ses draps.

Sans qu'il s'en rendît compte, elle suivait attentivement ses progrès en peinture. Quelle différence entre son premier tableau brossé sur la Butte-Pinson et ceux qu'il avait exécutés dans Paris !

Peu à peu elle avait obtenu qu'il lui livrât ses espoirs et ses doutes, qu'il commentât les toiles dont il était satisfait — mais l'était-il jamais ? La peinture avait été au début un moyen d'échapper à son vice et à l'ennui né de l'oisiveté, puis un mode d'expression, enfin une passion. Il n'envisageait plus de faire autre chose.

Sa mère l'emmena un jour visiter une exposition de Sisley. Cette révélation fit sur lui l'effet d'une décharge électrique. *Vue de la Seine à Marly... La Tamise à Hampton Court... L'église de Moret par temps gris... Effet de neige...* Il passait d'un tableau à l'autre, haletant comme s'il venait de courir, essuyant avec son mouchoir son visage en sueur, trépignant dans l'exaltation. Il interrogeait sa mère du regard comme pour l'implorer de lui offrir une de ces œuvres.

Sur le chemin du retour, alors qu'il se trouvait dans un état second, elle tenta de le sonder mais n'en tira que des propos confus : il jugeait Sisley supérieur à Claude Monet et à Camille Pissarro. S'il avait été vivant il aurait aimé le rencontrer. Sisley était mort quelques années auparavant, dans la misère ; sa gloire avait suivi de peu.

De retour dans sa chambre-atelier, il se planta devant son chevalet et passa une partie de la nuit à travailler à la chandelle.

Au petit matin, attirée par des exclamations furieuses, Suzanne poussa la porte de son fils. Maurice avait jeté la toile sur le plancher et la frottait à l'essence de térébenthine en hurlant :

— J'y arriverai pas, nom de Dieu ! J'y arriverai jamais !

Il se rua sur sa mère avec une telle impétuosité qu'elle chancela. Il la serra contre lui en gémissant.

— Je ne ferai jamais rien de bon, je le sens ! J'ai passé la nuit sur cette toile. Le résultat : de la merde !

— Calme-toi, dit-elle. Le fait que tu juges aussi sévèrement ton travail est un bon signe. Ça révèle une exigence de ta part. Les médiocres sont rarement déçus d'eux-mêmes et surestiment leur talent. Tu as encore beaucoup à apprendre, et d'abord la patience. Même si ça t'échappe, tu as fait des progrès.

Elle se reprocha de l'avoir conduit à l'exposition Sisley : cette visite avait ouvert à Maurice une porte ; il s'y était engouffré, persuadé qu'il avait découvert sa voie et s'était trouvé dans une impasse, face à ses insuffisances. Il avait buté de plein fouet contre la statue du dieu et avait deviné en lui une médiocrité de larve.

Maurice sentait le vin. Il avait bu deux bouteilles durant la nuit.

Maurice ne reparut pas de trois jours, enfermé dans sa chambre-atelier. Il ne sortait que pour se rendre aux toilettes, bousculait la grand-mère, restait muet quand on l'interrogeait. Aux heures des repas, Madeleine glissait un plateau dans sa chambre, comme pour un prisonnier. Il exigeait qu'on l'accompagnât d'une bouteille de vin.

À André Utter, surpris qu'il ne donnât pas signe de vie, Suzanne répondait qu'il était en crise à la suite de la visite de l'exposition Sisley.

— Au moins, est-ce qu'il peint ?

— Comment le savoir ? Il refuse qu'on entre dans sa chambre. Il dort, il mange, il boit : trois ou quatre bouteilles par jour. Si on les lui refuse, il menace de tout briser. Je crains qu'il ne sombre de nouveau dans l'ivrognerie.

Elle savait gré à André de jouer le rôle de mentor : il avait réussi à imposer à son ami une sobriété à laquelle Maurice s'était plié de mauvaise grâce. Ils passaient leurs dimanches sur la Butte, à la recherche de quelque motif, comparant leur travail, échangeant leurs impressions. Ils peignaient rarement sur place pour ne pas risquer de se voir entourés de badauds. En fin de soirée, ils faisaient halte chez Émile ou au Chalet, chez Adèle, qui venait d'ouvrir son restaurant, buvaient un bock ou deux. C'était parfois une virée chez Bruant qui avait installé dans son parc une piste pour cyclistes, et ils pédalaient allègrement.

— Croyez-vous qu'il va rester longtemps à bouder ? demanda André. Peut-être, si j'essayais de forcer sa retraite...

— Je vous le déconseille : il n'accepte aucune présence. Hier, lorsque ma mère a ouvert la porte pour lui demander son linge sale il lui a jeté son oreiller à la figure. La pauvre vieille en était toute retournée.

— Je vais tout de même essayer.

Il s'installa sous la fenêtre de Maurice, au milieu de l'allée et, les bras croisés, attendit que le prisonnier volontaire se montrât. Lorsqu'il aperçut sa silhouette derrière la vitre, il lui fit un signe de la main. Maurice disparut.

Un matin, à une semaine du début de sa retraite, Maurice fit sa toilette, se rasa, coiffa son chapeau plat, prit sa canne et partit sans un mot. Suzanne entreprit de le suivre de loin : elle le vit longer la rue Norvins, traverser la place Jean-Baptiste-Clément, s'engager dans la rue Ravignan qui menait au Bateau-Lavoir, obliquer vers la rue Gabrielle. Il s'arrêta dans l'entrée d'une venelle aboutissant à un immeuble collectif d'allure sordide, parut hésiter, s'y engagea.

Elle revint vers la rue Cortot en se disant que, pomponné comme il l'était, il devait se rendre chez une prostituée. Cela la rassura.

7

L'ARCHANGE AUX YEUX MORTS

Maurice frappa avec le pommeau de sa canne. N'obtenant pas de réponse, il poussa la porte déglinguée que Max Jacob ne fermait jamais. L'odeur, qui lui était pourtant familière, le fit reculer.

— Qui est là ? marmonna une voix grasseyante.

Max était encore couché. Il se redressa lentement, se frotta les yeux en bâillant. Il se montra surpris d'une visite aussi matinale.

— Il est onze heures, dit Maurice. Si je vous dérange...

Max gratta furieusement sa poitrine constellée de taches roses.

— Vous avez bien fait de me réveiller, dit-il. J'ai rendez-vous chez Adèle avec Modigliani. Quelle nuit, Seigneur ! Une bringue du tonnerre...

En basculant au bord du lit il reprocha à Maurice sa longue absence. L'abbé Jean lui-même s'en inquiétait.

— J'étais à Montmagny, bredouilla Maurice.

— Passez-moi la cuvette. Le broc à eau est sous la table.

— Il n'y a plus d'eau.

— Eh bien, allez en chercher, tonnerre ! La fontaine est au fond de la cour.

Max se baigna les pieds dans l'eau additionnée d'une poignée de sel gris, puis utilisa la même eau pour se laver le reste du corps, sans oublier les parties basses. Il se frotta vigoureusement le torse à l'eau de Cologne en chantonnant *Tarara boum di he,* puis il dit brusquement en s'habillant :

— Qu'est-ce qui vous amène, mon petit ? On a besoin des conseils de tonton Max ? Une boulette d'abricotine, peut-être ? Non ?

— Je traverse une période difficile, dit Maurice. Plus de goût pour la peinture. J'ai fourré sous mon lit tout mon attirail, et...

— Préparez-moi du thé. Vous savez où trouver le nécessaire. Vous disiez ?

— Que je n'arrive plus à peindre. En fait depuis une visite à l'exposition Sisley. J'en suis sorti enthousiasmé, puis découragé. Jamais je n'arriverai à peindre comme lui.

Max eut un rire encombré ; il cracha dans la cuvette, se mit à chantonner.

— Alfred Sisley... Effets de neige... inondations... bords de Seine... Pouah ! tout ça sent la terre pourrie. C'est du passé, mon petit. L'avenir est aux peintres du Bateau-Lavoir : Picasso, Van Dongen, Derain, Vlaminck, les fauves, les cubistes... L'impressionnisme, c'est de l'histoire ancienne. Vous devriez vous mêler à leur groupe. Vous en tireriez des leçons profitables. Qu'est-ce que vous peignez, vous ?

— Des maisons, maître.

Max prit une voix d'enfant.

— Des maisons... Des petites maisons... Moi aussi, quand je portais encore les culottes courtes, je dessinais des maisons, puis je me suis dit que je n'étais pas architecte. Faites donc des portraits, des nus, de la vie, quoi ! Peignez les gens tels que vous les voyez, comme votre mère. Elle a compris, elle !

— Je ne pourrai jamais. J'ai essayé. Ça ne vient pas. Je doute de moi au point que j'ai songé à me suicider.

— Bon signe ! Ça prouve que vous avez la peinture dans les tripes. Les imbéciles, eux, ne doutent jamais.

Maurice se dit qu'il avait entendu cette réflexion quelque part.

136

— Mon petit, j'ai deux conseils à vous donner : prier et travailler. Il y a longtemps que vous n'êtes pas entré dans une église, c'pas ?

— Oui, maître, très longtemps.

— Alors, si vous voulez retrouver la foi en vous il faut rechercher la foi en Dieu. Amen !

Maurice prit la brosse que lui tendait le poète et brossa sa redingote. Max lui montra une liasse sur la table à tout faire.

— J'ai commencé une pièce de théâtre, mais je peine, pouvez pas savoir ! Je n'ai qu'une certitude, un joli titre : *Le terrain Bouchaballe.* Z'aimez ?

— Original, dit Maurice.

Ils remontèrent ensemble la rue Norvins jusqu'au Chalet d'Adèle. Modigliani attendait sur la terrasse, devant une absinthe, mais c'est une Adèle froufroutante qui vint à leurs devants. Elle embrassa Max et dit à Maurice en posant sur ses épaules ses lourdes mains baguées :

— Toi, je te reconnais ! Tu es le fils de Suzanne. Nous nous sommes rencontrés à Montmagny durant mon *exil.* Dis à ta mère que j'attends toujours sa visite.

La belle rousse s'effaça, laissant un sillage de patchouli. Modigliani n'avait pas bougé. Il serra mollement la main que lui tendait Maurice et ferma les yeux comme s'il allait se rendormir. Il avait déjà trois soucoupes devant lui.

— Vous avez bien connu l'un de mes amis, dit Maurice. André Utter...

Modi rouvrit les yeux, gratta son menton rêche ; balbutia :

— Utter... André Utter... Ça me rappelle quelqu'un. Un blondinet un peu con qui se prenait pour un artiste.

Maurice n'insista pas : André s'était fondu dans les brumes d'une mémoire à forte teneur éthylique. Avec son costume de velours gris, sa chemise à carreaux bleus, le foulard rouge négligemment noué au cou, sa beauté romaine, Modi dégageait une étrange fascination : son visage de *carbonaro* semblait avoir pris au soleil une teinte de miel blond sous les cheveux noir corbeau.

Arrivé à Paris au début de l'année précédente, cet artiste s'était installé dans la misère comme dans un état naturel. Avec les deux cents francs mensuels venant de sa mère, il menait une existence de clochard sans cesser de peindre et de dessiner des visages ovales, des femmes madones et, accessoirement, de sculpter des cariatides. L'alcool, les stupéfiants, les amours de hasard, une tuberculose mal soignée avaient miné son moral et son physique d'archange déchu.

— Nous attendons le docteur Alexandre, un ami des arts, dit Max. Il a des projets qui pourraient vous intéresser. Voulez-vous rester déjeuner avec nous ?

Prétextant un rendez-vous, Maurice déclina cette invitation. Il eût aimé en savoir davantage sur le peintre maudit mais il se sentait paralysé devant lui.

D'une allure détachée, il se dirigea vers le square Saint-Pierre. Peut-être l'abbé Jean accepterait-il d'entendre en confession ce néophyte négligent...

Lorsque Maurice rentra rue Cortot, ayant déjeuné d'une galantine chez Émile, il trouva sa mère au comble de l'indignation.

— Les salauds ! s'écria-t-elle. Parce qu'ils ont un pouvoir sur l'opinion ils se croient tout permis !

Elle venait de jeter dehors un journaliste que Vollard lui avait adressé dans l'intention de lui consacrer un article. Avec ses petites moustaches cirées, son col dur, sa chevelure frisée au « fer ondulatoire », ce personnage falot prenait des allures de grand patron de presse, ce qui, d'emblée, avait mis Suzanne mal à l'aise. Ils avaient bavardé durant une heure devant un verre de liqueur ; il avait pris des notes et paraissait intéressé par le parcours original de l'artiste. L'interview terminée il lui avait dit du ton le plus naturel :

— Je compte vous consacrer environ cent lignes. Cela vous coûtera deux cents francs.

138

— J'ignorais qu'il faille payer pour avoir un article.

— C'est la coutume, madame.

— Je ne dispose pas de cette somme.

— Eh bien, il n'y aura pas d'article. J'en suis navré.

Il avait toussé d'un air embarrassé avant de proposer un arrangement : le célibataire qu'il était aurait aimé la recevoir dans son petit intérieur, un jour prochain.

Les nerfs à vif, elle lui avait lancé :

— Je suppose que c'est également une de vos coutumes ! Je vais tâcher de transiger avec votre patron.

Il avait vivement réagi : qu'elle n'en fasse rien ! Il débutait dans la profession et tenait à son emploi. Elle l'avait jeté dehors en résistant à la tentation de lui botter l'arrière-train.

Curieusement, la scène que Suzanne venait de vivre avait purgé de ses miasmes l'ambiance délétère que la crise de Maurice avait fait peser sur la famille. Une solidarité dans la colère entre Suzanne hors d'elle et Maurice jurant de la venger avait accompli ce miracle. Paul annonça qu'il allait informer le directeur du journal de ces pratiques honteuses. Suzanne l'en dissuada.

— Les critiques parisiens, dit-elle, c'est le copinage allié à la corruption. Ton intervention serait inutile.

Le lendemain Maurice accueillit André, venu aux nouvelles, comme si rien ne s'était passé.

— J'ai rencontré ton ami Amedeo, dit-il. Il ne t'a pas oublié. Selon Max Jacob il ne tardera pas à faire parler de lui. J'ai vu une de ses toiles chez Émile : foutrement bien torché. Quant à trouver un public...

Il ajouta :

— Faut m'excuser. J'étais en pleine crise. Aujourd'hui je me sens mieux, j'ai repris confiance.

Il lui raconta sa visite à Max, sa rencontre avec Modi, sa confession au père Jean...

— Toi, Maurice, à l'église ? Si ta mère apprenait...

— Elle est au courant et ça ne change rien.

Il avoua qu'il cherchait une simple réponse à ses doutes. Il l'attendait. Il était sûr qu'elle viendrait : Max et le prêtre le lui avaient certifié. Jour après jour, durant sa crise, il avait senti des certitudes se concrétiser en lui, former un noyau dur qui lui permettrait d'affronter ses doutes et de reprendre ses pinceaux.

Vollard avait réussi à vendre la peinture de Suzanne : *La lune et le soleil*, la petite *Nature morte aux pommes*, ainsi que quelques dessins et sanguines. L'argent qu'elle avait tiré de cette vente était le bienvenu car Paul limitait au plus strict l'aide à son ménage en prétextant des frais de représentation. Elle savait trop bien ce que cachait cette expression.

Elle avait commencé à travailler sur une composition à deux personnages analogue à la précédente. Elle sollicita Clotilde qui se présenta avec une jeune amie anglaise, Dolly : stature de paysanne, cuisses monumentales et seins lourds ; tout ce qu'aimait Suzanne.

Après avoir recherché la posture idéale elle s'était arrêtée à une sortie de bain. Dolly avait tout son temps libre et Clotilde se faisait remplacer au Manhattan. Elles s'amusaient comme des adolescentes un peu délurées, se bécotaient et se caressaient sans la moindre pudeur, si bien que Suzanne devait jouer les censeurs.

— Hé, les filles ! On n'est pas dans un bordel pour gouines. Gardez la pose. Vous ferez joujou plus tard.

Peu satisfaite de son travail, elle décida d'en référer à Degas qui revenait d'un voyage en Italie. Rue Victor-Massé l'ambiance était pesante : Degas, au cours de son voyage, s'était fait voler mille francs et avait rapporté une bronchite compliquée d'une adhérence de la plèvre au poumon.

— Savez-vous comment mon médecin, ce morticole, me soigne ? Par des applications de coton iodé et de thermogène. Ça brûle comme le diable qui figure sur la boîte, et ça fait des cloques. La peau de ma poitrine ressemble à celle d'un cochon qu'on fait brûler après la saignée...

140

Il s'attarda peu, mais avec émotion, sur son voyage : il avait tenu — « avant de mourir » — à revoir la baie de Naples, berceau de la famille de Gas, le Vésuve, Sorrente, Capri...

— Un beau voyage mais qui m'a coûté cher ! Mille francs que des brigands m'ont volés du côté de Milan !

Il frappa le parquet avec sa canne et demanda à Argentine de leur apporter du thé. Suzanne profita d'une trêve dans le lamento pour lui présenter ses esquisses. Il les feuilleta en grognant mais s'en montra satisfait et avoua sa préférence pour celle qui représentait les deux femmes nues sortant du bain.

— Décidément, dit-il avec un rire grinçant, vous donnez de plus en plus dans la bouchère !

Ils dégustèrent leur thé en silence, puis il lui demanda si elle pouvait consacrer une petite heure à lui faire la lecture. Il lui tendit le roman de Rachilde : *La Jongleuse.*

— Reprenez au chapitre VI : *Je suis comme un petit enfant nu dans un grand vent...* Lisez lentement. D'ordinaire c'est Zoé qui me fait la lecture, mais j'ai l'impression de l'entendre me dire « Essuyez-vous les pieds » ou « Finissez votre soupe ». Votre voix à vous, Suzanne, est faite pour les mots d'amour. Et puis, cette pauvre Zoé s'endort à peine la lecture commencée. Demander à Argentine ? Cette cruche, elle ne sait pas lire !

Suzanne commença le chapitre en lisant avec application. Elle était à peine parvenue à la fin de la page qu'elle entendit un léger ronflement : le maître s'était endormi, en écoutant les « mots d'amour ».

En les voyant arriver le père Frédé se gratta la barbe en se disant que la soirée allait être chaude.

On avait beau, au Lapin agile, accueillir avec plaisir les artistes, il en est certains qu'on eût aimé voir moins souvent : le trio Jacob-Modi-Utrillo notamment.

Depuis qu'il avait pris en gérance le cabaret abandonné par Adèle, Frédéric Gérard, ancien poissonnier à Montmartre, devait rendre des comptes à Bruant qui, fortune faite, avait pris sa retraite. Frédé avait du goût pour la romance ; il avait maîtrisé ses cordes vocales en vantant ses maquereaux et sa morue sur le banc des marchés.

Il avait liquidé son fonds de commerce mais conservé son vieux compagnon : l'âne Lolo qui faisait office de chien de garde et d'attraction sous l'acacia de la cour, dans l'attente du tabac et de la gnôle que des âmes généreuses lui proposaient. Frédé avait inscrit sur un panneau, sous l'enseigne d'André Gil, sa devise : *Le premier devoir d'un honnête homme est d'avoir un bon estomac* — un hommage indirect aux vertus culinaires de son épouse, Berthe. La clientèle n'était pas déçue.

En voyant surgir le trio, le père Frédé se demandait ce que cette soirée allait lui coûter en matière de casse. Il avait conservé l'essentiel de la décoration qui datait de l'époque où Adèle avait fait du coupe-gorge un établissement convenable, sinon luxueux. Il n'avait guère modifié le décor intérieur

142

qui rappelait davantage une gargote qu'un cabaret chantant : une petite salle où officiait un garçon beau comme une image de gazette, Victor, son beau-fils, une arrière-salle plus vaste dotée d'une large cheminée, d'une longue table, ornée d'une image d'apsara, d'un crucifix grandeur nature en ronde-bosse, d'une statue en plâtre de Terpsichore, de quelques tableaux de peintres indigènes. Un massacre fréquent de souris et de rats avait laissé survivre quelques spécimens qu'on voyait courir le long des plinthes.

Au début de leurs relations, Max avait dit à Maurice :
— Paraît que tu exposes avec ta maman ?
— Où ça ?
— Au Lapin agile. Faut aller voir ça de plus près.

Pour cette visite Max avait revêtu son caban breton, son huit-reflets et s'était collé son monocle à l'œil.

Le père Frédé ne présentait en fait qu'un dessin de Suzanne et une peinture d'Utrillo, mais, pour saluer cette découverte, les Dioscures, comme disait Max en parlant de lui et de son compagnon, avaient bu sec.

La clientèle du Lapin agile était très éclectique, mais les peintres étaient en majorité. On y voyait fréquemment la bande à Picasso, mêlée à des écrivains et à des poètes : Pierre Dumarchey qui se faisait appeler Mac Orlan, Francis Carco, un poète d'origine roumaine né à Nouméa, André Salmon, mémorialiste, romancier et poète... Le plus assidu était le chantre des bistrots, le Beauceron Gaston Couté : il avait élu domicile chez Frédé, se trouvait dès le matin en état d'ébriété et dormait sous les tables, nomadant de l'une à l'autre.

Le reste de la clientèle se composait de personnages gyrovagues, joyeux ivrognes pour la plupart, de gens de la haute venus s'encanailler à bon compte et se faire brocarder par le patron, des étrangers d'agences de voyages en goguette...

Les soirs d'été, les veillées se déroulaient sous l'acacia de la terrasse. Frédé s'accompagnait à la guitare pour débiter la chansonnette que l'assistance reprenait en chœur.

Lorsqu'il eut quitté Max et Amedeo sur la terrasse du Chalet d'Adèle, Maurice s'était dit que, malgré la fascination qu'il éprouvait pour cet archange chassé du paradis, il n'aurait pas de relations suivies avec Modigliani. À quelques jours de cette rencontre, alors qu'il revenait du chantier du Sacré-Cœur pour quelques croquis, sa mère lui tendit un billet arrivé au courrier du matin : un mot très bref de Modigliani lui demandant de passer à son domicile, rue Caulaincourt.

— Je n'aime guère ce personnage, lui dit Suzanne. Un ivrogne, un détraqué. Tu n'as pas intérêt à le fréquenter alors que tu négliges André Utter.

La curiosité fut la plus forte. Le lendemain, Maurice frappait à la porte de la chambre occupée par l'artiste, sous les combles de la plus minable cage à punaises du quartier. Il n'obtint pas de réponse mais perçut une rumeur, comme s'il venait de déranger des cambrioleurs. Modi vint lui ouvrir la porte ; il était torse nu et bouclait sa ceinture. Près du lit une fille rousse était en train d'enfiler sa combinaison.

— Si je dérange..., bredouilla Maurice.

Modi fit signe qu'il n'en était rien. Il livra passage à Maurice, envoya la fille chercher de l'eau sur le palier, invita son visiteur à s'asseoir. Il régnait dans ce galetas une chaleur torride mêlée d'une odeur composite : sueur, vomi et urine. Modi avait épinglé aux cloisons quelques dessins et aligné des toiles retournées derrière son chevalet.

— Je te proposerais bien un verre de vin, dit le peintre, mais il est tiède et c'est mauvais pour l'estomac. Nous irons tout à l'heure au bistrot.

Il s'arrosa le torse et le visage avec l'eau que la fille avait rapportée. Il était bâti comme un Praxitèle avec, sous une peau légèrement brune de Ligure, de délicats jeux de muscles. Il dit en enfilant sa chemise :

— Je te présente... au fait, tu t'appelles comment ? Ah, oui ! Thérèse. Thérèse, voici un jeune peintre de mes amis : Utrillo.

144

Il se pencha vers l'oreille de Maurice.

— Si tu as envie de cette fille, te gêne pas. Elle est un peu grosse, avec une odeur de rousse, mais c'est le *Vesuvio* !

— Merci, dit Maurice. Je ne veux pas abuser.

Modi sortit quelques pièces de sa poche, les glissa dans la main de la rousse qui venait de se rhabiller. Thérèse fit la grimace. Il se peigna longuement devant la glace, faisant glisser l'épaisseur de sa chevelure sur le côté droit, et se frotta la joue.

— Pas rasé, dit-il, mais *basta* ! On me prend comme je suis.

En longeant la rue de l'Abreuvoir ils se retrouvèrent rue des Saules, puis sur la place du Tertre. Adèle était en train d'ouvrir ses parasols pour quelques Anglais avachis devant leur bock.

— Du rouge ! lança Modi. Une bouteille.

Il paraissait détendu. Les mains dans les poches, ses jambes courtes allongées sous la chaise de Maurice, son chapeau garibaldien sur les sourcils, il sifflotait. « Qu'est-ce que ce type peut bien me vouloir ? » se demandait Maurice. Ils n'avaient pas échangé un mot de tout le trajet, comme s'il y avait urgence à se trouver sur cette terrasse.

Au deuxième verre, Modi annonça qu'il allait déménager, en évitant, ce qui allait de soi, de régler son loyer qui avait trois mois de retard. Il fit le compte sur ses doigts de ses déménagements : ce serait le cinquième et sûrement pas le dernier. Il n'aimait pas se fixer dans le même lieu plus de quelques mois. D'ailleurs, avec ce que lui versait sa mère, il n'en avait pas les moyens. Sa peinture ? Il trouvait peu d'acheteurs et ils le payaient avec des haricots.

Entre deux verres il sortait de la pochette de sa chemise une boulette d'éther qu'il savourait d'un air méditatif.

— Faut m'excuser pour mon accueil, dit-il. J'avais oublié notre rendez-vous. Je dormais quand tu es arrivé. Cette garce m'avait épuisé.

Son territoire de chasse se situait dans les quartiers bas de Montmartre. Il ne s'y rendait que rarement le soir, où l'on trouvait les plus belles filles, mais à des tarifs qui dépassaient ses moyens. Dans la matinée, en revanche, on découvrait des occasions plus abordables : les marlous mettaient sur le trottoir de vieilles prostituées qui montaient pour quelques francs tandis que la jeunesse se reposait de sa nuit de labeur.

— Trois francs le moment, dit-il. Tarif raisonnable, et en plus elles ont de l'expérience.

Il commanda une autre bouteille sans se préoccuper de qui réglerait l'addition. Maurice en était toujours à se demander ce qui avait incité le peintre à lui proposer cette rencontre qui paraissait sans objet immédiat. Sous la fascination que le bel Italien exerçait sur lui et l'effet du vin aidant, il se disait que ces considérations étaient inopportunes. Des filles s'arrêtaient pour les regarder et leur envoyer des sourires auxquels Modi répondait en levant la main au-dessus de son genou.

— Hier, dit-il, j'ai fait un scandale à l'hôtel. La patronne réclamait mon retard de loyer, ce qui est son droit, et me reprochait mes mauvaises fréquentations, ce que je ne pouvais pas accepter. Il paraît que j'ai une conduite *immorale* !

Il parlait si haut que certains clients se retournèrent. Il poursuivit avec une véhémence accrue.

— Je déteste la morale de tout le monde ! Nous autres, artistes, nous avons des besoins différents de tous ces cons qui nous entourent et m'écoutent ! Oui, messieurs et dames ! Nous sommes des êtres d'exception et nous avons des droits imprescriptibles ! Ceux qui ne sont pas d'accord, je les emmerde !

Alertée par l'esclandre, Adèle intervint.

— Et alors, mon petit Amedeo, on fait sa crise ? Il va falloir te calmer ou déguerpir. Vous avez assez bu tous les deux. Qui va régler l'addition ?

Maurice jeta quelques pièces sur la table avec l'impression qu'on ne s'arrêterait pas en si bon chemin. Modi commençait à devenir intéressant : il divaguait mais avec l'éloquence d'un sénateur romain face à la plèbe. Discrètement, Maurice compta sa fortune : il lui restait quelques francs sur la vente d'un tableau ; il en avait donné une partie à sa mère.

Modi décréta en se levant qu'on allait finir la journée au Lapin agile. En chemin ils firent halte dans deux bistrots, séchèrent chacun une chopine chaque fois, si bien que leur entrée dans le cabaret, en compagnie de Max que Modi avait tenu à inviter, ne passa pas inaperçue.

Modi, en vue du cabaret, se mit à chanter *O sole mio*. Lolo lui répondit par un braiment joyeux.

La soirée s'annonçait chaude.

C'était un soir d'hiver doux pour la saison. La neige avait laissé des franges de vieille dentelle sur le revers des talus et le toit de tuiles. Personne dans le bar où Victor essuyait des verres en compagnie de Margot, la fille de Frédé, qui portait en permanence une corneille apprivoisée sur l'épaule. En revanche, dans la grande salle, on menait un train d'enfer. Devant la cheminée où crépitait un grand feu, Mac Orlan fêtait son entrée en littérature : un journal avait publié trois de ses contes. On en était à la tournée générale et l'ambiance tournait au beau fixe.

L'entrée du trio fut accueillie par des ovations.

— Du vin pour nos amis ! s'écria le héros du jour.

Il libéra Margot qui venait de se poser sur son genou, afin qu'elle procédât au service.

— Béni soit le père Noé qui inventa la vigne ! s'écria Max Jacob. Mes amis, on nous a trompés : la vérité ne sort pas d'un puits mais d'une barrique. Et nous sommes tous les enfants de la Vérité !

— Un poème ! s'écria Francis Carco.

On hissa Max sur une table. D'un geste majestueux il rejeta les pans de son caban sur ses épaules et, au lieu du poème, chanta *Étoile d'amour*. On lui fit un triomphe.

Vlaminck le prit dans ses bras d'hercule de foire pour lui faire effectuer un tour de piste. Un jeune théâtreux, Charles Dullin, déclama un poème un peu leste de Baudelaire avec des mines de diva. Mac Orlan prit la suite avec son répertoire de la Légion.

— À toi, Frédé, lança-t-il, et tâche de ne pas nous faire pleurer !

On reprit en chœur la *Chanson des orfèvres* et *Les Filles de La Rochelle* en frappant en cadence sur les tables. Durant ce récital la bande à Picasso, sa *cuadrilla* composée d'artistes espagnols aussi nécessiteux que lui, s'était glissée près de la cheminée.

Maurice, en état d'ébriété avancée, crut rêver en voyant, tout près de lui, une main qui surgissait en tremblant de sous la table et tâtonnait sur le rebord. Ce pauvre Gaston Couté, l'oublié de la fête, venait de se réveiller et réclamait sa part à tue-tête. On le fit sortir de sa cachette en le tirant par les pieds. Il tenait à peine debout, comme secoué par un vent de galerne.

— Et un litron pour Gaston ! s'écria Carco.

Couté se contenta d'avaler un verre mais, raflant une bouteille, réintégra sa niche sans un mot.

— Pauvre type, dit André Salmon, il finira dans un asile. Pas de conseil à vous donner, mais apprenez que notre pire ennemi c'est l'alcool. Vous en avez le triste exemple sous les yeux. À la vôtre.

— À la vôtre ! répondit Maurice.

Il avala un dernier verre, s'allongea, appuyé contre Picasso qui, lui, ne touchait que rarement au vin et à l'alcool. Il s'endormit alors que Frédé entonnait *La Pomponette*.

8

LA FONTAINE SCELLÉE

Suzanne jeta une bûche dans la cheminée, tisonna à gestes nerveux, posa la casserole de café sur des braises et revint s'asseoir sur la carpette, près d'André Utter.

— Quelque chose m'avertit que Maurice ne rentrera pas de la nuit, dit-elle. Qui sait où il est et ce qu'il est en train de faire ?

Questions absurdes. Elle savait avec qui il traînait : avec ses deux complices de débauche, Max Jacob et Modigliani.

— Vous au moins, André, ajouta-t-elle, vous êtes un garçon sérieux. Vous devriez tenter de lui faire entendre raison. Vous avez une certaine influence sur lui...

— La raison ? Il s'en moque. S'il continue...

— Ne l'abandonnez pas. Vous êtes le seul qu'il écoute.

L'odeur du café réchauffé commençait à se répandre dans la pièce. Suzanne se leva pour remplir les tasses. Elle jeta un regard dans le jardin. Au-dessus de l'avenue Junot, dans l'échancrure entre deux immeubles en construction, le ciel avait pris sa couleur mauve des soirs d'hiver. Elle resserra son châle sur ses épaules en frissonnant. Le bruit d'une chaise remuée puis d'un sommier grinçant vint de la chambre voisine où Paul était en train de se coucher. Sa colère s'il apprenait que Maurice n'était pas encore rentré, qu'il ne rentrerait sans doute que le matin, et dans quel état !

— Buvez votre café tant qu'il est chaud, dit-elle.

Elle lui tendit la tasse ; il garda quelques secondes sa main contre la sienne et dit d'une voix qui tremblait un peu :

— Vous devriez lui couper les vivres.

Elle avait essayé ; il s'était rebellé jusqu'à lever la main sur elle. Il avait osé ce geste pour la première fois.

— S'il m'avait frappée, moi, sa mère, je l'aurais jeté dehors. Pour l'argent il se débrouille, et vous savez comment...

Lorsque Maurice manquait d'argent pour s'enivrer il payait avec une toile. Ses œuvres tapissaient presque tous les bistrots de la Butte ; on en trouvait chez les brocanteurs, chez des commerçants qui les exposaient devant leur étalage, à même le trottoir. C'étaient pour la plupart des croûtes qu'il n'aurait jamais dû signer.

— Navrant, dit André.

Il se leva pour prendre congé ; Suzanne le retint.

— Pourquoi partez-vous déjà ? Je vous ennuie ? Vous avez un rendez-vous ?

— Personne ne m'attend, vous le savez bien.

— Vraiment ? Pas une femme dans votre vie ? C'est curieux.

— Personne. Au risque de vous choquer je puis vous dire qu'une seule femme compte pour moi et qu'elle n'est pas loin d'ici.

— Vous voulez parler de ce petit modèle de la rue Sainte-Rustique, la fille de la crémière ? Je sais qu'elle vous fait les yeux doux...

— Ne faites pas l'innocente. Vous savez qu'il s'agit de vous.

Elle pouffa dans ses mains.

— Vous plaisantez ? Moi ? Je suis presque une vieille femme. Mais regardez-moi, bon Dieu !

— Ça fait longtemps que je vous regarde et je vous trouve de plus en plus séduisante : belle, mystérieuse... Comment ne vous êtes-vous pas rendu compte que je suis amoureux de vous ?

152

Il expliqua que la fascination qu'elle exerçait sur lui avait débuté dans son atelier. Il avait été séduit par sa façon de parler aux modèles, de dessiner, de peindre. Inconsciemment peut-être, il avait subi son influence dans sa propre peinture. Maurice lui disait : « Voilà que tu te mets à faire du Valadon ! »

Suzanne se leva d'un mouvement nerveux et revint se poster près de la fenêtre. La nuit était totale, à peine grignotée par les auréoles des réverbères. La grise luminosité du ciel semblait annoncer une nouvelle chute de neige. Un couple s'arrêta près du portail en s'étreignant. Un ivrogne passa en titubant, s'affala dans le ruisseau qui drainait les eaux sales. C'était une nuit ordinaire, sauf que Maurice était absent et que ce garçon, là, derrière elle, lui ouvrait une porte qu'elle croyait condamnée.

— À ton âge, lui avait dit Clotilde, on ne renonce pas à l'amour. Si quelque occasion se présente, ne la laisse pas passer, mais évite la grande passion. On ne sait pas où ça va s'arrêter.

Suzanne avait renoncé à attendre l'aventure qui changerait sa vie. Son mariage avec Paul, en l'installant dans l'aisance et la sécurité, avait éteint ses derniers feux, du moins le croyait-elle en le regrettant. Elle s'était faite à l'idée d'une retraite sentimentale, mais son retour à Montmartre l'avait réveillée. Les peintres attablés aux terrasses des cafés en compagnie de leurs modèles, les petites ouvrières qui remontaient dans la soirée la rue Lepic, escortées de galopins provocateurs, les amoureux surpris dans le Maquis ou les fortifs réveillaient en elle la nostalgie des amours de jeunesse.

Elle revint s'asseoir près d'André, but dans sa tasse ce qui restait de café chaud et décida de le mettre à l'épreuve.

— J'ai lu récemment chez Degas quelques pages du roman de Rachilde : *La Jongleuse*. L'héroïne, Élianthe, annonçait à son prétendant qu'elle était *morte comme la fontaine scellée des Écritures*. Elle espérait ainsi le décourager.

— Mais vous n'êtes pas morte ! protesta-t-il. Une fontaine scellée peut redonner son eau. Laissez-moi une chance. Nous sommes libres tous les deux puisque votre mari n'est plus rien pour vous.

— Un autre mot d'Élianthe : *On n'est libre que lorsqu'on a éliminé tout le monde autour de soi...* En fait elle a dit *tué* !

— Faudrait-il que je tue monsieur Paul ?

Elle éclata de rire, jeta sa tête dans l'épaule du garçon et renversa dans sa vivacité la tasse de café sur sa chemise.

— Pardonnez-moi ! dit-elle. On va nettoyer ça.

Le café ayant traversé le tissu elle lui demanda d'ôter sa chemise et son linge de corps. Elle passa dans la salle de bains pour procéder au nettoyage, étendit le linge propre sur le pare-feu. Dans moins d'une demi-heure tout serait sec et il pourrait repartir.

— Suzanne, dit-il, vous êtes une magicienne.

— Si vous m'aviez dit que j'étais une mère pour vous, je crois que je vous aurais giflé. Vous ne l'avez pas dit. Ça mérite une récompense.

Elle lui abandonna ses lèvres.

Max Jacob était euphorique. À l'issue d'une nuit mémorable au Lapin agile, une virée dans une boîte de la place Pigalle spécialisée dans les *visions artistiques* et, pour finir, dans un gros numéro de la Goutte-d'Or, il avait décidé, à l'heure des éboueurs, qu'on n'allait pas se séparer si tôt.

— À cette heure-ci, dit-il, les bourgeois en goguette vont déjeuner d'une soupe à l'oignon aux Halles ou d'un bol de lait frais au Pré-Catelan. Avez-vous l'argent nécessaire ?

Ils retournèrent leurs poches sans trouver la moindre pièce.

— Alors, ajouta Max, aux grands maux les grands remèdes.

Il précéda ses acolytes vers un immeuble de l'avenue de Clichy. Il savait comment s'y prendre pour passer la loge du concierge sans avoir à tirer le cordon. Ils grimpèrent aux étages et firent une razzia de bouteilles de lait, de croissants et de petits pains qu'ils allèrent consommer au square d'Anvers.

— Il va falloir que je rentre, dit Maurice. Ma mère doit être folle d'inquiétude.

— La pauvre femme, dit Modigliani. Elle ne mérite pas que tu la fasses souffrir.

Le beau peintre italien avait rencontré Suzanne dans la modeste boutique du marchand de peintures Clovis Sagot, rue Laffitte : un ancien boulanger reconverti dans le commerce de l'art. Le besoin immédiat de quelque argent l'avait poussée jusque-là avec des dessins sous le bras.

— Quatre dessins et une gouache, dit-elle. Combien m'en donnez-vous ?

Il avait haussé les épaules.

— Des dessins ! Ma bonne dame, regardez, mes murs en sont couverts. Les vôtres sont de bonne qualité, j'en conviens, mais je ne suis pas sûr de les vendre. Laissez-les-moi en dépôt, on verra bien.

— J'ai besoin d'argent tout de suite. Dites un prix.

— Ben... dix francs pour le lot, ça vous irait ?

— Vous plaisantez !

— C'est à prendre ou à laisser.

Une voix leur parvint du fond de la boutique. Modigliani s'était avancé, avait demandé à voir les dessins et la gouache.

— N'insistez pas, madame Valadon, dit-il. Ce vieux grigou veut vous rouler. Allons voir le père Soulié : il est plus honnête, bien que ce ne soit pas un petit saint.

Il prit d'autorité Suzanne par le bras, l'entraîna jusqu'à la boutique de la rue des Martyrs où officiait le vieil ivrogne, ami de beuverie de l'artiste. Soulié considéra avec intérêt les œuvres qui lui étaient présentées. Modi souffla à l'oreille de Suzanne :

— Ne vous y trompez pas : il fait semblant d'apprécier vos œuvres mais la vérité c'est qu'il n'entend rien à la peinture. C'est un ancien athlète de fête foraine reconverti dans la toile à matelas puis dans la galerie. Laissez-moi faire...

— Eugène, dit-il, il faut te décider. Sagot offre dix francs pour chacun de ces dessins et vingt pour la gouache. Une misère. Ce vieux *ladrone*...

— Tu te fous de moi, Amedeo ! s'écria le marchand. Votre nom est connu, ma petite dame, mais tout de même... Je vous offre trente francs pour le tout.

— Vieux grigou ! lança Amedeo. *Assassino !*

— Peux pas faire plus. Désolé. Les dessins se vendent mal. Je peux aller jusqu'à quarante, mais pas davantage.

— D'accord, dit Suzanne.

Ils allèrent fêter cette aubaine au bar du cirque Medrano, en face de la boutique de Soulié.

— Tu la fais souffrir, cette pauvre femme, bougonna Max, alors qu'elle t'a élevé et t'a appris à peindre !

— Elle m'a sans doute appris à dessiner et à peindre, répliqua Maurice, mais si je suis devenu un ivrogne, c'est aussi la faute de ma famille ! Un père en Espagne, un beau-père qui me déteste, une mère qui ne me comprend pas...

Amedeo lui tapa dans le dos. Il n'allait pas se mettre à pleurer, non ? Ce qu'il fallait pour le moment, c'était aller dormir.

— Eh bien ! dit Max en bâillant, allons faire dodo.

Il partit de son côté, Maurice et Amedeo dans une autre direction, accrochés l'un à l'autre, chaloupant dans la montée de la rue des Martyrs. À mi-pente, Modi annonça qu'il allait rebrousser chemin pour taper le père Soulié d'une ou deux thunes. Au retour il inspecta comme à la revue une rangée de vieilles prostituées, fit son choix, entraîna sa proie dans son nouveau domicile, rue des Trois-Frères : un ancien hangar transformé en chambre et en atelier. Il garda le lit pour ses ébats et fit dormir Maurice dans un fauteuil bancal.

À midi, il mit à la porte son copain et la pute.

— Excuse-moi, dit-il. Faut que je travaille, tu comprends ?

Il venait de neiger. Paris était tout blanc, magique comme une toile de Sisley.

Cette alacrité qui montait en elle dès le réveil l'incitait à sauter du lit avant l'heure habituelle, elle savait d'où elle lui venait : elle était amoureuse de nouveau. « Amoureuse, moi, à plus de quarante ans ! C'est insensé. C'est merveilleux. »

Ce qui lui paraissait plus insensé, plus merveilleux encore, c'est qu'elle fût aimée. Elle ne pouvait en douter : ce « gamin », André, s'était pris pour elle d'une folle passion ; il lui faisait l'amour avec l'ardeur d'un ruffian et la tendresse d'un Éliacin. Il ne cessait de lui répéter qu'il l'aimait, et elle savait ce que ces simples mots : « Je t'aime », sont difficiles à prononcer quand on n'est pas sincère.

Comme dans le roman de Rachilde, la fontaine scellée avait cédé ; il avait suffi que son jeune amant la pénétrât pour qu'elle se sentît inondée de bonheur. Elle n'avait pas eu besoin d'éliminer son entourage pour se sentir libre : elle se contentait de l'ignorer. Paul, Maurice, Madeleine, ses chiens composaient autour d'elle un manège sans consistance.

Elle s'était remise au travail avec acharnement, décidée à en finir avec sa toile intitulée *Après le bain*, comme pour se débarrasser au plus vite d'une corvée. Elle imposait à Clotilde et à Dolly des temps de pose inhumains ; lorsqu'elles protestaient, elle leur disait :

— Consolez-vous en pensant que vous figurerez dans des galeries, des expositions, que des milliers de visiteurs viendront vous admirer.

Pour les remercier de leur patience, elle les conviait chez Adèle qui les traitait comme des princesses.

Cette composition, malgré sa hâte d'en finir, elle avait eu plaisir à la brosser. Elle avait pétri ces chairs épaisses comme un boulanger prépare sa fournée. Le résultat la comblait. Elle se disait que Renoir aurait aimé cette toile. À la fraîcheur des nus du maître, à ses fondus lumineux, à la carnation de fruit qu'il donnait à ses nus, répondaient chez elle a contrario la rudesse du trait et de la matière, une violence, un parti pris de réalisme qui donnaient de la virilité à son œuvre.

Un soir de neige, alors que Maurice remontait la rue des Saules pour regagner son domicile, il fut abordé par un inconnu qui lui réclama un petit sou pour manger. Il était sans argent, ayant tout dépensé au Lapin agile. C'est alors que deux acolytes sortirent de l'ombre d'une porte cochère et se mirent en devoir de le fouiller. Il protesta, se débattit. Un coup de poing au visage le fit basculer. Il perdit connaissance. En revenant à lui il constata qu'on lui avait volé son manteau.

En le voyant surgir dans la cuisine, Madeleine poussa un gémissement et alerta Suzanne. Assis sur une chaise, Maurice paraissait sur le point de rendre l'âme : costume couvert de boue, visage tuméfié, barbe gluante de sang.

— Un jour il se fera tuer ! gémit Madeleine.

— Qu'as-tu fait de ton manteau ? demanda Suzanne en le conduisant au cabinet de toilette.

— Je viens d'être agressé par trois voyous. Pas pu résister...

— Parce que tu étais sans doute ivre.

Ça, il ne pouvait le nier. Il était parti le matin avec sous le bras trois cartons peints, qu'il était allé présenter à Eugène Soulié. Il en avait tiré quatre thunes : de quoi faire la noce.

— Avec Modigliani, comme d'habitude, et Max Jacob sans doute. Il faudra que je leur dise deux mots à ceux-là !

Non ! cette fois-ci sa mère avait tort. Il était venu seul au Lapin agile où il était tombé sur une bande de soiffards qui avaient séché son pécule. C'est en sortant qu'il s'était fait agresser.

Il réclama du vin.

— Un verre, dit Suzanne. Pas plus. Mais je vais d'abord te soigner et te nettoyer. Ah ! tu es propre...

Le lendemain, lorsqu'il voulut partir, Suzanne lui interdit la porte. Il faisait trop froid pour qu'il sorte sans manteau.

— Nous irons t'en acheter un autre un de ces jours. En attendant, au travail !

Maurice avait depuis peu entrepris de peindre des monuments religieux pour lesquels il employait une pâte singulière : une sorte de boue argileuse vaguement colorée, avec, plaqués ici et là, des frottis d'émail. Il s'était pris d'un vif intérêt pour ces architectures massives, ces contreforts puissants, ces tours et ces clochers aux formes lourdes.

L'influence de l'abbé Jean y était pour quelque chose, plus que celle de Max Jacob dont la foi lui paraissait suspecte et qui prenait le confessionnal pour un cabinet de toilette où se laver des souillures du péché. C'est à son confesseur que Maurice avait parlé en premier de son intention, et c'est à lui qu'il avait offert sa première toile : une vue de la basilique de Saint-Denis, brossée dans un élan mystique favorisé par l'absence de curieux.

— C'est bien, lui avait dit Suzanne. Tu fais des progrès. Pourtant je préfère tes paysages de Montmartre, si vides soient-ils de personnages.

Elle s'expliquait mal la propension de son fils à ne peindre que des paysages urbains déserts, comme si quelque exode les avait dépeuplés. Maurice peignait le vide, ce qui conférait à ses toiles cette mélancolie poignante, exempte de lyrisme. Maurice peignait mieux qu'il ne voyait ; il peignait comme il sentait : son propre univers condamné à la dramatique solitude de l'ivrogne et du fils mal aimé.

Lorsqu'elle allait faire ses courses ou s'arrêtait pour consommer dans un café, Suzanne n'était plus surprise de voir, alignés sur le trottoir ou accrochés aux murs, des cartons peints signés Maurice Utrillo V. « C'est ainsi, lui avait dit

André Utter, que ton fils règle ses additions : une ou deux toiles pour une ardoise ! » Dans certains bistrots on lui procurait les pinceaux, les couleurs et le carton en lui demandant d'aller peindre dans l'arrière-salle avec une bouteille pour lui tenir compagnie. On lui disait en lui proposant des cartes postales ou des photos : « Fais-moi l'hôtel des postes d'Enghien. » Il torchait la toile en un tournemain et repartait guilleret.

S'il manifestait de la mauvaise volonté ou se montrait exigeant, on le jetait dehors avec un coup de pied au cul.

André faisait montre de scrupules pour passer la nuit rue Cortot.

Madeleine n'était pas tombée de la dernière pluie ; elle s'était vite aperçue que les visites assidues du jeune homme n'étaient pas motivées seulement par des considérations artistiques, mais elle n'en soufflait mot. Monsieur Paul était cocu ? il l'avait bien mérité : il trompait Suzanne et la traitait, elle, comme une esclave.

Rien n'indiquait que monsieur Paul eût vent de cette liaison qui avait fait son nid sous son toit. Ses rapports, devenus inexistants avec son beau-fils, s'étaient dilués avec son épouse, dans l'indifférence. Il découchait sans prévenir, se rendait aux bains de mer à Deauville avec sa maîtresse. Son double ménage lui coûtait cher : ce qu'il économisait sur la rue Cortot il l'investissait rue Lepic.

Émotion, pour Suzanne, lorsque André lui annonça qu'il était convoqué pour passer le conseil de révision.

— Vivre l'un sans l'autre pendant deux ans, c'est insupportable !

André revint une semaine plus tard, radieux : il était réformé ! Le médecin-major avait relevé une défaillance musculaire consécutive à la chute qu'il avait faite dans sa jeunesse et qui le rendait inapte aux marches et aux manœuvres.

— Tu ne peux vivre, lui dit Suzanne, dans ce taudis qui te sert de logement. Ces caisses qui composent ton mobilier, ce lit trop étroit pour deux, ces carreaux cassés...

Elle ne supportait ni le délabrement ni la saleté. De cette pièce unique donnant sur le boulevard de Rochechouart elle avait décidé de faire un lieu agréable. Elle acheta quelques meubles à Deleschamps, les rafistola avec le concours d'André, organisa le coin cuisine, installa des étagères, tendit des rideaux de cretonne à fleurs, aménagea une petite bibliothèque. Il restait peu de place pour l'atelier mais André, pris par son travail à la Compagnie générale d'électricité et par ses rendez-vous avec sa maîtresse, trouvait peu de temps pour se consacrer à son art.

— Il manque à ta peinture, lui disait Suzanne, une touche personnelle, mais tu es doué. Tu devras te débarrasser des influences, la mienne notamment. Si je signais certaines de tes toiles on n'y verrait que du feu.

Il décida de faire le portrait de sa maîtresse ; elle lui promit de faire le sien. Un échange qui rappela à Suzanne celui qu'elle avait réalisé avec Erik Satie. Il la fit poser nue, insista sur le ventre proéminent, les membres musclés. Elle ne lui fit aucun reproche de cette vision réaliste de sa personne mais lui rappela qu'il persistait à « faire du Valadon ».

— Rien de grave, lui dit-elle. L'essentiel c'est notre amour. Car tu m'aimes, n'est-ce pas ?

Il se complut à le lui confirmer et à le lui prouver : elle était à la fois sa maîtresse, sa femme, sa mère. Sa famille ? il avait deux sœurs qui ne donnaient guère de nouvelles.

Il souhaita qu'elle lui fît un enfant. Elle s'esclaffa : ce grand fou ! À son âge cette perspective était absurde.

— Me vois-tu annonçant à Maurice : tu vas avoir un petit frère ou une petite sœur ? Et Moussis, qu'est-ce qu'il dirait ?

— Tu divorcerais et je t'épouserais...

Maurice venait de peindre la façade de l'église des Petits-Pères, dans le quartier de la Bourse. Dans le coin d'ombre où il s'était installé, la chaleur était intense et le bruit assourdissant. Il avait fini sa bouteille et, de temps à autre, laissant sur le trottoir son chevalet, il allait siffler une mominette au café.

Furieux de voir les passants s'agglutiner derrière lui, il finit par replier son attirail et se demanda, ivre comme il l'était déjà, comment il allait remonter à Montmartre avec son chargement. Prendre un sapin ? Il plongea la main dans sa poche, en retira trois malheureuses pièces de dix sous.

Une idée lui vint à l'esprit : proposer au patron du café de lui vendre sa toile. Il fut mal reçu : c'était une heure de pointe, avec la sortie d'une séance à la Bourse ; ces messieurs commençaient à rappliquer.

Occupé à essuyer des verres, le patron ne daigna pas accorder un regard à son chef-d'œuvre.

— C'est l'église des Petits-Pères, bredouilla Maurice. Entre deux appliques ça ferait de l'effet.

— L'église, je l'ai sous les yeux toute la sainte journée. Alors, votre barbouille...

— Vous ne savez pas à qui vous parlez, monsieur. Je suis Maurice Utrillo...

— Connais pas ! Rien à foutre de cette croûte.

— Donnez-m'en une thune.

— Vous me l'offririez que j'en voudrais pas. Fichez-moi la paix. Ma clientèle arrive.

— Votre clientèle, je l'emmerde ! J'ai besoin de deux francs pour prendre un fiacre.

Le patron prit la mouche, menaça d'alerter la police, demanda au garçon de jeter dehors cet énergumène entêté. Maurice se retrouva sur le trottoir avec son matériel éparpillé autour de lui. Fou de colère, il monta sur une chaise et, descendant son pantalon, montra son derrière aux passants en criant que les mastroquets étaient tous des jean-foutre et qu'il pissait sur les croquenots des sergots. Une voix raide l'interpella par-dessus la foule des badauds hilares.

— Descendez de là sans faire d'histoire !

Maurice considéra d'un air béat cette pèlerine à grosses moustaches et le bâton blanc qui se tendait vers lui.

— Mon ange gardien ! minauda-t-il. Il va me délivrer de ces salauds qui méprisent les artistes. Le patron, au bloc ! C'est un béotien...

— C'est pas le patron que je vais foutre au bloc, s'écria la pèlerine, mais toi. Remonte ton pantalon et suis-moi au commissariat.

Paul arpentait la salle à manger comme un ours en cage.

— Je ne lèverai pas le petit doigt pour ton ivrogne de fils. Qu'il sombre dans sa turpitude, ça le regarde, mais qu'il se livre à l'exhibitionnisme sur la voie publique, ça, c'est intolérable ! Il est à la Santé ? Qu'il y reste !

Lorsque Suzanne rendit visite à Maurice, accompagnée d'André, le directeur de la prison lui dit :

— Votre fils s'est rendu coupable d'un grave délit, madame.

— J'en ai conscience, monsieur le directeur, mais il faisait très chaud et il avait bu.

— Ce n'est pas une excuse. Il a eu un comportement inadmissible. À peine était-il interné qu'il a dessiné des cochonneries sur les murs !

— Des cochonneries ?

— Des dessins abracadabrants. Détérioration de bâtiment public, ça peut aller loin. Un conseil : faites-le interner.

L'affaire en resta là. Deux semaines après son arrestation, Maurice était libéré. Un patron de bistrot de ses amis, le père César Gay, ancien officier de police qui avait gardé des relations avec l'administration, avait obtenu l'élargissement de son client.

— Mon petit, dit-il, je t'ai épargné le pire. À partir de maintenant tu vas te montrer raisonnable et travailler.

Ce petit bonhomme voûté, d'allure mielleuse, avait dans la voix un reliquat d'autorité militaire qui prenait des accents de sommation.

Moussis, quant à lui, avait tenu parole : il s'était refusé à faire intervenir ses relations pour faire libérer son beau-fils.

— Quelques mois de cellule lui feront le plus grand bien, avait-il dit à Suzanne. Ainsi, toi et moi nous en serons débarrassés pour quelque temps...

Ils allaient une fois par semaine au cinéma et une fois par mois au Louvre ou au Luxembourg. André frémit d'émotion en retrouvant sa maîtresse sous forme d'allégories dans les toiles de Puvis de Chavannes, ainsi que dans les nus de Renoir. Il se prenait à détester ces maîtres qui l'avaient vue et peinte sans voiles, ces curieux qui l'admiraient.

— J'ai la certitude, dit-elle, de ne jamais mourir tout à fait tant que ces toiles vivront. On se souviendra de ces peintres mais aussi de quelques-uns des modèles qui les ont inspirés.

Un jour de mai, alors qu'ils flânaient dans les derniers espaces sauvages du Maquis, en marge des fortifs, leur attention fut attirée par un groupe campé sur une esplanade, entre deux casemates. Une chorégraphe d'origine américaine, Isadora Duncan, y faisait répéter ses élèves. Elles évoluaient dans des figures libres, au son de la flûte, vêtues de tuniques qui laissaient leurs jambes apparentes.

Ce spectacle insolite avait alerté la population, puis ému les autorités. C'était beaucoup de montrer ses chevilles, mais exhiber ses jambes relevait du scandale. Sans compter que les tuniques à l'antique ne cachaient pas grand-chose de leurs formes. Il y avait des établissements spécialisés dans ces spectacles honteux.

Une matrone expliquait vigoureusement son indignation.

— Dire que même les enfants peuvent regarder ça ! La police y mettra bon ordre. Je vais lancer une pétition !

Il n'y eut pas de pétition et Isadora put poursuivre ses répétitions sans être inquiétée.

Ils avaient décidé de ne plus se cacher.

On les voyait dans les cafés, les restaurants, les spectacles, bras dessus, bras dessous. Ils s'arrêtaient de temps à autre pour se bécoter comme des adolescents à leurs premières amours. « Tu as rajeuni de dix ans ! » lui disait Clotilde. Elle ne s'était jamais sentie si bien dans sa peau.

Elle poussait André à travailler à sa peinture. Parfois, lorsqu'elle recevait un modèle, elle lui proposait de la rejoindre. Il lui disait : « Si Maurice pouvait s'associer à notre couple, nous pourrions former un groupe : l'École Valadon, spécialité de nus en tous genres. » Elle aimait qu'il plaisantât.

Suzanne avait provisoirement donné congé à Clotilde et à Dolly en se réservant de faire ultérieurement appel à leurs services car elles correspondaient à sa conception du nu. Ses nouveaux modèles étaient des gamines ou des adolescentes à peine pubères ; elle les recrutait dans les parages, sans trouver de réticences de la part des mères : une artiste dont on parle dans les journaux, c'est rassurant...

Il y avait eu Ketty, la fille de la crémière, qu'André appelait la « rose crémière » ; il y en eut d'autres. Alors qu'avec ses modèles adultes Suzanne s'était astreinte à l'évocation des maturités généreuses, elle trouvait avec ces gamines l'innocence et la gracilité de ceux qu'elle avait dessinés jadis, rue Tourlaque et à Montmagny. Aucune concession à la beauté classique : une recherche constante, appliquée de la vérité du corps. Elle ne situait pas ses modèles dans des cadres agrestes à la Renoir mais dans des intérieurs banals où les objets prenaient de l'importance, comme dans les œuvres des artistes japonais. Ce qui retenait son intérêt c'étaient ces lignes de la préadolescence, ces femmes en train d'éclore, ces attitudes libres et naturelles.

Les mères accompagnaient souvent leurs filles. Elles étaient admises dans la salle à manger, faisaient du tricot ou lisaient des gazettes comme dans la salle d'attente d'un dentiste. Quelques-unes réclamaient des émoluments ; la plupart se contentaient d'un dessin.

Certaines de ces toiles étaient composées comme des scènes de genre : des fillettes nues flanquées d'une matrone qui transportait des brocs d'eau du lit au cabinet de toilette, maniait l'éponge et le savon avec la dextérité de servantes de hammam.

Suzanne retrouvait dans l'exécution de ces œuvres l'exaltation ressentie plusieurs années auparavant à la Butte-Pinson alors qu'elle dessinait cette fille à la fois fleur et fruit, docile et provocante : Rosalie. De cette époque elle n'avait gardé qu'un pastel : *La Toilette*, groupe de trois personnages, une servante et deux filles nues. On relevait jusque dans le choix des couleurs l'influence de Puvis de Chavannes. Elle avait placé cette œuvre dans sa chambre, en face de son lit, de manière à la voir chaque matin au réveil, annonciatrice, avec ses couleurs lumineuses, d'une journée féconde.

Ce matin-là, ce n'est pas Max qui vint ouvrir à Maurice mais un individu qu'il avait croisé à diverses reprises chez Frédé et au Moulin de la Galette.

Élysée Maclet était devenu depuis peu le locataire de Max avec lequel il partageait le taudis de la rue Gabrielle. Maurice ne s'était absenté qu'une quinzaine, pour aller méditer à la Santé sur les risques de l'exhibitionnisme, et déjà de nouveaux personnages surgissaient autour de lui.

On avait baptisé Élysée Maclet le Paysan de Montmartre. Du paysan il avait l'allure et les compétences. On lui avait confié l'entretien des jardins du Moulin de la Galette et il aurait pu s'en tenir là, mais il avait d'autres ambitions : il peignait et se disait élève de Puvis de Chavannes.

Il fit entrer Maurice et s'excusa pour le désordre : il n'avait pas eu le temps de faire le ménage. Il expliqua qu'il vivait avec Max depuis que la patronne de l'hôtel du Poirier l'avait mis à la porte pour défaut de règlement du loyer.

— Max m'a recueilli et hébergé. Quand il est absent, ce qui lui arrive souvent, il me prête son lit. Un cœur d'or, Max.

En sondant les profondeurs d'une caisse pleine de paperasse, Maclet découvrit une bouteille de vin à peine entamée. Il posa deux verres sur le manuscrit de Max et dit en les remplissant :

— Je vous connais : vous êtes Utrillo et votre mère est Suzanne Valadon. Une sacrée bonne femme, tonnerre de Dieu, et quelle artiste ! Faudra que je lui montre mes fleurs...

Ils trinquèrent comme de vieilles connaissances. Le premier verre du matin faisait toujours le même effet à Maurice : il diluait ses angoisses et ses cauchemars, lui conférait l'assurance nécessaire pour aborder du bon pied une nouvelle journée.

— Vous voulez l'attendre ou vous préférez revenir ? demanda l'artiste-jardinier. Il est allé entendre la messe à Saint-Pierre. Il y passe des heures depuis l'apparition.

Maurice demanda de quelle apparition il s'agissait.

— Z'êtes pas au courant ? On parle que de ça à Montmartre. On a même reçu la visite de l'évêque. Faut que je vous raconte...

Une nuit, alors qu'il était seul, Max avait entendu frapper à la porte. Il s'était trouvé en ouvrant en présence d'une image lumineuse : une sorte de brume dont se dégageait la silhouette du Christ en tunique bleu et or. L'image évaporée, il avait passé le reste de la nuit dans les transes et, à l'aube, avait couru réveiller l'abbé Jean pour qu'il sonnât les cloches annonciatrices de la nouvelle. Max se fit rembarrer, le prêtre le soupçonnant d'avoir abusé de l'abricotine. Max s'était défendu, avait donné des détails sur les attributs du Seigneur ; ce n'était d'ailleurs pas sa première apparition.

— Encore un verre, monsieur Utrillo ?

Ils avaient achevé la bouteille avant le retour de Max et Élysée Maclet s'apprêtait pour un nouveau sacrifice quand le poète fit irruption, le visage empreint de gravité, l'air d'un communiant touché par la grâce. Il serra Maurice contre sa poitrine, lui demanda comment il avait supporté son incarcération.

— Toi et moi, dit-il, nous ne sommes pas vraiment de ce monde. Nous vivons notre existence terrestre entre la grâce et la lapidation. Personne ne nous comprend mais le Seigneur nous garde sa confiance. Élysée a dû te raconter la bonne nouvelle. Tu me crois, au moins ? Tu sais que je ne suis pas un affabulateur.

Maurice hocha la tête. On avait vidé la deuxième bouteille et il commençait à flotter sur les vignes du Seigneur quand Max décida d'aller faire rayonner la grâce chez Frédé.

Max avait donné rendez-vous au Lapin agile à une vieille amie, Lucie Rapin, et à une fille, Rara, qui tenaient à rencontrer le miraculé. La première, ancienne horizontale des Batignolles, se promenait en permanence avec un réticule bourré de caporal qu'elle distribuait comme une manne sans oublier Lolo qui se mettait à braire d'envie chaque fois qu'il respirait l'odeur du tabac ; la seconde, ancienne danseuse de l'Élysée-Montmartre, tirait orgueil de sa pointure qui rappelait celle des Chinoises : son pied mignon tenait dans un bock à bière.

Les deux femmes attendaient Max sagement sous l'acacia en roulant des cigarettes. Il commanda un kirsch dans lequel il jeta une boulette d'éther. Il n'y avait pas foule, le gros de la clientèle n'arrivant que vers midi. Tandis que Maurice et Élysée allaient sécher au bar une ou deux chopines, il bavarda avec ces hétaïres sur le retour, entreprit de les catéchiser et les pria de lui abandonner leur main pour y lire une destinée que leurs mœurs et leur intempérance rendaient aléatoire.

Frédé était dans tous ses états : la salle principale avait été réservée pour un grand événement qui revenait chaque année, à date fixe, comme le 14 Juillet ou la Saint-Sylvestre.

Midi venait de sonner au clocher de Saint-Pierre quand une rumeur de fanfare et de cris joyeux descendit de la rue des Saules. On ne tarda pas à voir surgir l'avant-garde composée de tambours, clairons et mirlitons. Chaque année, à la même date, le dessinateur humoristique Poulbot, citoyen de Montmartre, invitait amis et connaissances à une noce virtuelle avec sa maîtresse, dont il ne pouvait se séparer et qu'il se refusait à épouser. Le joyeux défilé traversait la Butte à partir de l'avenue Junot où l'artiste avait son domicile, donnait l'aubade devant chaque bistrot, ce qui pouvait prendre des heures et, suivi d'une ribambelle de gamins amateurs de dragées, mettait le cap sur le Lapin agile.

Max se leva en titubant.

— Mesdames, dit-il, veuillez pardonner à l'émissaire du Seigneur. Un grand événement se prépare et je me dois d'être présent. D'ailleurs vous ne serez pas de trop. Lucie, daignez me rouler une cigarette, je vous prie. Et n'oubliez pas cet autre compagnon du Christ, l'âne Lolo.

Pris dans le tourbillon de la noce fictive, gavé de vin et de mets choisis concoctés par Marthe, Maurice, au milieu de l'après-midi, fit voile comme sur un nuage vers son domicile mais, en cours de route, conscient de risquer d'être accueilli par des bordées de récriminations, changea de cap et se retrouva chez son ami César Gay, son sauveur. C'était jour de fermeture.

Deux cartons sous le bras — il ne se déplaçait que rarement sans ce bagage qui lui servait de monnaie d'échange — il cingla vers la galerie Druet, rue Royale, à quelque distance de la Butte et dans un quartier chic, où il venait de se souvenir qu'un vernissage avait lieu.

Il y avait foule lorsque Maurice, titubant, dépenaillé, fit irruption dans ce cénacle huppé. Il bouscula le larbin qui lui demandait son carton et, passant de groupe en groupe, exhiba ses œuvres, s'attirant sourires de mépris et quolibets.

— Dix francs, madame, cette rue Norvins... Monsieur, pour huit francs, cet effet de neige place Saint-Pierre est à vous... Hein, quoi ? Ça vous intéresse pas ? Foutus bourgeois ! Personne pour encourager les jeunes artistes !

Il fallut l'intervention de M. Druet pour tenter de le faire renoncer à ses singeries et le prier de vider les lieux.

— Mon jeune ami, revenez me voir un de ces jours. En attendant, je vous prie de vous retirer.

Frantz Jourdain, architecte de la Samaritaine, s'avança, cigare aux lèvres, et demanda à voir les œuvres proposées par Utrillo. Il les examina attentivement, murmura :

— Pas mal... Pas mal du tout... Une réelle maîtrise, une ambiance fascinante... Mais que signifie ce V., à la suite de votre nom ?

— Valadon. Suzanne Valadon est ma mère.

Jourdain lui demanda à combien il estimait ces cartons peints. Maurice lança un prix qui ne fit pas sourciller l'amateur d'art mais provoqua la réaction de Druet : c'était beaucoup trop cher ! C'est alors qu'intervint un troisième larron : Chappedeleine, le comptable de la galerie. Si Jourdain renonçait à cet achat, il était preneur pour quarante francs les deux.

La journée de Maurice, commencée au gros rouge, se termina au champagne. Son ivresse avait fait place à l'exaltation. Persuadé d'avoir accédé à une autre sphère, il revint rue Cortot, interpellant les passants, brandissant ses billets. Quarante francs ! C'était la première fois qu'on lui donnait une telle somme pour deux toiles.

De retour à Montmartre il piqua droit vers le logis de Max qui était en train de cuver. Il lui fit renifler son magot.

— Je suis content pour toi, mon ami, lui dit Max. J'ai toujours su que tu avais du talent. Cesse de boire et tu auras du génie...

9

ENFERS ET PARADIS

Il fallait en arriver là un jour ou l'autre.

Campée sur ses positions, Suzanne attendait l'attaque de pied ferme. Elle éclata un soir où Paul rentra plus tôt que d'habitude en faisant voler sa canne avec des gestes d'escrimeur. Il avait, dit-il, un compte à régler. Quel compte et avec qui ? En le regardant évoluer à travers la salle à manger, l'air faraud et provocateur, Suzanne se dit qu'il devait avoir ingurgité quelques whiskies pour se donner le courage d'affronter son épouse.

— Vous arrivez un peu tôt, dit Madeleine. J'ai pas encore mis la table.

Paul lui montra d'un geste autoritaire la porte de la cuisine.

— Vous, la vieille, déguerpissez ! J'ai deux mots à dire à votre fille, seul à seule.

Suzanne lui reprocha vivement de traiter sa mère comme une bonniche ; il riposta qu'elle n'était rien d'autre.

— Qu'est-ce que tu as à me dire ? Parle au lieu de brandir ta canne. Tu veux me provoquer en duel ?

Il sortit de sa poche un billet qu'il exhiba comme un acte d'accusation.

— Eh bien, quoi ? C'est un de mes dessins. Où l'as-tu trouvé ?

— Dans un de tes cartons. Tu me reproches de ne pas m'intéresser suffisamment à ton travail ? Eh bien, tu vois, ça m'arrive, et je fais des découvertes. Ce garçon entièrement nu, qui ressemble au Christ sous les outrages, il me semble le reconnaître.

— Rien de surprenant. Tu l'as rencontré souvent, ici même. J'avais besoin d'un nu masculin. J'ai fait poser Utter, un ami de Maurice.

— Maurice et lui ne se voient plus depuis que ce garçon est devenu ton amant.

Suzanne resta un moment sans répondre, certaine qu'il n'eût pas lancé cette accusation sans quelque autre preuve. Elle tourna la chose à la dérision pour reprendre l'avantage.

— Mon amant... Si je couchais avec tous mes modèles...

— Avec Utter tu te conduis comme une catin ! On te voit partout avec lui. Tu en es fière, tu l'exhibes ! Plusieurs de mes connaissances vous ont vus ensemble.

Elle accepta de faire un pas de clerc, reconnut qu'elle se montrait assez fréquemment avec lui, mais parce qu'elle n'aimait pas sortir seule et que ce n'était pas lui, Paul, qui lui fournissait les occasions de se distraire. Il lui était facile de riposter en lui jetant à la figure sa liaison mais elle gardait cette ultime cartouche en réserve.

Il déchira le dessin, le jeta dans les cendres de la cheminée en reprenant.

— Si tu avais besoin d'un modèle masculin, tu avais ton fils... ou moi, mais je n'ai jamais eu cet honneur !

— Maurice est trop maigre et manque de patience. Quant à toi, mon pauvre ami, regarde-toi...

Il chancela sous le trait, s'essuya le visage et se laissa tomber sur une chaise. Il devait convenir qu'il avait bien changé en quelques années : il avait pris du ventre, perdu quelques dents et beaucoup de cheveux. Trop de bons repas dans les meilleurs restaurants, d'alcool, de travail sédentaire, d'excès amoureux, peut-être... Il n'avait pas toujours été ainsi et jamais elle ne lui avait proposé de poser pour elle. Il le lui dit ; elle répliqua :

— Je n'ai peint jusqu'à ces derniers temps que des sujets féminins. Il se trouve qu'aujourd'hui il me faut un modèle masculin. Je l'ai découvert.

Elle s'assit à son tour ; ils restèrent un moment silencieux, face à face, avec entre eux le bouquet de houx. Ils auraient pu prolonger cette trêve mais ils n'avaient envie ni l'un ni l'autre de désarmer. C'est Madeleine qui, interprétant ce silence comme la fin de la querelle, mit involontairement le feu aux poudres. Elle pointa le nez et demanda d'une voix timide si elle pouvait mettre le couvert. Paul avait trouvé une proie facile ; il se leva en hurlant.

— Bouffez-la votre soupe, vieille sorcière, et foutez-nous la paix !

Paul passait les bornes. Suzanne se leva lentement, exigea des excuses ; il éclata de rire.

— Ta mère est devenue ta complice : une véritable mère maquerelle ! Elle ne peut ignorer les rapports que tu entretiens avec Utter, sous mon propre toit, et elle s'est bien gardée de m'en informer.

— Et s'il en était ainsi ? Et si je couchais avec Utter, ici ou ailleurs, tu n'aurais rien à redire. C'est toi qui as rompu le contrat, qui as fait ta maîtresse de cette fille de brasserie !

Après ce demi-aveu elle ressentit une joie perverse à verser une goutte de poison dans le vinaigre.

— Mon pauvre ami, tu es cocu sur toute la ligne.

Il sursauta, éclata d'un rire qui sonnait fêlé, porta ses regards autour de lui comme pour prendre un public imaginaire à témoin de cette incongruité. Il dit d'une voix étranglée :

— Quelle est cette invention ? Marie me tromperait ? La bonne blague...

— Tu es bien le seul à l'ignorer. Renseigne-toi auprès de la concierge de la rue Lepic. Marie a vingt ans de moins que toi. Tu paies le salaire de ta décrépitude. Veux-tu des détails ?

Il se leva, fit le tour de la table.

— Merci bien ! J'ai entendu assez de mensonges. Tu ne sais qu'imaginer pour te venger.

Suzanne excellait dans la fabulation : elle aurait pu imaginer une identité à l'amant de Marie, révéler à Paul leurs lieux de rendez-vous. Il se rassit, s'accouda à la table, la tête dans ses mains, bredouilla :

— Mon Dieu, comment en sommes-nous arrivés à ce point ?

— À toi de trouver la réponse. Je t'ai aimé, Paul. Je te suis reconnaissante de m'avoir évité de sombrer dans la misère et la déchéance. La bonne épouse que j'ai été pour toi n'a pas abusé de la liberté que tu me laissais, je le jure. Si j'ai pu continuer à travailler et à me faire connaître, c'est en grande partie à toi que je le dois, mais il est normal que nos rapports aient évolué avec le temps. C'est ainsi pour tous les couples. Tout a changé du jour où cette garce est entrée dans ta vie.

Elle constata qu'il pleurait. Il avait emporté la première manche ; la seconde était pour elle. Elle ajouta :

— Qu'allons-nous faire ? Divorcer ?

Le mot lui fit l'effet d'une décharge électrique.

— Il n'en est pas question ! Songe à ma famille, à mon travail, à mes relations. Dans mon milieu on ne divorce pas. Ne prononce plus jamais ce mot devant moi !

Elle s'efforça de conserver sa sérénité pour répliquer :

— C'est pourtant la seule solution qui s'impose.

— Aurais-tu l'intention d'épouser ce garçon ? Il a vingt ans de moins que toi, je te le rappelle. Votre union sombrerait dans le ridicule ! Dis-toi bien que tu n'obtiendras jamais le divorce. Nous continuerons à vivre chacun de notre côté. Après tout, c'est ainsi que vivent beaucoup de couples que je connais.

La porte de la cuisine se rouvrit. Madeleine lança :

— Allez-vous bientôt cesser de vous disputer ? Cette soupe, je la sers, oui ou non ?

Maurice sentait monter en lui une de ces colères qu'il ne pouvait maîtriser. Il sortait d'une querelle avec Adèle : son ardoise avait pris des dimensions impressionnantes. Elle la lui mit sous le nez alors qu'il venait de demander suavement à la gargotière de lui trouver une table pour régaler Max, Modi et un jeune peintre madrilène qui venait de débarquer : Juan Gris.

— La maison ne fait plus de crédit ! lui lança Adèle. Tu règles ton ardoise ou vous allez manger à la soupe populaire, devant le poste de police du Louvre.

Maurice répondit avec hauteur :

— J'ai de quoi payer ! Regarde : j'ai là trois tableaux.

— Dignes du Louvre, dit Modi.

— Des chefs-d'œuvre, ajouta Max.

Elle consentit à regarder les cartons peints et haussa les épaules.

— Tu ne me feras plus le coup du paiement en nature, vaurien ! Des Utrillo j'en ai jusque dans les chiottes. Alors, du vent !

Elle prit les cartons, les jeta sur le trottoir en se promettant d'aller dire deux mots à la « pauvre Suzanne » sur son galopin de fils.

— Ma mère s'en fout ! C'est pas une ancienne pute qui la fera changer d'avis. Nous sommes dans un lieu public. On ne peut pas nous en expulser.

— Jules ! s'écria Adèle, flanque-moi tous ces gens dehors.

Le garçon, une sorte de colosse à tête de légionnaire, aux avant-bras couverts de tatouages, s'avança en crachant dans ses mains ; il prit Maurice au collet et l'envoya rouler entre les boulingrins en criant :

— Au suivant de ces messieurs !

— Nous partons, dit Max d'une voix blanche, mais permettez-moi de protester : une telle conduite envers un grand artiste est inqualifiable.

— Allez vous faire foutre, cul béni ! lui jeta la rousse. Mon établissement n'est pas l'Armée du salut !

Penauds, ils s'interrogèrent. Ils avaient faim ; ils avaient soif. Max proposa de se rendre chez l'ami Émile, mais Modi y avait une ardoise monumentale. Maurice avança le nom de Bernon, le marchand de primeurs de la rue Norvins mais, à cette heure-ci, la boutique était fermée.

— J'ai une idée, dit Juan Gris : allons voir Fernande. Elle ne nous refusera pas le *pan y vino*.

— Si elle est bien lunée, dit Max.

— On peut toujours essayer, ajouta Modi.

Ancienne fabrique de pianos transformée en bâtiment d'habitation, Le Bateau-Lavoir avait une drôle d'allure. D'une part on se trouvait au rez-de-chaussée ; de l'autre au troisième étage. On devait, pour découvrir l'appartement d'un locataire, traverser cette termitière en empruntant un système complexe d'escaliers, de galeries, de corridors en forme de coursives. Le logis de Pablo Picasso et de Fernande Olivier se situait au cœur de ce labyrinthe.

C'est là que Victoriano González, alias Juan Gris, avait posé son maigre bagage et commencé à prendre racine. Pablo qui, à l'occasion, faisait office de bureau de placement, lui avait trouvé, outre ce logement, des commandes de dessins humoristiques pour *Le Charivari* et *L'Assiette au beurre*, mais c'est la peinture avant tout qui motivait sa présence à Paris.

L'atelier de Picasso, au deuxième étage de la rue Ravignan et au troisième de la rue Émile-Goudeau, dominait une cascade de jardinets et de baraques en planches où logeaient la concierge, Mme Coudray, et de pauvres familles d'ouvriers, autour d'une grotte dotée d'une fontaine.

En respirant les odeurs de cuisine qui suintaient des dix ateliers répartis sur trois étages, le quatuor des affamés pressa l'allure. Le long des coursives qu'ils empruntèrent, le parquet vermoulu ployait sous leurs pas. Il était recommandé de marcher sur la pointe des pieds et par groupe de trois au maximum pour ne pas risquer d'occasionner un effondrement.

Fernande leur ouvrit la porte. Modèle et compagne du peintre, elle veillait jalousement à entretenir autour de lui une ambiance favorable à la création. Un rôle ingrat : l'argent était souvent rare et Pablo aimait à s'entourer d'amis plus impécunieux encore que lui, sa fameuse *cuadrilla*.

Cette jolie brune indolente et pulpeuse ne s'interrogea pas sur les raisons de cette visite impromptue. Elle mit le couvert en un tournemain, posa sur la table une bouteille et une tourte de pain.

— Y a pas gras aujourd'hui, dit-elle. Des restes de midi : de la soupe, du riz au safran et du fromage.

— Cela nous conviendra, mon ange, dit Max. Dieu te le rendra au centuple.

— Je n'en demande pas tant. En revanche, évitez de faire trop de bruit. Pablo est en train de faire sa sieste. Vous ne le verrez peut-être pas : il travaille à une grande toile d'un style nouveau. Il y a passé une partie de la nuit, à la chandelle.

— Ce sera l'événement de l'année, ajouta Juan. Du jamais vu. Une révolution qui se prépare.

Ils mangèrent et burent en silence sous les yeux de Fernande adossée au buffet, un chat dans les bras. La cuisine faisait office de chambre à coucher, avec un simple rideau pour faire le partage — la *chambre d'amour*, disait l'artiste. Il

179

faisait dans cette pièce une chaleur intense, accentuée par la flamme du réchaud, si bien que Fernande n'était vêtue que d'une tunique légère laissant largement découverts les épaules et le haut de la poitrine.

Maurice pénétrait pour la première fois dans ce phalanstère pittoresque mais vétuste, bien qu'il l'eût peint de l'extérieur à plusieurs reprises. Ce laboratoire empirique de la nouvelle peinture le fascinait et l'intriguait. Il aurait aimé se mêler à la *cuadrilla* qu'il retrouvait parfois au Lapin agile, mais ces gens d'une désespérante sobriété n'étaient pas des compagnons fréquentables.

Ils en étaient au fromage et achevaient leur troisième bouteille quand Picasso daigna se montrer. En raison de la chaleur il portait une simple écharpe rouge autour de la taille. Il marmonna un salut, se versa un demi-verre de vin qu'il additionna d'eau.

— Tu vois, dit Juan, nous nous sommes invités. Sans Fernande nous serions morts d'inanition. Tu as bien avancé dans ton travail ? Où en sont tes *Demoiselles* ? On peut leur dire un petit bonjour ?

Picasso se gratta le menton et fit la grimace.

— Presque terminé, dit-il. Venez quand vous aurez fini.

Lorsqu'ils se retrouvèrent dans l'atelier, Maurice s'accrocha au bras de Modigliani.

La toile de grandes dimensions semblait éclabousser le décor banal et grisâtre de la pièce. C'était une sorte de fenêtre ouvrant sur un univers éclaté, assemblage de verres de couleur dégageant une étrange luminosité. Fasciné par l'art nègre qu'il avait admiré au musée du Trocadéro et chez son ami Vlaminck, Pablo avait transposé ses émotions esthétiques dans cette œuvre coupée des précédentes.

La composition groupant cinq femmes rappelait les *Grandes Baigneuses* de Cézanne quant à la disposition. Elles n'avaient d'humain que leur corps à peine suggéré et peint en à-plat. Picasso avait démantibulé la réalité de ces personnages pour la reconstituer à sa manière, portant son intérêt sur les visages dont il avait fait des masques grotesques imités de l'art nègre. Ils étaient, ces visages, d'une telle laideur qu'on ne pouvait en détacher son regard ; l'une de ces femmes avait l'apparence d'un cynocéphale.

— Fa-bu-leux ! s'exclama Max. Voilà une toile qui va révolutionner l'art moderne. Braque, Matisse, Derain n'ont qu'à se passer la corde au cou !

— Jamais rien vu de tel, dit Modigliani. Ton univers, Pablo, est peuplé de monstres.

— C'est envoûtant ! décréta Juan Gris. Chaque fois que je vois cette toile, je reçois un choc.

Maurice se garda de formuler un jugement. Bouleversé, il s'était assis sur un tabouret et, bouche bée, se demandait comment pénétrer dans cet « univers » dont parlait Modi. Les toiles cubistes exposées dans des galeries l'avaient laissé éberlué. Elles lui étaient apparues comme ces pétards annonciateurs d'un feu d'artifice qui risquait de faire éclater le ciel. L'orage de feu, il était là, sous ses yeux.

C'est dans un état second qu'il écouta les commentaires que Picasso faisait de ses *Demoiselles d'Avignon* : cette toile rappelait le souvenir des prostituées du Barrio Chino de Barcelone, célèbre pour ses lupanars : la *carrer* d'Avinyo, un nom que l'artiste avait francisé en Avignon.

— Tes femmes, dit Modigliani d'un ton acerbe, sont des remèdes contre l'amour. Leur place serait au Jardin des Plantes. Dans la cage aux singes, plutôt que dans une galerie.

— Et les tiennes, protesta Max, font l'effet de chipolatas mal cuites. Tu devrais les exposer dans la vitrine d'un charcutier. Ne critique pas cette peinture : tu n'y entends rien !

Le ton virait à l'algarade quand Juan s'interposa.

— Mes amis, laissons Pablo à son travail. Je vais vous montrer mon atelier à moi, si vous voulez bien.

Par un escalier branlant et une coursive délabrée qui puait les latrines et la soupe de pauvre, il les fit accéder au troisième étage, celui qui donnait directement sur la rue Ravignan. La pièce était vaste, bien éclairée, flanquée d'un placard profond qui servait de cuisine.

— J'attends ma femme et mes enfants, dit-il. Ils doivent arriver de Madrid dans quelques jours. Le fléau, c'est les punaises. J'ai commencé la chasse mais elles sont des myriades ! Le père Deleschamps m'a promis du crédit pour quelques meubles qu'il va me livrer. Quand j'ai débarqué il me restait moins de vingt francs. On devra s'éclairer au pétrole et aller chercher l'eau dans la cour, mais nous nous y ferons. Cet endroit me plaît. L'air y est plus salubre qu'à Madrid.

— Tu ne manqueras de rien et tu deviendras célèbre, dit Max. C'est écrit dans les lignes de ta main...

On aurait dit que le siècle qui venait de naître tenait à se débarrasser des vieilles gloires impressionnistes pour ouvrir ses portes à une nouvelle génération.

Lorsqu'elle visitait les expositions ou assistait aux vernissages, Suzanne avait l'impression de traverser le Père-Lachaise.

Paul Gauguin ? Mort aux Marquises, en butte aux tracasseries des autorités civiles et religieuses. Vincent Van Gogh ? Suicidé d'une balle de revolver à Auvers-sur-Oise. Alfred Sisley ? Décédé à la suite d'un cancer de la gorge, dans une misère insondable. Lautrec ? Parti pour un voyage sans retour vers le Japon de ses rêves. Camille Pissarro ? Trouvé mort dans son atelier du boulevard Morland. Fantin-Latour ? mort à Buré, dans l'Orne...

Cézanne venait lui aussi de mourir à la fin d'octobre 1906. On l'avait découvert sans vie sur le revers d'un talus, sous une pluie d'orage. Suzanne n'avait rencontré qu'une fois, chez Vollard, cet artiste austère, intransigeant, qui avait suivi son chemin tout droit, l'œil fixé sur son étoile, proclamant son indifférence aux critiques, sa détestation du parisianisme, son mépris pour les quelques impressionnistes qui lui reprochaient de pousser trop loin ses recherches picturales. Elle avait renoncé à l'aborder : un simple regard de ce rustre à barbe en hérisson la glaçait.

Renoir lui avait raconté qu'au temps où il peignait autour de Paris, Cézanne jetait aux buissons et dans le fleuve les toiles dont il était mécontent, ou les cédait à des aubergistes pour le prix d'un repas. Son fils, qui portait le même prénom que lui, battait la campagne pour les retrouver.

C'est au cours d'une rétrospective consacrée à cet artiste maudit que Suzanne avait rencontré Jules Pascin.

Il était arrivé quelques mois auparavant, par l'Orient-Express, de sa ville natale, Vidin, en Bulgarie, attiré par Paris comme par un miroir aux alouettes. Ce n'était pas un inconnu : il collaborait par des dessins humoristiques à une revue allemande et avait fini par décrocher un contrat qui le mettait à l'abri du besoin. Il ne se cachait pas de vouloir assumer deux obsessions majeures : baiser et peindre.

Le groupe de journalistes et d'artistes venu l'attendre à la gare le conduisit à Montparnasse pour fêter l'événement au Dôme. Peu après, c'est vers Montmartre que se tournaient ses regards : cette Mecque de la peinture le fascinait. Le Moulin-Rouge, Le Moulin de la Galette, Lautrec, la Goulue, Yvette Guilbert étaient devenus pour lui des mythes. Les œuvres des artistes de la nouvelle génération faisaient dire à ce Juif séfarade qu'il avait du retard à rattraper.

Ce qui avait surpris Suzanne, c'était d'abord l'énorme cravate violette que Pascin arborait sur un costume d'une élégance dépassée ou volontairement provocatrice ; sa beauté ensuite : teint légèrement olivâtre, longs yeux asiatiques, lèvres délicatement ourlées, chevelure abondante et soignée dont les ondulations brunes retombaient de chaque côté du visage. Son audace aussi...

Pourquoi l'avait-il remarquée, noyée qu'elle était avec sa robe toute simple, dans cette volière de perruches ? Mystère. Il était venu vers elle, une coupe de champagne à la main, s'était incliné, lui avait baisé la main en lui disant avec un accent qui donnait du charme à la banalité de ses propos :

— Madame Valadon, je suis heureux de vous rencontrer. Vous êtes une grande artiste, m'a-t-on dit.

— Qu'est-ce qui vous fait dire que je suis une artiste ?

— Ceci, madame.

Il posa l'index sur la main de Suzanne, à l'endroit où une tache de couleur avait échappé à l'essence de térébenthine.

— Qui vous dit que ce n'est pas en repeignant le buffet de ma cuisine ?

— Non, madame. Comme vous dites à Paris, *on ne me la fait pas.* Et puis vous êtes tellement différente de toutes ces dindes qui nous entourent... Il y a quelque chose en vous qui proclame cette singularité. D'ailleurs je vous connais par vos œuvres et par ce que Vollard m'a dit de vous.

Vollard... Suzanne l'avait aperçu en discussion au milieu d'un groupe de fauves et de cubistes.

— Permettez que je me présente, dit-il. Julius Mordecaï Pinkas. J'ai changé ce nom en Jules Pascin. Il faut prononcer Paskine.

Il avait ajouté :

— De toute manière nous étions appelés à nous rencontrer. J'habite rue Lepic à l'hôtel Beauséjour avec ma compagne, Hermine David, qui est aussi mon modèle. Mon atelier se situe impasse Girardon, près du Château des Brouillards.

Elle avait senti qu'au point où l'on en était de ce bavardage elle risquait de devoir subir souvenirs de jeunesse et confidences, quand soudain il s'excusa de devoir la laisser pour rejoindre ses nouveaux amis.

À quelques jours de ce vernissage, Suzanne reçut deux lettres. L'une venait d'André Utter qui attendait de passer en conseil de révision ; l'autre, écrite sur papier filigrané, émanait de Jules Pascin qui sollicitait une visite et l'attendait dans son atelier.

— Tu rentreras souper ? demanda Madeleine.

— Je n'en sais rien. Si je ne suis pas revenue à temps tu te mettras à table sans moi.

Elle reprit le chemin du Château des Brouillards. L'impasse Girardon s'enfonçait sous un réseau d'arbustes dépouillés par l'hiver, vers l'immeuble du numéro 2 où, dans le soir brumeux, scintillaient quelques lampes.

Comme elle s'étonnait qu'il fût seul il lui expliqua qu'Hermine était allée passer la soirée chez sa mère et que cela leur permettrait de bavarder plus librement. Il avait revêtu une robe de chambre orientale en soie, d'un rouge agressif, à grandes fleurs multicolores, rappelant celle que portait la femme du *Paravent doré*, de Whistler. Il en lissait les revers noirs comme pour mettre en valeur la finesse de ses mains.

— Il fait très chaud ici, dit-il. Hermine est frileuse. Mettez-vous à l'aise.

Il avait préparé un plateau pour le thé. Tandis qu'il le faisait infuser, elle parcourut du regard le décor agencé avec goût malgré l'abus des tapisseries turques ou bulgares qui répandaient une odeur de poussière et d'arrière-boutique d'antiquaire.

Il lui offrit des cigarettes qu'elle refusa, de même que le whisky. Il lui confia qu'il avait tendance à abuser des deux.

— J'aimerais voir vos toiles, dit-elle. Ne suis-je pas venue pour ça ?

Il s'excusa de sa négligence qui n'était que de la modestie. En fait, ce n'est pas la peinture qui l'attirait mais le dessin. Il trouvait l'essentiel de ses sujets au cirque Médrano où il se rendait souvent, au bal Tabarin et dans des maisons closes comme Le Chabanais ou Le Sphynx. Son ambition était de peindre des scènes de music-hall dans le style de Lautrec, son dieu. Il lui montra quelques ébauches dont une *Soirée à Tabarin* : un tournoiement vertigineux de personnages des deux sexes.

— C'est surtout sur le nu que je travaille, dit-il. Que pensez-vous de ces croquis ?

Il s'assit près d'elle sur le bord du sofa en laissant ses jambes nues glisser hors de la robe de chambre. Sa cigarette entre l'index et le majeur il feuilletait lui-même la liasse posée sur les genoux de Suzanne.

Des femmes nues, encore et toujours. Des modèles aux allures provocantes dans leur abandon, dessinées à main levée d'un trait mince et tremblé, sans maladresse, avec un surprenant réalisme. Certaines parties du corps étaient simplement suggérées, d'autres mises en évidence. Celles qu'il montrait habillées — des filles de bordel — ne laissaient rien ignorer de leur intimité en relevant leurs jupes. Tout semblait le ramener au sexe.

Il se tenait si proche d'elle, lui communiquant sa chaleur et le moindre de ses frissons, qu'elle aurait pu deviner le mouvement subtil des muscles sous la peau. Le vétiver de son parfum se mêlait subtilement aux fragrances du thé et du tabac blond. Elle eut le sentiment qu'il avait dû étudier cette scène dans tous ses détails car elle se déroulait sans le moindre à-coup, comme dans un rêve lisse. Elle se sentait gagnée par un envoûtement auquel, en eût-elle eu la volonté, elle se sentait impuissante à résister.

Elle avait refusé le whisky mais accepté de goûter au raki, une liqueur qui, mêlée à de l'eau, prenait une blancheur d'opale. Elle en but deux verres tandis qu'il évoquait ses rapports avec Hermine, compagne, dit-il, « discrète et peu jalouse ». Il lui parla de son métier : elle était peintre sur ivoire.

Lorsque Suzanne, légèrement éméchée, se leva pour partir, il protesta.

— Si tôt ? Êtes-vous donc si pressée ? Je pensais que vous resteriez plus longtemps. Hermine ne rentrera que demain. Nous pourrions sortir. Que diriez-vous d'une soirée au Tabarin ?

— Je regrette, dit-elle. Je dois rentrer. Ma mère s'inquiéterait si je tardais à revenir. D'ailleurs, à mon âge...

Il se leva à son tour et s'écria avec une attitude de théâtre.

— À votre âge ! Je connais beaucoup de jeunes femmes qui envieraient votre fraîcheur, votre galbe, votre vivacité !

Restez encore un peu, je vous en prie. Si vous m'abandonniez dans les ruines de mes illusions j'en mourrais !

Il la prit dans ses bras, chercha ses lèvres qu'elle lui refusa, lui pétrit les hanches en geignant dans son cou, si bien que Suzanne sentit fondre ses réticences. Elle avait beau songer à Madeleine qui l'attendait, à André qui rêvait d'elle dans sa caserne, à Maurice en train de traîner sur la Butte, la grisaille du quotidien et ses obligations s'effritaient sous l'assaut des couleurs, de la lumière tamisée, des parfums trop forts qui montaient de ce corps d'homme.

Elle se laissa entraîner vers le lit. Sous sa robe de chambre dont il défit la ceinture, Pascin était nu.

Trop ivre pour retrouver son chemin dans la nuit, Maurice s'était allongé sur un banc, au milieu du terre-plein du boulevard de Rochechouart, proche de la place d'Anvers, en face des grands abattoirs d'où montaient des meuglements lamentables. Une virée au Ratmort en compagnie de Van Dongen l'avait mis sur le flanc : il supportait mal le mélange d'éther et d'alcool, alors que son ami avalait cette mixture comme du petit-lait.

Protégé du froid et de la brouillasse par son manteau, il était sur le point de s'endormir malgré le roulement incessant des charrettes qui conduisaient le bétail à l'abattoir, quand on lui secoua l'épaule. Une voix l'agressa.

— Hé, l'ami, réveille-toi ! Tu es couché sur notre banc.

Ouvrant les yeux il perçut à travers la pénombre la silhouette inquiétante de trois hommes, quatre peut-être, qui se poussaient du coude. Il bredouilla :

— Des bancs, y en a à côté.

— Ouais, mais celui-ci est à nous. Tu vas déguerpir ou payer la location.

— Allez vous faire foutre ! dit-il. J'y suis, j'y reste.

— Voilà qu'il nous insulte ! jeta une autre voix. Fringué comme tu l'es, t'es pas un gars de la cloche. On est bons princes : une thune pour qu'on te fiche la paix.

— J'ai plus d'argent. Laissez-moi dormir.

Lorsqu'ils tentèrent de le fouiller il se débattit mais sans succès. L'un des voyous lui arracha sa montre, lointain cadeau d'anniversaire de monsieur Paul. Il ne restait dans la poche de son gilet que de la menue monnaie et rien dans son portefeuille qu'ils jetèrent dans la boue. Ils allaient le laisser tranquillement cuver sa cuite quand il attrapa une main au vol et la mordit au sang. Le type se mit à gémir en dansant sur place.

— Ça, dit un autre voyou, tu vas nous le payer ! Faut pas rigoler avec les gars de La Chapelle.

Ils l'empoignèrent, le traînèrent sur un espace de gazon boueux, assez loin du réverbère pour ne pas attirer l'attention des agents cyclistes. Ils lui arrachèrent ses vêtements, lui laissant seulement son linge de corps, lui attachèrent sur le dos avec sa ceinture une lourde bûche restant de l'abattage d'un vieil arbre. À coups de pied, usant de branches mortes pour le flageller, ils le sommèrent d'avancer à quatre pattes jusqu'au kiosque où il pourrait finir la nuit.

— Allez ! hue cocotte !

— Flanche pas, mon gars ! Encore dix mètres.

— T'arrête pas, sinon gare !

Il avançait par petits sauts de crapaud. Lorsqu'il s'arrêtait, épuisé, et se laissait aller dans la boue, un coup de pied dans le flanc ou une piqûre de surin dans les fesses le remettait sur ses membres. Lorsqu'il tardait trop à se relever, un croquenot pesait sur sa nuque, lui écrasait le visage dans la gadoue jusqu'à le faire hurler.

Il cria qu'il allait crever de froid. Un des voyous lui dit à l'oreille :

— Nous sommes de bons bougres. Nous allons te réchauffer.

Il ressentit soudain une sensation délicieuse, comme d'une pluie chaude glissant sur son dos, tandis qu'une odeur d'urine se répandait autour de lui.

— Ça suffit, les gars, dit un voyou. Il a son compte. Filons avant de nous faire choper par les sergots. Nous allons nous partager ses fringues.

En se disputant le manteau ils faillirent en venir aux mains. Il fallut l'apparition de deux pèlerines à bicyclette pour qu'ils disparaissent dans la pénombre.

L'impression de chaleur agréable que Maurice avait ressentie s'était vite dissipée. Il avait maintenant la sensation que son corps et ses membres étaient en train de geler. Dégrisé, il se dit que, s'il restait allongé dans cette boue glacée, on le retrouverait mort seulement le lendemain : à cette heure de la nuit le quartier était presque désert. De temps à autre un convoi de bétail tiré par de lourds percherons s'engouffrait dans un concert de meuglements et de bêlements sous le porche de l'abattoir. On ne tarderait pas à voir déambuler les attelages des glacières de Pantin et les convois à destination des Halles.

Il parvint à se défaire de la lourde bûche qui lui meurtrissait les reins, à se mettre debout et à s'avancer en direction du boulevard. Traversé de douleurs lancinantes, il tomba sur les genoux mais réussit à traverser la chaussée et à se diriger vers un bistrot qui n'avait pas encore fermé son rideau. C'était un de ces bars à putes où il se retrouvait parfois avec Modigliani. Le patron le reconnut et le traîna jusqu'au poêle.

— Si c'est pas malheureux ! dit-il. Ce pauvre monsieur Utrillo. Encore un coup des apaches de La Chapelle...

Une putain en faction devant un verre de café lui lava le visage tandis que la patronne le frictionnait et cherchait une couverture pour le couvrir. Il avala cul sec le verre de rhum que lui tendait une main compatissante. À la suite de quoi il sombra dans une syncope. Quand il reprit conscience, il déchaîna les rires en demandant s'il était au ciel.

— Non, monsieur Utrillo, répondit le patron. Ici c'est La Lune verte. Vous venez souvent consommer, et pas de la limonade.

190

— Je vous ai eu comme client la semaine dernière, ajouta la pute. Vous m'avez déjà oubliée ? Il est vrai que c'était pas le grand amour.

Il secoua la tête : il ne se souvenait de rien, pas même de la tête des apaches. Ne lui revinrent en mémoire que des bribes de sa soirée avec Van Dongen. Ce salaud l'avait laissé se débrouiller pour rentrer chez lui.

— Faut qu'on prévienne la police, suggéra la patronne.

— Non, bredouilla Maurice. Elle m'aime pas beaucoup, la police. Faites plutôt prévenir ma mère, rue Cortot.

— J'y vais, bougonna le patron, mais c'est pas la porte à côté. Faut que je prenne mon revolver. On sait jamais.

Suzanne revenait de son rendez-vous avec Pascin chez qui elle avait passé une partie de la nuit. Elle dormait quand on frappa à la porte. Après avoir pris des vêtements de rechange pour son fils, elle suivit le patron de La Lune verte. Quand elle aperçut Maurice devant le poêle, à demi inconscient, elle étouffa un cri.

— Madame Moussis, dit la patronne, lorsque votre fils aura retrouvé ses esprits, dites-lui qu'on lui a sauvé la vie et que ça vaut bien une peinture...

Sans raisons apparentes, Picasso était hanté par l'idée de la mort : elle semblait rôder autour de lui en attendant son heure.

Elle avait frappé dans sa famille, emportant sa petite sœur, Concepción, victime de la diphtérie. Lorsque son ami espagnol Carlos Casagemas s'était suicidé, il avait évoqué sa fin tragique et ses obsèques dans une toile qui rappelait l'*Histoire de saint Bonaventure* de Zurbarán avec son cortège de femmes dévêtues, et la *Vision de saint Jean,* du Greco. Pauvre Casagemas : il était amoureux fou de son modèle qui ne répondait pas à ses élans ; au café de La Rotonde il avait tiré sur elle, n'avait fait que la blesser, et avait retourné son arme contre lui.

Cet événement avait eu lieu peu après l'arrivée de Pablo à Paris, au début du siècle. Cette scène ne cessait de l'obséder. Et voilà que cet autre ami, le peintre allemand Wieghels, venait à son tour de se donner la mort.

Son atelier se situait en face de celui de Picasso. De temps en temps, par la fenêtre, ils se faisaient des signes ou bavardaient. La misère, l'insuccès avaient poussé cet artiste vers la drogue et l'alcool : il fumait de l'opium avec Fernande et buvait avec Van Dongen.

Un matin, surpris de voir derrière les vitres le visage de son copain, convulsé et dans une position bizarre, il s'était rué chez lui et l'avait trouvé pendu à l'espagnolette. La raison essentielle de ce suicide était évidente : il était amoureux de Fernande et ne supportait pas de trahir son ami Pablo.

Tous les locataires du Bateau-Lavoir aimaient Wieghels. Ses amis battirent le rappel pour qu'il ne franchît pas seul le trajet qui l'amènerait de la Butte au cimetière de Saint-Ouen. Les obsèques ne passèrent pas inaperçues : toute la colonie des peintres était présente.

L'air accablé, les yeux battus, Fernande dit à Suzanne :

— Nous avons renoncé à faire à Wieghels des obsèques conventionnelles. Nous revêtirons tous nos tenues les plus colorées ou même des travestis. Nous sommes persuadés qu'il aurait aimé ça.

Elle ajouta :

— Ce pauvre Wieghels avait perdu la boussole. Il se demandait ce qu'il faisait là, lui, un peintre décadent, au milieu des fauves et des cubistes. Il avait perdu ses amarres. La misère, la drogue, les déceptions amoureuses ont causé sa décision. C'était beaucoup pour un seul homme.

Au jour et à l'heure dits, Suzanne se rendit rue Ravignan. La foule était déjà rassemblée autour du corbillard et d'un fiacre où s'étaient installés quelques modèles qui chantaient, riaient en brandissant des bouquets, jetaient des baisers à l'assistance et aux agents de police qui s'étaient invités à la cérémonie. Un groupe de musiciens dirigés par le père Frédé interpréta des airs populaires en place de la « Marche funèbre » de Chopin. Placide, harnaché d'une housse andalouse sur laquelle était juché Victor, l'âne Lolo menait le cortège.

Rien d'attristant dans cette foule, si ce n'est le corbillard et Jules Pascin qui avait décidé d'observer le deuil traditionnel par une tenue sombre et une grosse cravate noire. Près de lui, en manches de chemise, se tenait le compagnon et voisin du défunt, l'Allemand Freundlich qui cachait ses larmes sous un chapeau à large bord.

Il faisait une chaleur accablante lorsque le cortège s'ébranla au son de l'orchestre qui jouait *Nini Peau d'chien,* l'air préféré de Wieghels. Quand on croisait des sergots, les modèles du fiacre, conduit par Deleschamps, leur adressaient des baisers ; ils répondaient en saluant au garde-à-vous.

Malgré la gêne que lui procurait cette indécente mascarade, Suzanne suivit le cortège funèbre jusqu'au cimetière : plusieurs kilomètres à travers de mornes espaces de jardins, de bicoques, d'immeubles en construction, dans une chaleur d'étuve.

La fête ne prit fin que tard dans la soirée, au Lapin agile, portes closes pour éviter les importuns, par une beuverie offerte par Frédé. Les proches du défunt improvisèrent des discours ; Max Jacob et Guillaume Apollinaire y allèrent de leur poème. Jamais l'expression *noyer son chagrin*, n'avait paru aussi juste.

Mort, Wieghels. Disparues les *Demoiselles d'Avignon*.

Picasso avait pris son parti des mouvements d'hostilité et, pis, d'indifférence, que sa grande composition avait suscités. Michael et Gertrude Stein avaient été les seuls à manifester quelque intérêt pour cette œuvre déconcertante. Il avait roulé la toile, mis les *Demoiselles* en quarantaine dans un coin de son atelier et était passé à autre chose.

Lorsqu'on lui reprochait ses outrances, il répondait qu'il avait plusieurs pinceaux et que chacun avait sa raison d'être. En fait, il cherchait sa voie, s'installait dans des périodes, bleue ou rose, donnait du champ à ses pinceaux sans parvenir à se définir de façon satisfaisante. Avec cette grande toile il croyait avoir trouvé sa voie ; elle l'avait trahi. Il était à mi-corps dans un œuf dont il ne parvenait pas à briser complètement la coquille.

Lorsque Suzanne rencontra Fernande Olivier chez la crémière, la compagne de Pablo lui dit :

— On ne vous a jamais vue au Bateau-Lavoir. Pourquoi ?

— Je suis sauvage, répondit Suzanne. Je sors peu, je ne reçois que mes modèles, quelques amis, des acheteurs parfois. Le Bateau-Lavoir est pour moi un autre monde et je m'y sentirais mal à l'aise. Je suis très éloignée de Pablo et de ses amis.

— Je vous comprends, mais vous ne pouvez ignorer notre groupe. Il représente l'avenir, comme jadis les impressionnistes.

Elle invita l'artiste à l'accompagner, lui fit visiter l'atelier de Pablo en l'absence du peintre. Suzanne fut frappée, elle qui travaillait dans un décor banal, du désordre pittoresque qui y régnait : un poêle rouillé trônait comme un dieu aztèque sur une tribu de statuettes et de masques africains, dans un décor de toiles et d'esquisses qui escaladaient les cloisons jusqu'au plafond. On marchait en écrasant des tubes de couleur vides, des pinceaux, des palettes jetées comme des coquillages sur une grève. On respirait une oppressante odeur de térébenthine, d'urine de chat et de chien mouillé.

Elle aurait aimé voir les *Demoiselles d'Avignon*, dont son fils lui avait parlé avec un ton de désarroi.

— Escamotées ! dit Fernande. Interdiction d'y toucher !

Elle se contenta de lui montrer quelques études préparatoires sabrées de couleurs. Les visages simiesques qui avaient tant impressionné Maurice n'étaient qu'esquissés.

Fernande servit une bière à Suzanne et lui annonça que le couple allait déménager.

— Pablo est victime d'une obsession : il croit que Le Bateau-Lavoir lui porte la guigne. Nous avons en vue un appartement plus vaste et plus confortable, boulevard de Clichy. Celui-ci servira de dépôt pour les toiles, de second atelier et de refuge pour nos amis.

« Fernande, lui avait confié Pascin, est sans doute un modèle convenable, mais c'est un bas-bleu, comme on dit chez vous. » Suzanne ne partageait pas cette sévérité. Fernande n'était pas une cruche prétentieuse ; hormis quelques querelles dues au caractère difficile de Pablo, ils formaient un couple uni.

Alors qu'elles conversaient, Pablo surgit, salua Suzanne sans lui adresser un mot, prit une canette et alla s'enfermer dans son atelier.

— Il vient de recevoir un nouveau choc, dit Fernande : son ami Victor vient de mourir assassiné.

Suzanne avait entendu parler du beau-fils de Frédé par André qui se rendait souvent au Lapin agile en compagnie de Maurice. Il lui avait dit : « Imagine une sorte d'ange blond auquel on aurait coupé les ailes et qui traînerait dans la boue. »

Victor, fils de Berthe, la compagne de Frédé, tenait le bar avec compétence, veillait à conserver au cabaret une ambiance décente sans rien lui enlever de son originalité. Sa beauté, son charme, son esprit lui avaient attiré de nombreuses conquêtes féminines. Il avait eu la faiblesse ou l'inconscience de piétiner les plates-bandes des marlous de La Chapelle, ce qui avait causé sa perte.

— La semaine passée, dit Fernande, il faisait la plonge quand un type est entré pour demander de la monnaie. Ce n'est pas un billet qu'il a sorti de sa poche mais un revolver. Pauvre Victor ! abattu d'une balle en plein front... L'ambiance du Lapin ne sera plus ce qu'elle était. Frédé et Berthe sont comme fous. Margot est tombée malade de chagrin. Pour Pablo, toutes ces morts autour de lui, ça n'est pas normal.

Les rapports de Suzanne avec Jules Pascin avaient pris un tour nouveau.

Un soir qu'elle avait rendez-vous avec lui impasse Girardon, elle eut une émotion : c'est la maîtresse du peintre, Hermine David, qui vint lui ouvrir. Vêtue comme à la ville, elle paraissait attendre sa visite.

Hermine la fit entrer et lui proposa de s'asseoir. Elle était telle que Pascin la lui avait décrite : jolie en dépit d'une coquetterie à un œil, élégante, des manières bourgeoises, un brin de raideur — elle prétendait descendre des Habsbourg — et une certaine indolence dans la démarche.

— C'est Julius que vous veniez voir, dit-elle. Il est absent. Il a dû oublier ce rendez-vous, étourdi comme il l'est.

— Je voulais simplement... balbutia Suzanne.

— Ne cherchez pas un faux-fuyant, ma chère. Je suis au courant de vos rapports avec Jules. C'est une créature transparente : il ne me cache rien et, ce qu'il préférerait me cacher, je le devine.

— Je ne voudrais pas vous importuner. Je vais partir.

— Restez un moment. Je vais vous préparer du thé. Chine ? Ceylan ? Japon ?

Suzanne hocha la tête pour signifier que cela importait peu.

— Jules est très occupé ces temps-ci, reprit Hermine. Il dessine et peint comme s'il lui restait peu de jours à vivre. Peut-être sous votre influence. Peut-être sous celle de Lucy.

— Qui est Lucy ?

— Il ne vous en a pas parlé ? C'est sa nouvelle égérie. Il l'a rencontrée récemment dans une académie où elle posait. Depuis il est amoureux fou et ne comprend pas qu'elle ose lui résister. D'ordinaire, d'un simple regard, il fait tomber les femmes à ses pieds.

Elle déposa le thé et une coupe de gâteaux secs sur le guéridon et ajouta :

— Pour ce qui vous concerne, je suppose qu'il y a entre vous des affinités artistiques. Je sais que vous peignez et j'aime ce que vous faites. J'ai vu vos femmes nues au Salon d'Automne. C'est d'une vigueur...

— Il est avec elle ce soir ?

— Avec Lucy Vidil ? Non. Ce soir, mon cher Julius doit être au Chabanais. Vous savez que la chambre japonaise présentée par cet établissement à l'Exposition universelle a obtenu le premier prix. Il n'y a pas de bordels à Montmartre. Alors Jules va chercher ailleurs. Il dessine et il consomme. Quel homme...

Hermine montra à Suzanne la maquette d'un catalogue.

— Les titres de ses œuvres sont tout un programme : *Danseuse du Moulin-Rouge... Fillette en chemise rose... Nu aux bas noirs... Les Trois Grâces...* Évocateur, hein ? On devine l'influence de Renoir et de Degas. Lait ou citron ?

— Citron, dit Suzanne. Cette Lucy Vidil, où lui donne-t-il rendez-vous ?

— Mais ici, ma chère ! Ils couchent dans ce lit mais elle n'a pas encore accepté le sacrifice. Cela ne saurait tarder. On ne résiste pas longtemps au charme bulgare, vous en savez quelque chose. Allons, ne rougissez pas ! Je ne suis pas jalouse. J'aime Jules. Je lui sers de modèle, de maîtresse, de gouvernante. Je partage de sa vie ce qu'il veut bien m'abandonner. Ce qui m'ennuie...

Hermine toussota en buvant sa première gorgée.

— ... ce qui m'ennuie, ce sont ses mauvaises fréquentations.

Curieux de folklore comme tout étranger débarquant à Montmartre, Pascin se mêlait à la faune interlope des quartiers dangereux du XVIIIe arrondissement. Il fréquentait dans les bouges les marlous, les apaches, les trafiquants de drogue. On l'éjectait en le traitant de youpin, de rastaquouère sans parvenir à le décourager. Il se faisait plumer par les voyous et appréhender par la police. Il s'amusait comme un fou.

— Ça lui jouera un mauvais tour, dit Hermine. Il est inconscient des dangers qu'il court mais, à l'entendre, il est protégé par la baraka.

Elle se leva la première pour signifier que l'entretien était terminé. Elle embrassa Suzanne en lui faisant promettre de revenir la voir : ils allaient recevoir les Stein qui voulaient acheter des dessins de Julius.

— Pardonnez-moi de vous chasser, dit-elle. J'ai du travail.

Aux abords de l'automne la soirée était tiède. La terre caressée par une petite averse d'après-midi exhalait des odeurs de campagne. Suzanne avançait comme sur un nuage en se disant que c'en était fini de ce bel amour qui avait une apparence d'illusion. Sa rencontre avec Hermine lui donnait l'impression d'avoir été le jouet d'un divertissement pervers.

André allait revenir dans quelques jours : il avait été jugé inapte pour le service.

Fernande ne décolérait pas. Elle tournait en rond dans la cuisine, gémissait, prenait Maurice à témoin de son désarroi.

— Pablo est complètement fou ! Dépenser dix francs pour cette croûte...

— Dix francs, marmonna Maurice, c'est pas grand-chose pour une toile de cette dimension.

— On voit bien que tu ne tiens pas la queue de la poêle !

Prudent, prévoyant la bordée qui l'attendait, Pablo avait fait retraite dans son atelier. Il avait acheté à Eugène Soulié un portrait en pied de Clémence, la première femme du Douanier Rousseau. Ce qui l'avait séduit dans cette grande femme noire c'est qu'elle tenait une plante déracinée à la main, avec, originalité symbolique, les racines en haut. Il se sentait des affinités avec ce doux imbécile de la rue Perrel, qui tricotait dans son atelier ses nostalgies exotiques en toiles géantes.

Pablo eut l'idée, avec quelques complices, d'organiser une fête en l'honneur du vieil artiste. Max Jacob y voyait une sorte de célébration. Apollinaire y ajoutait des banderoles et des drapeaux. Derain proposa que cela se fît place du Tertre. Pablo préférait son atelier et ajouta que Fernande et quelques amies se chargeraient de l'intendance.

Vlaminck proclama son désaccord : voilà que l'on se mettait à célébrer la connerie ! Comme si l'on ignorait que ce pauvre Rousseau était le plus mauvais barbouilleur de Paris !

— Sans doute, dit Max, mais ce sera justement une bonne occasion de se payer une tête de Turc. Il est tellement naïf qu'il n'y verra que du bleu.

On fixa les réjouissances à la fin décembre, peu avant les fêtes. Au risque de provoquer un effondrement on devrait compter sur une trentaine de convives.

Lorsque Pablo lui annonça ce projet, Fernande regimba : tout le travail allait retomber sur elle. Et pourquoi ? pour célébrer ce fada qui était la risée de tout Paris. Elle exagérait : certains critiques tenaient le Douanier pour un génie.

Bonne fille, Fernande finit par prendre son parti de cette épreuve et commanda chez Félix Potin le plus gros du menu.

Le jour dit, à six heures, les premiers convives se présentèrent : Guillaume, accompagné de la femme peintre Marie Laurencin, sa maîtresse, André Salmon, Derain, Vlaminck et quelques autres. C'était trop tôt : on n'avait pas encore livré la commande.

C'est à Guillaume que revenait la charge d'aller chercher à l'autre bout de Paris, dans le quartier de Plaisance, le héros du jour et de le ramener en fiacre.

Huit heures sonnaient à Saint-Pierre et toujours aucune nouvelle de la maison Félix Potin. La catastrophe ! À cette heure-ci le magasin était fermé. Fernande avait dû se tromper de date. Elle mit ses compagnes sur pied de guerre, les envoya collecter du riz et des conserves dans les boutiques de la Butte qui n'avaient pas encore baissé leur rideau, si bien qu'on remplaça le balthazar par un gigantesque plat de riz préparé à la manière espagnole et par une foule de menus plaisirs.

Quand tout fut prêt, sur le coup de neuf heures, Fernande envoya chercher au bistrot voisin les convives qu'elle avait éjectés.

Coup de théâtre ! Déjà passablement éméchée, Marie Laurencin se prit les pieds dans un tapis et s'effondra sur le divan où l'on avait déposé les pâtisseries. On la releva barbouillée de crème alors que Guillaume et le Douanier faisaient leur entrée. Ils formaient un contraste frappant : le

200

premier haut, massif, bedonnant ; le second l'air d'une musa-raigne apeurée sous son béret à large bord, son violon sous le bras.

— Quelle surprise ! glapissait le Douanier. Comme vous êtes gentils, tous !

Il faillit tomber en pâmoison lorsqu'il aperçut la bande-role tendue au-dessus du fauteuil Louis-Philippe où il allait trôner : *Honneur à Rousseau* ! Il voulut jouer un air sur son violon mais on le lui confisqua : ce serait pour plus tard.

Dans la cuisine, Guillaume était en train de régler son compte à Marie. On l'entendait hurler.

— Comment n'as-tu pas honte ? Dehors, pocharde ! Débrouille-toi pour rentrer seule !

Maurice était de la fête. Il fut sidéré comme toute l'assis-tance en constatant que l'atelier était méconnaissable. Pablo en avait évacué presque tout ce qui rappelait qu'il s'agissait de son lieu de travail. Max avait tendu des guirlandes de 14 Juillet, déployé des drapeaux, disposé des bouquets sur l'immense table à tréteaux.

En plus des trois ou quatre litres qu'il avait séchés au cours de la journée, Maurice s'était fait servir trois absinthes au bar Fauvet pour trouver une forme proche de la perfec-tion et semblait y être parvenu.

On n'avait pas attaqué la charcutaille que Braque entre-prit d'interpréter à l'accordéon quelques rengaines de bas-tringue. Alors qu'on apportait sur la table les plats de riz, trois membres de la *cuadrilla* : Pichot, Gris et Agero dansèrent et chantèrent le flamenco sur un air de guitare, Pablo tenant les castagnettes.

— Mon violon ! s'écria le Douanier. Qu'est-ce qu'on a fait de mon violon ? Je vais vous interpréter...

— Tout à l'heure ! lui lança Guillaume, c'est à moi à présent.

Il s'essuya les lèvres, se leva et réclama le silence pour déclamer le poème qu'il sortit de sa poche avec une lenteur étudiée :

Les tableaux que tu peins tu les vis au Mexique.
Un soleil rouge ornait le front des bananiers
Et, valeureux soldat, tu troquas ta tunique
Contre le dolman bleu des braves douaniers...

Rousseau épongea quelques larmes avec sa serviette. Qu'il n'eût jamais posé pied au Mexique, ni endossé l'uniforme de militaire, pas plus que celui de douanier alors qu'il n'était qu'employé d'octroi, lui importait peu. Ces mensonges pieux s'intégraient à sa conception de la peinture, comme l'image virtuelle de la femme nue que l'on voyait, dans une de ses toiles, allongée dans la forêt vierge sur un divan de Dufayel. On eût fait de lui le ministre des Beaux-Arts de la République mexicaine ou le chef d'une tribu nègre, il n'y aurait pas vu malice.

— Quel hypocrite, cet Apollinaire, souffla Salmon. Rousseau lui a offert son portrait avec Marie Laurencin. Il l'a jeté dans sa cave !

Les conversations particulières tournaient au bourdonnement confus lorsque Salmon se dressa, fit quelques pas en arrière et s'effondra en gesticulant. C'était un numéro de choix : des flocons de crème Chantilly au coin des lèvres, il mima une scène de délirium tremens. Gertrude Stein se précipita pour lui porter secours et Michael demanda que l'on prévînt un médecin, quand Vlaminck, éclatant de rire, s'écria :

— C'est une de ses farces. Tu as fait ton effet, André, tu peux te relever.

André Salmon était bel et bien ivre. Pour couper court au chapelet d'insanités qu'il débitait, Picasso et Derain l'enfermèrent dans un placard qui faisait en l'occurrence office de vestiaire.

Insensible à ce charivari, le Douanier sombrait dans une innocente somnolence, malgré les gouttes de suif qu'une bougie faisait pleuvoir sur son crâne. Au moment du toast final il réclama de nouveau son violon pour interpréter un de ses morceaux favoris : la *Polka des bébés*.

C'est alors que l'on vit avec stupéfaction surgir à pas de loup une théorie d'amis plus ou moins proches du couple Picasso, alléchés par la perspective de vider quelques verres et de se sustenter des restes du dessert.

— Entrez, mes amis, dit Pablo. Vous êtes les bienvenus.

— Cette fois-ci, dit Guillaume, nous ne coupons pas à la catastrophe. Il me semble avoir entendu les craquements annonciateurs de l'effondrement !

Les nouveaux convives firent honneur à l'invitation. Non contents de se partager ce qui restait du dessert ils raclèrent les fonds de marmite, de boîte de sardines, et séchèrent les dernières bouteilles.

Salmon lui aussi ressentait une petite faim. Au fond de son placard il se faisait les dents sur le magnifique chapeau d'Alice Toklas, que l'on devait retrouver en lambeaux.

— Et maintenant, bredouilla le Douanier, la *Valse des clochettes...*

On salua cette bluette par des salves de vivas, puis Braque, reprenant son accordéon, joua l'*Air des adieux.*

Guillaume s'inquiétant de trouver à cette heure tardive un sapin pour raccompagner Rousseau chez lui, Pablo suggéra de descendre jusqu'à la station de la place d'Anvers où il y avait des fiacres en permanence.

La fête terminée, après les congratulations et les embrassades, Guillaume prit le Douanier dans ses bras pour descendre l'escalier : le premier était ivre ; le second endormi. Surprise de Guillaume en arrivant, essoufflé en haut de la rue Ravignan : Marie l'attendait, assise sur une borne.

Le surlendemain, le livreur de Félix Potin frappa à la porte de Fernande : il apportait le dîner pour trente personnes...

10

ADAM ET ÈVE

Il fut difficile à Suzanne et à André de faire relater par Maurice ce fameux banquet du Douanier. Il y avait assisté en état second ; seules quelques bribes lui revenaient à la mémoire.

Il n'était que de passage, pour demander un peu d'argent à sa mère. Depuis qu'André était revenu de la caserne il s'arrêtait rarement rue Cortot. Il couchait dans des logements de hasard, notamment chez Marie Vizier, une cabaretière que l'on appelait la Belle Gabrielle, du nom de sa gargote, ou chez un voisin de cette dernière, César Gay, qui tenait le bistrot à l'enseigne du Casse-Croûte ; c'est là, chez ce vieil ami, que Maurice avait trouvé le gîte et le couvert, plus à l'aise que chez sa mère où l'intimité de cette dernière avec André l'indisposait ; il se sentait frustré, privé à la fois d'une amitié et d'une affection ; il en souffrait plus qu'il n'osait l'avouer. Le seul être qui pût lui manifester compréhension et indulgence, c'était elle ; il souffrait mal le partage qu'elle lui imposait.

Maurice avait révélé à sa mère qu'il avait rencontré une femme susceptible de le faire renoncer à ses mauvais penchants. Sophie travaillait chez une couturière. Petit salaire, petite vie, petites amours. Elle le retrouvait à l'issue de sa journée de travail, rue Tholozé, chez sa mère qui fermait benoîtement les yeux sur leurs ébats.

Maurice, au contact de Sophie, s'était acheté une conduite. Il se contentait d'un litre ou deux par jour, évitait de se laisser entraîner par Modi ou Van Dongen dans des beuveries dangereuses.

Il passait chercher la jeune femme à son travail. Tout au long du parcours il l'écoutait jacasser et y prenait beaucoup de plaisir. Le dimanche, il l'emmenait à la messe à Saint-Pierre, puis au restaurant. Il tenta de l'honorer d'un portrait mais il le jugea si mauvais qu'il le détruisit. Représenter un être humain l'effrayait : sa main tremblait, il n'arrivait pas à saisir la ressemblance. Il n'était à l'aise que dans l'immobilité de la pierre.

Maurice resta quelques semaines sans abuser de la boisson, mais, petit à petit, persuadé qu'on ne pouvait longtemps contraindre sa nature, il reprit ses mauvaises habitudes. Par manque de moyens ou, peut-être, pour ne pas donner à son galant une image défavorable, Sophie montrait une sobriété exemplaire en présence de son ami. Lorsque Maurice reprit ses habitudes d'intempérance elle suivit son exemple. Les choses se gâtèrent un soir où, parfaitement ivre, elle lui fit une scène triviale, lui reprochant des relations imaginaires, avec la Belle Gabrielle notamment, à qui il l'avait présentée.

Tolérant envers les abus éthyliques de ses compagnons de beuverie, Maurice ne supportait pas le spectacle d'une femme soûle, qu'il trouvait dégradant. Il informa sa mère de sa décision de rompre. Elle en parut peinée : libéré de sa liaison, Maurice risquait de sombrer de nouveau.

— Je le regrette, dit-elle. Sophie était une fille toute simple, sage et pas sotte.

— J'en conviens, dit-il, mais elle s'est mise à boire, et ça je ne le supporte pas !

Paul Moussis ne donnait pour ainsi dire plus signe de vie.

Il venait deux ou trois fois par mois déposer le montant du terme et prendre des nouvelles. Il avait encore grossi,

fumait de longs cigares et prenait des airs de grand bourgeois : vernis impeccables, chapeau haut de forme, manteau
à revers de fourrure, gants de pécari. Immergé dans le
monde de la banque, il en avait adopté très vite les habitudes.

Suzanne avait appris que la fausse révélation faite à Paul
sur l'infidélité de Marie Augier avait porté ses fruits : Paul
avait fait avouer à sa concubine qu'elle le trompait avec un
jeune employé aux écritures du Crédit lyonnais. Il avait passé
l'éponge après une scène digne du *Théâtre d'amour*, de Porto-
Riche et, bon an, mal an, le couple avait retrouvé une relative
stabilité.

Les quelques instants qu'il passait rue Cortot à chacune
de ses visites, il voyait André détaler pour se réfugier dans la
cabane du jardin. Attitude ridicule, se disait Suzanne : il faudrait bien qu'ils se rencontrent un jour ou l'autre. Paul touchait avec sa canne le bord de son chapeau et repartait sans
ajouter un mot. Il s'était offert la dernière Panhard-Levassor
du Salon de l'automobile ; il aurait bientôt son chauffeur.

Suzanne avait obtenu d'André Utter qu'il cessât de travailler à la Compagnie générale d'électricité. Il avait
regimbé : son travail n'était pas une sinécure mais il lui plaisait ; il espérait accéder rapidement au poste supérieur et
pensait que son salaire, ajouté aux revenus de Suzanne, leur
permettrait de vivre assez largement, d'autant qu'il avait
renoncé à son galetas pour loger rue Cortot. Elle n'eût pas
supporté qu'il en fût autrement.

Lorsque Suzanne recevait ses modèles féminins, elle faisait en sorte qu'il s'éloignât, de crainte que la vue de ces filles
et de ces femmes ne lui donnât des idées d'aventure. Il aurait
aimé lui aussi peindre des nus féminins ; elle faisait barrage.

— Je t'ai déjà servi de modèle et je suis toujours à ta
disposition. Qu'est-ce que ces modèles t'apporteraient que je
n'ai pas.

— Que tu le veuilles ou non, elles sont différentes de
toi. Et puis... tu dois bien te rendre compte que tu as changé,
depuis dix ans que nous nous connaissons.

— Tu veux dire que j'ai grossi, que j'ai enlaidi ? Eh bien, dis-le !

— Loin de moi cette idée, mais il faut bien convenir que, comparée à Cécile...

Elle n'aimait pas qu'il évoquât le souvenir de cette fille qu'il avait rencontrée au Café anglais, un an auparavant, seule à la terrasse, et avec laquelle il avait engagé la conversation. Il lui avait parlé peinture ; elle lui avait avoué que c'était une de ses passions. Il lui avait proposé de poser pour lui et l'avait amenée rue Cortot. Elle avait déguerpi devant l'accueil glacial de Suzanne qui avait averti André : s'il revoyait cette fille il devrait prendre ses responsabilités et aller vivre avec elle.

Il avait protesté : c'était en tout bien tout honneur. Il n'y avait pas obligation pour un modèle de coucher avec l'artiste. Qu'il se taise ! elle savait à quoi s'en tenir ; elle lui avait cité l'exemple de Pascin et de Lucy Vidil.

— Pascin ! s'était-il esclaffé, parlons-en ! J'ai appris que, pendant que je passais mon conseil de révision, tu ne te privais pas de lui rendre visite. C'était pour des séances de pose, peut-être ?

Elle l'avait giflé ; il avait disparu, était resté trois jours sans donner de nouvelles. Qui avait pu lui raconter ça ? Elle songea à Heuzé, cette vipère...

Edmond Heuzé avait l'âge d'André. Ils s'étaient connus à l'école primaire de Montmartre dont le directeur était M. Farigoule, père de l'écrivain Jules Romains. Ils avaient vadrouillé de concert dans le Maquis et s'étaient essayés au dessin sur le motif. Lorsque Edmond, ayant décidé qu'il serait peintre, avait annoncé la nouvelle à son père, il s'était attiré cette réplique : « Je ne veux pas de voyous dans ma famille. » Il avait donc décidé de se faire « voyou ». Pour vivre il avait essayé une dizaine de métiers. Au Moulin-Rouge il avait été le partenaire de la Goulue, avait exercé à Saint-Pétersbourg les fonctions de conservateur de musée. De retour en France il avait tâté du cyclisme professionnel avant de se faire hercule de fête foraine. Entre autres métiers... « Cent métiers, cent misères », disait Madeleine.

Il avait conservé avec André plus qu'avec Maurice, dont il supportait mal le comportement, des rapports amicaux. Il connaissait tout de Montmartre, du milieu des peintres notamment ; il pouvait, des heures durant, relater leurs succès, leurs déceptions, leurs amours et leurs drames intimes.

Il avait trouvé récemment à s'embaucher au cirque Médrano pour un numéro de clown, sans cesser de s'adonner à la peinture. Il avait, comme Utter, un aimable talent mais ne nourrissait aucune illusion : ses œuvres ne seraient jamais exposées au Louvre.

— Préviens ton ami Heuzé que j'aimerais le voir, dit Suzanne.

— Qu'est-ce que tu lui veux ?

— Lui demander si c'est lui qui fait courir le bruit de ces prétendus rapports avec Pascin.

Il ne lui amènerait pas Heuzé. D'ailleurs il ne savait où le dénicher : il changeait aussi facilement de logement que de travail.

— Tu mens ! dit-elle. Je vous ai vus ensemble la semaine dernière...

Ils ne parvenaient pas à trouver une issue à cet imbroglio de fausses vérités et de vrais mensonges. Cela donnait lieu à des scènes qui affligeaient Madeleine et faisaient s'esbigner Maurice quand, d'aventure, il était présent rue Cortot.

— Pourquoi ne pas vous séparer ? dit-il à André.

— Parce que j'ai besoin d'elle comme elle a besoin de moi.

Il ne pouvait vivre longtemps sans elle. Son séjour en caserne lui avait été insupportable au point qu'il avait songé à s'évader. Suzanne, attentive comme une mère, passionnée comme une jeune maîtresse, souffrait mal ses absences et l'attendait des heures quand il rentrait tard. Elle ne se souvenait pas avoir aimé avec une telle intensité et avoir ressenti un tel sentiment d'exclusive et de jalousie.

Le lit était le lieu privilégié de leurs réconciliations. Allongés l'un contre l'autre, ils oubliaient leurs ressentiments et leurs querelles ; ils mettaient une telle ardeur dans leurs étreintes qu'il leur paraissait inconcevable de vivre éloignés l'un de l'autre. Leur différence d'âge était un leurre auquel ni l'un ni l'autre ne se laissait prendre. Madeleine leur portait leur déjeuner au lit, écartait les rideaux pour que le jour pénètre.

— Tu te prépares à sortir, disait Suzanne à André.

— Je vais faire le tour des marchands pour voir s'ils ont vendu quelques toiles de toi ou de Maurice. Il faut bien que quelqu'un s'en occupe.

— Tâche d'être là pour déjeuner. Tu sais que je n'aime pas te voir traîner dans les rues.

Un drame faillit éclater le jour où elle découvrit dans une de ses poches un mouchoir qu'elle ne reconnaissait pas et qui portait du rouge à lèvres. Elle le lui brandit sous le nez en criant :

— Ça vient d'où, ça ? C'était à qui ce rouge à lèvres ?

— J'ai eu un léger saignement de nez chez Berthe Weill et, comme je n'avais pas de mouchoir, elle m'a prêté un des siens. J'irai le lui rapporter quand tu l'auras lavé.

— J'irai le lui rapporter moi-même !

Ce qu'elle fit. Elle revint, confuse : Berthe lui avait confirmé l'incident. Elle demanda à André de lui pardonner ses soupçons.

— Ta jalousie devient insupportable ! s'écria-t-il. Un jour je partirai.

Elle se suspendit à son cou.

— Si tu fais ça, je me tuerai.

Suzanne travaillait avec acharnement à une toile qu'elle intitulerait *Adam et Ève*.

Les personnages, sans un soupçon de voile, témoignaient de leur amour. Utter l'assistait dans son travail, à titre de modèle et de conseiller. Elle avait prévu de faire figurer les deux personnages sur un fond neutre ; il lui suggéra de donner plutôt une impression de paradis terrestre : des fruits rouges sur l'arbre du Savoir, un espace de gazon et un ciel bleu. Il lui demanda de modifier l'allure un peu lourde qu'elle avait donnée au corps d'Ève, de laisser sa chevelure couler jusqu'aux reins. Ce qu'elle accepta.

— Je crains, dit-il, la réaction de Vollard devant cette toile. Il n'est pas bégueule, mais cet homme entièrement nu risque de le choquer.

Lorsque André déballa le châssis, le marchand le prit à deux mains, chercha le bon éclairage et se mit à grogner comme un ours.

— Excellent, dit-il, mais invendable, ma chère Suzanne. Je n'oserais même pas exposer cette toile dans ma boutique. À moins que...

— Dites !

— À moins que vous n'acceptiez de rhabiller Adam. Rassurez-vous : une simple feuille de vigne suffirait.

— Ainsi, une femme a le droit de figurer nue dans une toile, mais pas un homme !

— C'est ainsi, ma chère ! La pudeur est peut-être à sens unique mais elle ne transige pas. Nous vivons une époque bourgeoise, donc hypocrite. J'ai vu récemment une fille entièrement nue aux Folies-Bergère et personne n'a protesté. Ç'aurait été un homme, on aurait crié au scandale. Dans l'Antiquité et sous la Renaissance, le nu masculin était admis. L'évolution des mœurs n'a pas suivi le progrès. C'est bien regrettable. Je ne prendrai cette toile en dépôt que lorsque vous aurez fait de votre Adam un Abélard.

La rectification exigée par Vollard ne demanda pas plus d'une demi-journée. Suzanne estimait qu'habiller Adam d'une seule feuille de vigne signifierait une soumission à la morale et que plusieurs pourraient passer pour un élément décoratif. Elle noua à la taille d'Adam un chapelet de feuilles du plus beau vert et Vollard accepta le tableau.

Suzanne et André n'avaient pas les mêmes rapports amicaux avec les autres marchands de tableaux.

Eugène Soulié et Clovis Sagot n'étaient que de vulgaires brocanteurs pour qui une toile de maître n'avait pas plus d'importance qu'un article d'occasion. Soulié venait de mourir dans des conditions lamentables ; à la suite d'une affaire de mœurs et de malversations, il avait sombré dans l'ivrognerie la plus sordide qui l'avait conduit à l'hôpital. Ami de Maurice, il ne le laissait manquer ni de vin ni de matériel pour peindre.

Clovis Sagot était d'une autre trempe. Il avait hérité du père Tanguy le goût des artistes novateurs : il voyait en eux une mine à exploiter au moment opportun. Il thésaurisait, achetait des Utrillo, des Valadon, des œuvres de peintres cubistes sur lesquelles il eût été incapable de porter un jugement mais qui lui laissaient espérer de bonnes affaires.

Sa rapacité était proverbiale. Picasso vint un jour lui proposer une scène de cirque ; Sagot lui en offrit sept cents francs ; Picasso repartit avec sa toile sous le bras. Comme il était pressé par le besoin, il retourna chez Sagot qui, ayant réfléchi, ne put lui proposer que cinq cents francs ; nouveau refus du peintre. Le lendemain, poussé par Fernande qui n'avait plus un sou, il laissa la toile à Sagot pour trois cents francs.

Lorsque Suzanne constata qu'elle n'avait plus d'argent, elle demanda à André de la suivre chez la mère Besnard, une marchande de tableaux avec laquelle elle était en compte.

— Laisse-moi faire, dit André. Avec elle je sais comment procéder.

Mme Besnard occupait, rue de La Rochefoucauld, l'ancienne boutique de marchand de couleurs de Clauzel. Son mari mort d'un cancer, elle tenait seule la boutique et, comme ses confrères, entassait toile sur toile. Veuve et encore appétissante, elle avait une réputation de mante religieuse.

André en savait quelque chose : au début du siècle, alors qu'il était impécunieux, il lui avait proposé une aquarelle.

— Mon pauvre chérubin, lui avait-elle dit avec un air de commisération, que veux-tu que je fasse de cette chose ? C'est bâclé ! En revanche on devine que tu as des sentiments à exprimer.

Elle était habile à soutirer des confidences et André était prêt à se livrer à une oreille attentive. Quand elle l'eut confessé, elle baissa son rideau, prit André par la main et le conduisit dans sa chambre.

La veuve joyeuse ne lui acheta pas sa toile mais lui permit de revenir quand il voudrait, avec ou sans aquarelle.

— Tu n'es pas le seul à être tombé dans le piège de ce fourmi-lion, lui dit Heuzé. Elle a l'habitude de payer les jeunes peintres en nature. Et elle met beaucoup de conviction et d'ardeur dans ses règlements.

Il n'en allait pas de même avec Berthe Weill.

Cette vieille dame revêche, qui s'habillait à la friperie, myope, coiffée de cheveux d'un blanc d'argent, était habile à déceler le talent chez un artiste. Lorsqu'un rapin lui portait une mauvaise toile, elle ne l'épargnait pas.

— Qu'est-ce que c'est que cette merde ? Va voir Soulié, il est moins regardant.

Elle avait ses têtes. Picasso n'était pas de ses amis. Quelques jours après être arrivé à Paris, comme elle venait de lui refuser une vue de Barcelone, il l'avait menacée d'un revolver. Elle n'aimait pas Degas non plus : il avait juré en public qu'il ne mettrait jamais les pieds chez cette « youpine ». En revanche elle témoignait une sympathie efficace à Suzanne et à Maurice, ainsi qu'à l'avant-garde des jeunes artistes qu'elle menait à la baguette comme une institutrice.

Certains jours, sa boutique rappelait un atelier de blanchisserie : elle faisait sécher autour de son poêle et sur des fils les aquarelles et les gouaches qu'on lui apportait encore humides.

Derain appelait Berthe la « petite merveille ».

En juin, le trio des Valadon se rendit au vernissage que Durand-Ruel consacrait à une œuvre géante de Claude Monet : *Les Nymphéas*. Deux heures pleines ils restèrent sous le charme de cette peinture considérée comme le chant du cygne des impressionnistes.

Depuis environ vingt ans, Monet avait élu domicile à Giverny, à l'ouest de Paris. Il avait pris le sarrau du jardinier sans jeter aux orties la blouse du peintre. Le vaste espace qui entourait sa vieille demeure avait été par ses soins transformé en jardin d'agrément. Pour créer un plan d'eau en forme de jardin japonais, il avait fait détourner un ruisseau, puis avait semé des fleurs, composé une harmonie subtile de couleurs, d'ombres et de lumière, avec, sur l'eau du bassin, un tapis de nymphéas.

Ces « paysages d'eau », premiers d'une longue série, se présentaient comme une suite d'images informelles, un brouillon de formes indistinctes pétries de couleurs violentes, de fuseaux de lumière tombés d'un ciel absent. Le premier contact laissait dubitatif mais, au fur et à mesure que l'on pénétrait dans cet univers paradisiaque, la surprise faisait place à l'émotion et l'on se plongeait dans une immersion totale, flagellé par des effets lumineux, attiré vers les fonds où brasillaient des feux multicolores mêlés à des reflets somptueux.

Suzanne aurait aimé approcher le peintre mais il était très entouré et trop encensé pour qu'elle osât s'y risquer. Entre les rangs des visiteurs, elle distinguait une image décomposée du peintre : il était beau comme un patriarche d'Athènes avec sa barbe fluviale, ses formes lourdes mais majestueuses, sa démarche timide. Près de lui, son ami Georges Clemenceau l'aidait à expliquer son art, si tant est qu'il y eût matière à cette précaution.

— Lorsque l'on a vu cette œuvre, soupira Suzanne, on se dit : à quoi bon continuer à peindre ? On fera peut-être aussi bien, mais jamais mieux.

— On fera autre chose, dit Maurice.

La Butte se dépeuplait peu à peu de ses artistes.

Les errances de Modigliani d'hôtel louche en garni pouilleux, de banc public en salle d'attente de gare, semblaient terminées. Il avait vécu quelque temps rue du Delta, dans une sorte de phalanstère créé et géré par son ami, le docteur Alexandre. L'immeuble comportait, outre des appartements réservés aux artistes en détresse, une galerie d'art au rez-de-chaussée. Modi vécut là quelques mois, soulagé de ses soucis financiers. Il s'était remis à la sculpture, taillant la pierre volée sur des chantiers.

Le docteur Alexandre avait espéré le sauver de sa déchéance ; il dut déchanter. Peu avant Noël, en état d'ébriété avancée, le peintre avait détruit quelques œuvres exposées dans la galerie et mis le feu aux guirlandes qui annonçaient la fête.

Ces violences devaient marquer la fin de son séjour à Montmartre. Dégrisé, il avait présenté ses excuses à Alexandre et à ses confrères. On avait passé l'éponge en lui faisant comprendre qu'il devrait déloger.

Il s'installa rue de Douai dans une ancienne institution religieuse promise à la démolition, au milieu d'une colonie d'indigents, d'un groupe de danseurs noirs et de comédiens sans emploi. Même pour quelqu'un d'aussi peu délicat qu'Amedeo, cette ambiance était insupportable. Il traversa la Seine et s'installa à Montparnasse.

Le départ de Picasso et de Fernande allait sonner le glas du Bateau-Lavoir.

Pablo venait de passer quelques semaines d'été en Espagne, dans le village de Horta de Ebro, au milieu des vignobles, en compagnie de Fernande, lorsque Suzanne se rendit chez le couple.

Rien de prémédité dans cette visite. Suzanne était en train de promener le chien Lello lorsque, en passant rue Ravignan, son regard avait été attiré par un spectacle révol-

217

tant : un bébé était suspendu dans un sac, à la mode indienne, contre un volet, gigotant et pleurant. Elle grimpa jusqu'au logement des Picasso et raconta à Fernande l'objet de sa visite.

— C'est le bébé de Juan Gris, dit Fernande. Leur logement est si exigu que, lorsqu'ils reçoivent, ils suspendent le petit à la fenêtre. Rassure-toi, il n'est pas en danger.

Fernande lui raconta leur séjour à Horta de Ebro, l'exaltation de Pablo peignant au milieu de ces paysages baignés de soleil, de ces montagnes rousses et dorées, de ces paysans qui l'avaient adopté. Il avait rapporté de ce bain de jouvence des toiles qui enchantaient Vollard.

— Nous allons déménager dans quelques jours, poursuivit-elle. Il me tarde de quitter ce taudis, mais que de soucis...

— Je pourrai t'aider.

— Ça ne sera pas nécessaire. En revanche, si tu veux m'accompagner demain... Je dois prendre des mesures pour les rideaux de l'appartement. Tu me conseilleras.

Malgré ses courses à travers la montagne, Fernande avait un peu grossi ; son teint avait pris une matité qui s'alliait à la plénitude généreuse de son visage, à ses yeux de biche, à son allure indolente d'odalisque.

— Et toi, dit-elle, tu es restée à Paris tout cet été ?

Suzanne avait passé quelques semaines à la Butte-Pinson en compagnie de Madeleine et d'Utter, sans toucher à ses pinceaux. Séjour bénéfique certes, mais, sortant d'une période de travail intense, elle se sentait comme paralysée.

— J'ai dû repartir plus tôt que prévu. Chaque matin en me levant je me disais que la journée ne se passerait pas sans que je reçoive de mauvaises nouvelles de Maurice qui avait refusé de nous suivre. Il m'inquiète de plus en plus.

Quelques jours avant le départ de Suzanne, scandale à Saint-Pierre ! À la suite d'une discussion assez vive avec un jeune peintre dont il ne partageait pas les conceptions, Maurice l'avait agressé, avait renversé son chevalet et piétiné sa toile. Conduit au poste de police, il en était ressorti à demi inconscient, le visage tuméfié.

Peu après, nouveau scandale, cette fois-ci à la Closerie des lilas où il s'était laissé entraîner par Amedeo.

Comme on refusait de servir ces deux ivrognes, ils avaient saisi des bouteilles de whisky, en avaient arrosé le plancher et les tables. Modi était parvenu à prendre le large mais Maurice, après un pugilat avec les sergots, avait fini sa virée au poste de police puis chez un médecin aliéniste, le docteur Clérambault, qui avait prescrit son internement.

— Tu comprends, dit Suzanne, dans quel enfer je vis et que je sois mal dans ma peau. Heureusement j'ai Utter...

Elles passèrent la journée du lendemain au 11 de l'avenue de Clichy, pour prendre les mesures des rideaux et prévoir l'emplacement des meubles.

— C'est un magnifique appartement ! dit Suzanne. Cela va changer votre vie.

Fernande ne partageait pas cet enthousiasme. Elle regrettait déjà les deux pièces de la rue Ravignan, l'ambiance chaleureuse de cette bâtisse, le compagnonnage permanent des artistes et des écrivains, les soirées au Lapin agile... Elle allait devoir mener une existence de bourgeoise et cette perspective l'accablait.

La grande pièce qui servirait d'atelier, haute de plafond et lambrissée, ouvrait sur le nord. L'appartement donnait au midi, sur une rangée de platanes où pépiaient des nuées d'oiseaux. On trouvait dans les parages de nombreux commerces et des lieux publics. La station de fiacres et l'arrêt de l'omnibus étaient à deux pas.

— Ce que je crains, dit Fernande, c'est que Pablo, qui n'a aucun goût pour l'ameublement, ne transforme cet appartement en boutique de broco. Si tu voyais les meubles qu'il a commandés à Deleschamps... Mais l'essentiel est qu'il soit à l'aise pour travailler. Il est actuellement sur un portrait de Vollard. Tu verrais ça ! On dirait que ce pauvre Ambroise a été réduit en miettes. Je préfère celui qu'il a fait de Gertrude Stein. Au moins c'est ressemblant. Il a prévu de faire le portrait de Guillaume Apollinaire...

— ... et de Marie Laurencin ?

— Ne me parle pas de cette pimbêche, de cette langue de vipère ! Tu la connais ? Non ? Elle te débine comme elle débine toutes ses consœurs. À l'en croire, elle est la seule grande artiste féminine.

Suzanne se souvenait d'avoir rencontré cette mijaurée au visage caprin sur un corps affligé d'une croupe d'enfant de Marie. Depuis que le poète Jean Moréas lui avait dédié un poème elle se croyait immortelle.

Suzanne avait eu le loisir de mesurer ce qui la séparait des œuvres de la compagne d'Apollinaire : elles étaient à l'opposé. Chez Suzanne, des sujets aux formes pleines, traités dans une pâte virile ; chez Marie Laurencin, des illustrations pour boîtes de confiseries.

Marie détestait les locataires du Bateau-Lavoir ; ils lui rendaient la pareille. Guillaume supportait mal son caractère et ses manières vulgaires, mais il la voyait avec les yeux de l'amour.

Alors que Maurice subissait son internement, le Salon d'Automne lui avait réservé une place, ainsi qu'à sa mère. Pour lui, insuccès total ! Il est vrai que l'on avait placé ses toiles « aux frises », c'est-à-dire près du plafond, où elles étaient passées pratiquement inaperçues. Pas un mot dans la presse ni de commentaires dans le public. Maurice avait mauvaise réputation : on connaissait sa manie de brader sa peinture pour des bouteilles de vin, ce qui la dévaluait.

Suzanne, en revanche, avait reçu un accueil favorable pour sa toile *Adam et Ève*. L'encouragement de la critique eut sur son moral un effet roboratif.

— Ne sois pas déçue pour ton fils, lui dit André. Un jour il sera reconnu. Il a peint une série de cathédrales comme personne ne l'avait fait avant lui, sauf Monet.

— J'ai peine à y croire. J'ai perdu un peu de ma confiance en lui le jour où j'ai appris qu'il peignait d'après des cartes postales. C'est sur le motif qu'il faut travailler. Le lui ai-je assez répété !

Elle savait bien les raisons qui s'opposaient à ce qu'il peignît en extérieur : il ne supportait pas d'être entouré de curieux souvent malveillants. Il avait pour le travail sur cartes postales, qu'il quadrillait méticuleusement, une facilité qui s'ajoutait au fait que personne ne venait l'importuner.

André avait proposé à Suzanne de tenter de reprendre Maurice en main au sortir de l'asile : il risquait, s'il ne renonçait pas à la boisson, de finir assommé dans un commissariat, dépouillé et saigné par les apaches, ou de se jeter dans la Seine. L'intention était louable mais la réalisation aléatoire. L'enfermer dans sa chambre-atelier de la rue Cortot, avec des grilles aux fenêtres comme l'avait suggéré monsieur Paul, c'était risquer de voir le prisonnier devenir fou à brève échéance. Louer les services d'un infirmier qui veillerait sur lui en permanence ? Suzanne n'en avait pas les moyens et monsieur Paul se désintéressait du sort de son beau-fils. L'envoyer rejoindre son père à Barcelone ? Miguel aurait refusé ce cadeau empoisonné.

Un matin, alors que Suzanne sortait du cabinet de toilette, elle se trouva nez à nez avec Maurice. Il laissa tomber son baluchon à ses pieds, s'avança sans un mot vers sa mère, la prit dans ses bras en sanglotant.

— Maman ! Oh, maman ! Il faut me pardonner. Est-ce que tu me pardonnes, dis ? Je suis un mauvais fils. Je ne mérite pas ton affection mais je te demande pardon. Tu es la seule qui puisse me comprendre. Dis que tu me pardonnes. Dieu, lui, m'a pardonné.

En lui essuyant le visage avec sa serviette de toilette, elle constata qu'il s'était laissé pousser la barbe, ce qui lui donnait un air de gravité. Ses traits s'étaient creusés, ses yeux avaient une bordure rouge et ses vêtements gardaient une odeur de prison.

— Il faut bien que je te pardonne, puisque je suis ta mère, dit-elle, mais à condition que tu me promettes de rester sage. Va embrasser ta grand-mère : elle a souffert autant que moi de ton absence. Elle va te préparer un café.

— Mon petit ! gémit la pauvre vieille. Toi, enfin ! Est-ce qu'ils t'ont bien traité ? Ils ne t'ont pas battu, au moins ? Tu avais suffisamment à manger ?

— Laisse-le ! dit Suzanne. Il a besoin de repos plus que de jérémiades.

— Ils m'ont traité comme les autres malades, sauf que je n'étais pas fou, moi. Il n'a pas été facile de les en convaincre.

— Cette barbe... ajouta Madeleine. Il faudra la raser. Elle te vieillit.

— Elle lui va très bien, au contraire, protesta Suzanne. Je trouve qu'elle lui donne l'air viril.

Maurice, ayant bu son café, se laissa entraîner par sa mère dans le cabinet de toilette. Tandis que Madeleine mettait l'eau à chauffer pour le tub, Suzanne aida son fils à se dévêtir. Il n'avait que la peau sur les os et des taches rosâtres sur tout le corps.

— Les poux... les punaises... dit-il. Ma paillasse en était infestée. Sales bestioles ! On en tue dix, il en sort cent. J'avais fini par en prendre l'habitude quand on m'a changé de cellule du fait que je ne suis pas fou, mais il doit en rester dans mes vêtements.

Lorsque Suzanne lui demanda des détails sur son internement, il resta muet. Trop d'humiliations, de mauvais traitements, de colères rentrées.

— Tout ça, c'est du passé, dit-il. Je vais tâcher d'oublier.

Il finit par avouer à sa mère qu'il s'était évadé.

11

LA SAINTE FAMILLE

Il y avait trop de zones d'ombre dans le passé de sa maîtresse pour qu'André pût se contenter de quelques bribes de souvenirs lâchés par hasard ou par lassitude lorsqu'il l'assiégeait.

— Raconte-moi le Moulin-Rouge, Youyou. Tu l'as bien connu au temps de Lautrec, dis ?

Elle n'aimait pas ce surnom qu'il lui donnait depuis peu : Youyou. Ridicule ! Elle devait se faire violence pour se replonger dans ses souvenirs, attiser les étincelles qui brûlaient encore sous une couche de cendres froides. Ces questions d'enfant curieux l'importunaient.

— Youyou, parle-moi de ton amie la Goulue.

— Elle n'était pas mon amie ! Cette pocharde vulgaire, à gueule de raie, qui mangeait et buvait comme un curé, mon amie ? Ah ça, non ! Mais, je dois le reconnaître, quel abattage ! Dès qu'elle entrait sur la piste avec Valentin le Désossé, quel spectacle !

Suzanne avouait lui préférer Jane Avril, qu'on appelait Mélinite en raison de son caractère explosif. C'était une chic fille, menue comme une souris et aussi pudique que la Goulue était triviale. Pour danser une figure qu'on appelait la rémoulade, elle tenait son linge à pleines mains pour cacher sa petite culotte. Mais quel piquant ! Des gens de lettres s'étaient épris d'elle ; certains même l'avaient demandée en mariage.

Fortune faite, Valentin s'était retiré. De Jane Avril, aucune nouvelle. Yvette Guilbert, qui avait failli être une véritable amie pour Suzanne, parcourait l'Europe et le monde. Quant à la Goulue, elle promenait une baraque foraine de la fête à Neuneu à la foire du Trône, ou ailleurs.

André n'aurait pu dire pourquoi, mais c'est le souvenir de la Goulue qui suscitait chez lui le plus d'intérêt. Peut-être à cause de l'aura d'abjection qui s'attachait à sa personne.

— La Goulue, dit Suzanne, je peux te la montrer quand tu voudras. Tu ne la verras pas danser. Elle y a renoncé depuis plus de vingt ans à la suite d'une fausse couche qui a mal tourné, d'un avortement, peut-être. Elle ne pouvait plus faire le grand écart et se faisait siffler.

Tous les ans, peu avant Noël, des baraques foraines s'installaient sur le terre-plein du boulevard de Rochechouart. Celle de la Goulue était des plus attirantes avec ses grands décors brossés par Lautrec, encadrée de guirlandes lumineuses et d'images exotiques. Un escalier de cinq marches menait à ce palais des illusions. La Goulue elle-même faisait le boniment pour vanter *un spectacle réalisé par les plus grands artistes de Paris, une exhibition de danses orientales par des hétaïres venues spécialement des harems d'Istanbul*! Le spectacle normal coûtait cinquante centimes ; deux francs pour la danse du ventre interdite aux mineurs.

Un matin de décembre, Suzanne emmena André voir la Goulue.

La parade alignait six prostituées de remonte collectées dans le quartier de la Goutte-d'Or. Drapée dans une tunique destinée à cacher ses formes adipeuses, constellée d'étoiles et de croissants de lune, l'ancienne du Moulin-Rouge se donnait des allures de reine des *Mille et Une Nuits* mais n'évoquait qu'un vieil eunuque travesti.

226

— La voilà, ta Goulue ! dit Suzanne. Agréable tableau, n'est-ce pas ? Elle tient à peine sur ses guibolles !

— J'aimerais la rencontrer, la faire parler, la peindre.

— Ne te donne pas cette peine. Elle n'accepte que les journalistes et ses interviews coûtent cher. Tu n'apprendrais pas grand-chose : c'est une affabulatrice, et tu devrais prendre garde à ta vertu : une ogresse !

Ils poussèrent jusqu'à Pigalle où, dans le tumulte des pianos mécaniques, des limonaires, l'odeur de la guimauve et des marrons chauds, ils tâchaient d'oublier les lamentables exhibitions des partenaires de la Goulue. Pour remonter vers la Butte, ils longèrent le boulevard de Clichy. En passant devant le numéro 11, Suzanne leva la tête vers l'appartement occupé par le couple Picasso. Il devait y avoir réception car la salle à manger était illuminée. Depuis peu le ménage s'était assuré les services d'une bonne ; il ne tarderait pas à posséder une voiture automobile avec chauffeur. Après son départ du Bateau-Lavoir, la renommée de Pablo s'était répandue dans tout Paris ; on lui avait laissé accomplir sur la Butte son temps de bohème comme une période probatoire. Il pouvait désormais, dans un cadre digne de son talent, recevoir des journalistes et organiser des repas avec le plus beau linge de la capitale.

Depuis qu'ils avaient emménagé, Suzanne n'était revenue qu'une fois rendre visite à Fernande. La maîtresse du peintre avait vu juste en redoutant que l'atelier ne se transformât en boutique de broco : Pablo se toquait d'un meuble, l'achetait sans se soucier s'il pourrait s'incorporer à l'ensemble sans détonner ; dans ce bric-à-brac on remarquait une monumentale armoire normande, un piano à queue en acajou, une table de marqueterie de style italien, un immense divan-lit, une profusion de statuettes et de masques nègres alternant avec des tableaux encadrés de paille tressée, une collection de bouteilles vides, des fragments de tapisseries anciennes...

Le temps des ivresses

Ils fréquentaient de plus en plus assidûment les Stein qui avaient leur jour lorsqu'ils recevaient dans leur vaste appartement transformé en pinacothèque. Ils accueillaient surtout leurs anciens amis : Apollinaire qui arrivait inévitablement flanqué de sa souris aux tenues élégantes et au rire vulgaire, Max Jacob, Braque, Matisse, et ces deux fauves : Derain et Vlaminck qui avaient l'appétit féroce mais le jugement subtil.

Suzanne avait été surprise du billet que lui avait adressé son mari : il lui donnait rendez-vous rue Royale, au Weber, où il avait ses habitudes. Il avait des révélations capitales à lui faire. Des révélations ? Capitales en plus ?

Elle le trouva attablé devant un whisky, seul, un cigare aux lèvres. Il se leva pour l'accueillir et l'embrassa, signe, se dit-elle, qu'il était dans ses petits souliers. Elle commanda un bock. En le voyant manipuler nerveusement sa boîte d'allumettes, elle se dit qu'il était parti pour tourner autour du pot ; elle décida de le brusquer. Qu'avait-il de si « capital » à lui révéler ?

— Une chose grave : mon amie exige que je divorce.

— Tiens, tiens... Je croyais que tu ne voulais pas entendre ce mot !

— Les choses ont pris une nouvelle tournure. Devant l'ultimatum de Marie, j'ai parlé de cette possibilité à mes parents. Leur réaction a été violente, mais ils se sont calmés quand je leur ai avoué que nous vivions séparés toi et moi et que tu me trompais.

— Tu t'es bien gardé de leur dire que tu avais pris les devants !

Il bredouilla en rallumant son cigare :

— C'est vrai : je n'ai jamais eu le courage de leur révéler ma liaison avec Marie. Alors, voilà : es-tu disposée à accepter le divorce ?

— Il fallait en venir là. Ta décision ne me surprend pas. Tu peux d'ores et déjà entreprendre les démarches et arranger les choses au mieux. Je suppose que ce divorce sera prononcé à ton avantage ?

— Indispensable ! À cause de ma famille, tu comprends ?

Défenderesse défaillante, Suzanne fut chargée de tous les maux. Elle s'attendait à cette décision, mais l'acte du divorce déclencha sa fureur. Le tribunal estimait que l'on n'avait à reprocher au sieur Moussis *qu'un excès de bonté envers sa femme, qu'elle le harcelait sans cesse de demandes d'argent, le traitait de lâche, de cochon, de salaud, qu'elle lui reprochait de faire obstacle à sa carrière artistique, qu'elle découchait...* Pour comble : Suzanne était condamnée aux dépens !

André la trouva en larmes. Elle lui tendit un feuillet.

— Lis ! dit-elle. C'est une honte. Moussis m'a trahie.

Il lut l'acte de divorce, la prit dans ses bras et lui dit à l'oreille pour la consoler :

— Tu sais ce qu'il nous reste à faire : nous marier.

— Tu parles sérieusement ?

— Crois-tu que je veuille t'abandonner ? Les premiers temps seront sûrement difficiles. Nous devrons régler les dépens, ton ex-mari va te couper les vivres, te déloger d'ici et de Montmagny.

— Il nous laissera Montmagny, sinon je ferai un scandale auprès de sa famille.

Les Valadon durent quitter le domicile du 2, rue Cortot, pour un petit appartement de l'impasse Guelma donnant sur le boulevard de Clichy. On y serait à l'étroit, en attendant mieux. Et puis il y avait Montmagny où Suzanne avait obtenu son maintien avec la propriété des lieux. Elle avait également obtenu que Moussis l'aidât à régler les dépens.

Ses affaires semblaient prendre un tour favorable : six de ses toiles avaient été acceptées au Salon des Indépendants et Clovis Sagot préparait une exposition personnelle. Paradoxalement le divorce paressait lui avoir ouvert la voie du succès. André n'y était pas pour rien.

L'immeuble de l'impasse Guelma rappelait Le Bateau-Lavoir, sauf qu'il était de construction récente et doté d'un confort convenable. Mis en service récemment il avait déjà trouvé plusieurs locataires, artistes et écrivains. Le peintre futuriste Gino Severini avait été le premier ; étaient venus ensuite Raoul Dufy, Georges Braque, le poète Pierre Reverdy... Une sorte de phalanstère s'organisait, comparable à celui du docteur Alexandre.

L'appartement était exigu pour trois personnes ; il devint carrément invivable pour quatre, surtout lorsque le quatrième fut Maurice.

André fit la grimace lorsqu'il le vit paraître et s'installer. Il fallut pourtant lui faire place ; il l'exigeait d'ailleurs : le cadre et la proximité des boulevards lui convenaient.

— Si tu décides de vivre avec nous, lui dit Suzanne, tu devras te tenir tranquille. Ma santé est fragile et j'ai besoin pour travailler d'une ambiance paisible.

Promis, juré : il ne boirait plus, ou modérément. On se serra pour lui faire une place.

Durant une semaine chacun travailla de son côté. De temps à autre Suzanne mobilisait ce qu'elle appelait sa Sainte Famille, pour un portrait de groupe. Les choses se gâtèrent le jour où Maurice décida de reprendre son indépendance.

Un soir, Severini le ramena ivre mort, le visage tuméfié, alors que l'artiste sortait du commissariat de police et tentait de retrouver son chemin. Une autre fois, c'est Dufy qui le découvrit assis sur un banc public, sous la pluie battante, un litre entre les jambes, en train de s'en prendre aux passants. Suzanne le sermonna rudement.

— J'avais ta parole que tu renoncerais à boire. Tu as trahi ma confiance. Si tu persistes, tu iras coucher ailleurs ou alors je te ferai interner.

Il persista.

Chaque soir ou presque il rentrait ivre. Comme il supportait mal les remontrances et plus encore les contraintes, il se mettait en colère et brisait la vaisselle. Un soir, au comble de la fureur, il jeta un fer à repasser à la tête d'André qui évita l'objet, lequel alla atterrir, en crevant une verrière, sur la table de Reverdy. Cela fit un fameux chambard ! Accompagné du concierge, le poète protesta et menaça, si ces scènes se renouvelaient, de faire évacuer les lieux occupés par cette famille de forcenés.

— Tous nos locataires, ajouta le concierge, se plaignent de vos disputes et de vos pugilats. Je vais être contraint de faire un rapport.

Maurice mit un comble à sa violence une nuit où, rentrant à une heure tardive, il trouva fermée la porte vitrée donnant sur la cour intérieure. Ôtant une de ses chaussures, il la fit voler en éclats, ce qui réveilla tout l'immeuble. Lorsque Suzanne le vit surgir, elle faillit perdre connaissance : il avait les mains et le visage en sang.

Après une nouvelle et ultime mise en demeure de la part du concierge, elle dit à André :

— Il a passé les bornes. Nous allons devoir déménager. Nous avons trois semaines devant nous. Je pensais que nous pourrions nous installer à Montmagny en attendant de trouver un autre logement.

— Ce serait une erreur, dit André. Nous devons rester à Paris. Sagot est en train d'organiser ton exposition et il reste à préparer les Indépendants. Je dois en outre m'occuper des rapports avec d'autres marchands, Vollard notamment, qui réclame des tableaux. Si je comptais sur toi...

— Tu en as de bonnes ! C'est ton travail, après tout ! Je ne vais pas, jeune comme tu l'es, te nourrir à ne rien faire !

De nouveau dépressive, elle décida de prendre un peu de repos. Terminées les ébauches destinées à sa grande composition familiale, elle remit à plus tard l'exécution finale ; Vollard attendrait.

Elle ne souffrait de rien de précis mais se sentait dépourvue d'énergie, de volonté et de passion. Elle pouvait rester des heures au coin de la fenêtre à feuilleter des gazettes, à commencer la lecture de romans qui lui tombaient des mains au bout de quelques pages. Elle ne sentait autour d'elle aucune hostilité flagrante : Madeleine l'entourait d'une affection geignarde, André d'un amour attentif, Maurice d'une indifférence bourrue. Elle détestait ce vide floconneux qui s'emparait d'elle dès son réveil.

Elle décida un jour de se faire violence. Le terme de la location approchait ; il était temps de se mettre en quête d'un autre logis, puisque André refusait un exil à la Butte-Pinson.

Elle chercha dans les parages, ne trouva rien et n'insista pas, d'autant que le quartier ne lui plaisait guère : trop de mouvement, trop de bruit, une ambiance peu favorable à la création... Elle avait gardé la nostalgie de la Butte : l'air y était plus vif, le silence et le calme assurés.

Elle trouva enfin de quoi satisfaire ses exigences : un appartement au 12 de la rue Cortot, du même côté que le précédent, récupéré par Moussis.

— Cette maison, lui dit un voisin, appartenait au peintre Émile Bernard, qui vient de partir pour l'Italie. Drôle de bonhomme : il s'est brouillé avec tout le quartier. Vous, en revanche, vous semblez être une personne calme. Je suis convaincu qu'il n'y aura pas d'histoires...

Les Valadon emménagèrent quelques jours plus tard. Maurice avait promis son aide mais avait prudemment pris le large au dernier moment.

Suzanne trouva, affiché contre la porte ouvrant sur une cour intérieure succédant à un porche, un panneau rédigé par l'ancien propriétaire : *Que celui qui ne croit pas en Dieu ni en Raphaël ni en Titien n'entre pas ici.* Cette malédiction digne de celle des Pharaons l'amusa sans la faire reculer.

— Magnifique ! s'écria André. Ici au moins nous serons à l'aise pour vivre et travailler. Quel calme ! Et ce grand jardin à l'arrière, et cette vue sur Paris...

— En été, je pourrai peindre sous le tilleul. Et l'atelier est assez vaste pour trois.

— Pour deux. Je ne supporterai pas la présence de ton fils : il me vole mes pinceaux, mes châssis, mes tubes...

— Et toi, tu me voles bien, aussi ! Si tu refuses sa présence, nous lui trouverons un autre endroit.

Ils emménagèrent dans une exaltation qui les jetait dès l'aube à bas du lit. Après un ménage soigné, Suzanne et André allèrent s'approvisionner en mobilier chez le père Deleschamps qui leur fit un prix d'ami et déboucha en l'honneur de leur retour une bouteille de beaujolais.

Si la maison était vaste et agréable avec son allure de villa de banlieue, le jardin laissé sans soin était retourné à l'état sauvage. Le premier jour, en prenant possession des locaux, Suzanne découvrit dans un placard un carton à dessin et un lot de toiles abandonnées par Émile Bernard avec, sur un feuillet, quelques mots pour rappeler que ces « articles » étaient son bien et qu'il viendrait les récupérer.

Elle défit les ficelles. Le carton était rempli d'ébauches et de textes manuscrits sur l'art du Quattrocento, que l'artiste était allé admirer *in situ*. Ce qu'elle découvrit de l'œuvre peint lui donna un choc au cœur. C'étaient principalement des vues de la Bretagne où le peintre avait longtemps travaillé avec Gauguin devenu son ami. Amitié fragile : Gauguin était le type même de l'extraverti sûr de lui, ostentatoire, et Bernard son contraire. Gauguin ne manquait aucune occasion de se poser en chef d'école et Bernard refusait de passer pour son élève. Leurs relations tournèrent à l'aigre, jusqu'à la rupture.

Il y avait dans ce lot une dizaine de toiles sur des sujets divers : Bretonnes en coiffe, scènes rurales, spectacles de pardons... Toutes étaient traitées dans une pâte solide, contrastée, un peu lourde.

— L'influence de Gauguin est évidente, dit Suzanne. Il aurait presque pu signer certaines de ces œuvres.

— À moins, dit André, que Gauguin ne se soit inspiré de Bernard. De toute façon, les affinités sont évidentes.

— J'espère qu'il ne tardera pas trop à venir reprendre son bien. J'aimerais le rencontrer.

— Tu risques d'être déçue. Il a mauvais caractère.

— J'aime les gens qui ont du caractère, qu'il soit bon ou mauvais. Degas, par exemple...

Passé sa période de dépression, Suzanne avait retrouvé, avec son énergie, une soif de création. Une semaine après leur installation elle fit poser sa mère dans le jardin, sous les arbres, devant un muret.

— Encore moi ! protesta la pauvre vieille. Quand je serai morte, comment feras-tu ? Il y a bien assez de jeunes femmes parmi tes modèles au lieu de t'en prendre au vieux croûton que je suis !

Sa toile terminée, elle la montra à André.

— Beau travail ! dit-il. Pourtant... pourtant tu sembles brouillée avec la lumière, contrairement à Renoir qui, lui, en était amoureux. Tu devrais te mettre aux paysages pour apprendre à maîtriser la lumière. Elle existe, nom de Dieu ! Aussi importante que la couleur. Et tu fais comme si tu l'ignorais...

Elle jeta sa palette sur la table de jardin, se laissa tomber sur une chaise en soupirant.

— Tu as raison. Tu as toujours raison. Il faudrait que je peigne des vues de la Butte-Pinson, comme Maurice autrefois.

— Écoute, Youyou, c'est la vraie lumière qu'il te faut. Si nous avons l'argent nécessaire nous irons peindre dans le Midi. Pourquoi pas en Corse, tiens ?

Elle sursauta.

— En Corse ! Et pourquoi pas en Grèce, tant que tu y es ?

— La Grèce, ce sera pour plus tard, quand tes toiles se vendront mieux.

Le Salon des Indépendants fut un succès pour Suzanne. La critique fut élogieuse et trois de ses toiles trouvèrent des acquéreurs.

— Tu peux commencer à faire tes bagages ! dit André. Nous allons prendre deux billets pour la Corse.

— Trois, dit Suzanne. Je me refuse à laisser Maurice à Paris. Là-bas nous pourrons le surveiller.

Quelques semaines plus tard, alors que Suzanne mettait la dernière main à sa *Sainte Famille*, la sonnette de l'entrée retentit. Elle se trouva en présence d'un homme qui paraissait avoir son âge. Vêtu de sombre, coiffé d'un large chapeau noir, il paraissait morose et suspicieux.

— Je suis Émile Bernard, dit-il, et je sais qui vous êtes : Suzanne Valadon. Je voudrais rentrer en possession de mon bien.

— J'en ai pris le plus grand soin, *maître*.

Le mot fit fleurir sur les lèvres maussades un sourire amusé. Par l'escalier qui faisait communiquer l'appartement avec l'atelier, elle le conduisit jusqu'au placard où elle avait rangé le carton et les toiles enrobées dans une couverture. Il en fit le compte, estima qu'il ne manquait rien et remercia.

— C'est un bel endroit, n'est-ce pas ? Cette lumière, ce jardin, cette vue sur Paris et le Sacré-Cœur...

— J'attendais votre visite avec impatience. Je me suis permis de regarder vos œuvres. Vous m'avez donné une leçon de lumière, à moi à qui l'on reproche de l'ignorer.

— Elle viendra à vous, elle vous inondera comme celle de Dieu. C'est à Pont-Aven, au cours d'un pardon, que j'en ai eu la révélation. Ah ! la lumière de Bretagne, si fluide, si délicate. Pont-Aven : c'est bien loin...

Elle se retint à temps de lui parler de Gauguin, pour ne pas lui rappeler des souvenirs qu'il avait sans doute reniés. Elle l'écouta avec respect commenter favorablement ses propres œuvres, puis il lui parla des nouvelles tendances de sa peinture, de son mysticisme, de son retour à une conception classique de l'art, de ses recherches du côté de la Renaissance et des primitifs. Son érudition semblait insondable.

Il revint aux œuvres de Suzanne.

— La lumière, bien sûr... dit-il. Elle vous apportera de grandes joies, mais le dessin, voilà votre véritable voie. Il faut continuer...

Elle aurait aimé qu'il restât plus longtemps, qu'André pût le rencontrer, mais il était déjà sur le départ, chargé de son bagage qui pesait lourd.

— Je vous ai distraite de votre travail, reprit-il. Il faut excuser ma manie du bavardage. Revenez à votre chevalet. Madame Valadon, je suis heureux de vous avoir rencontrée. Vous êtes une grande artiste. J'aimerais vous revoir, mais je suis comme l'oiseau sur la branche. Aujourd'hui à Paris, demain Dieu sait où...

Lorsqu'elle le vit traverser la cour, Suzanne songea que, pour galoper ainsi, Maurice devait avoir la police à ses trousses. La porte ouverte, il lui tomba dans les bras en pleurant. Ce n'était pas la police qui lui courait après mais le succès. Il se rua dans la salle à manger, plongea ses mains dans ses poches, en retira des poignées de billets qu'il jeta en l'air et fit retomber en pluie.

— Qu'est-ce qui t'arrive ? Tu as pillé une banque ?

Il revenait de chez son nouveau marchand, Louis Libaude, avec lequel il avait passé un contrat moral. Un jeune artiste fortuné, Francis Jourdain, arrivant en compagnie du docteur Élie Faure, amateur d'art, devant la galerie du marchand, était tombé en arrêt devant un ensemble de toiles d'Utrillo. L'un et l'autre avaient acquis plusieurs de ces œuvres et invité deux amis collectionneurs : Gallimard et Kapferrer, à les imiter. Jourdain avait dit à Libaude : « Cela me rappelle les premières œuvres de Pissarro. » Ce n'était pas un mince compliment.

— Cinq cents francs ! s'écria Maurice en dansant autour de la table. Libaude a dû empocher le double mais je m'en fous !

Il empoigna une dernière liasse, la porta à ses lèvres et la jeta au visage de Madeleine qui s'écria :

— Il est devenu fou, ce pauvre petit !

Elle alla chercher à la cuisine une pelle et un balai pour ramasser cette fortune éparse, comme des feuilles mortes.

— C'est pas tout ! poursuivit Maurice. Une de mes toiles a été vendue aux enchères à Drouot. J'attends le règlement.

— Qu'est-ce que tu comptes faire de tout cet argent ? demanda André.

— Le dépenser ! C'est fait pour ça, non ? Il nous sera utile pour le voyage en Corse.

Il confia le plus gros de son magot à sa mère et alla dépenser — on savait où et comment — le reliquat qu'il avait gardé pour faire la noce.

André dit à Suzanne à quelques jours de là :

— Si le succès de ton fils se confirme, il serait bon que je prenne ses intérêts en main. Il en est incapable. Pour son bien, évidemment...

— Évidemment... répéta Suzanne. Ainsi se confirmerait ta vocation d'imprésario. En attendant, j'aimerais savoir ce qu'il est devenu. Ça fait une semaine qu'il n'a pas donné de nouvelles.

André décida d'aller s'informer dans les commissariats de police. Il les visita tous, terminant par celui de la rue Lambert dont Maurice était un habitué. Il apprit qu'il avait occasionné un esclandre sur la voie publique, ce qui ne le surprit nullement, en distribuant des billets de banque aux passants, ce qui le consterna.

— Il n'est pas en prison, dit le commissaire, mais à la maison de santé du docteur Revertégat, à Sannois. Nous avons de bonnes raisons de penser que, s'il n'est pas fou, il ne tardera pas à le devenir.

Il y avait sur le mur, au-dessus du bureau, deux toiles signées de Maurice Utrillo V...

Sur les conseils d'André, Suzanne avait renoncé à intituler sa grande toile *La Sainte Famille*, ce qui eût créé une équivoque autour d'un groupe familial qui n'était pas en odeur de sainteté, pour lui donner un titre à la fois plus simple et plus direct : *Portrait de famille*.

La composition lui avait occasionné quelques problèmes : comment organiser cette œuvre en fonction des personnages ? Quelle importance leur donner ? Quelle expression qui fût conforme à leur caractère ?

Divers essais sur carton avaient stimulé son ambition et provoqué les encouragements d'André. Armée de ses pinceaux et de sa palette comme d'un bouclier, elle avait affronté la toile vierge avec, en face d'elle, lui semblait-il, à la fois des adversaires et des protagonistes. Elle n'avait pratiquement, jusqu'à ce jour, été confrontée qu'à des personnages uniques ; devoir les peindre en groupe, avec elle au centre de la toile, lui causait un malaise. Et pourtant, cette toile, elle y tenait comme à une promesse et à un défi : pour montrer que *les Valadon*, comme on disait avec une nuance d'ironie, avaient en tant que famille une existence incontestable.

André avait dû insister pour qu'elle consentît à occuper le centre de ce groupe familial, dans l'attitude d'une reine sur son trône, entourée de ses proches. Elle y consentit mais œuvra en sorte que l'on ne se fît aucune illusion sur ses qualités physiques ; elle s'attacha à faire porter à son regard, le seul à fixer le spectateur droit dans les yeux, le témoignage de son autorité sur la tribu.

Utter figurait sur la partie gauche, debout, dans une attitude dominatrice, cheveux plats et barbe courte. Plus bas, semblant s'appuyer contre lui, Suzanne, dans sa plénitude charnelle, portait une main à plat sur sa poitrine. C'est Maurice qui lui donna le plus de mal : elle le montrait assis, la tête posée sur sa main droite, un coude sur son genou, dans l'attitude du *Penseur* de Rodin et dans celle qu'il avait peut-être, à Sannois, au bord de son grabat. Le visage de Madeleine, assise à droite, rappelait une pomme oubliée dans une cave ; son regard traduisait une expression de fatalité acceptée, comparable aux toiles précédentes : un ange gardien sénile qui n'aurait pas renoncé à veiller sur la tribu maudite. Elle avait adjoint le chien Lello à cet ensemble mais, sur les instances d'André qui ne le supportait pas, elle l'avait exclu.

Elle avait souhaité pour cette composition un équilibre : il était la perfection même.

Une fois par semaine, Suzanne prenait le train à la gare Saint-Lazare pour se rendre à Sannois par la ligne d'Ermont. Elle apportait à son fils quelques gâteries et de quoi dessiner et peindre. Elle le trouvait le plus souvent dans le jardin, seul, assis sur un banc, en train de jeter du pain aux moineaux et aux pigeons. Il paraissait avoir retrouvé sa lucidité mais sombrer peu à peu dans l'indifférence.

Elle lui posait des questions sur sa vie quotidienne : son appétit était revenu et la nourriture lui convenait ; il dormait mal au début mais le sommeil était de nouveau paisible ; pour tromper son ennui, il dessinait et peignait.

L'entretien que Suzanne eut avec le docteur Revertégat ne la rassura qu'à moitié.

— Votre fils va mieux, c'est certain. Au début de son internement il a manifesté des sentiments de révolte, mais il s'est apaisé au bout de quelques jours, sous l'influence des médicaments. Que se passera-t-il quand il sera de nouveau lâché seul dans Paris ? Je compte sur vous pour le surveiller.

Suzanne hasarda l'idée d'un long voyage en sa compagnie.

— Cela ne peut que lui être bénéfique, madame. Il faudra éviter de le contrarier, le laisser dessiner à sa guise. Votre fils a beaucoup de talent. Il ne faut pas qu'il le gâche...

Maurice participa à un voyage en Bretagne avec sa mère et André, comme au temps de monsieur Paul. Ils évoluèrent une semaine entière à travers d'aigres crachins, des risées de soleil, des vents généreux, le long des falaises et des grèves, dans une lumière qui rappelait à Suzanne les toiles d'Émile Bernard. Taciturne comme à son ordinaire, Maurice se laissait conduire, participait aux séances de dessin, assis entre eux devant une vieille chapelle, un calvaire, une ferme couverte de chaume...

L'été suivant, pour satisfaire à l'idée d'André, c'est vers la Corse que les Valadon se dirigèrent.

Une révélation pour Suzanne : elle ne connaissait les paysages et la lumière du Midi qu'à travers les toiles de Renoir, de Cézanne et de Van Gogh. À peine avait-on débarqué à Bastia qu'elle fut saisie à la fois d'une impression d'émerveillement et d'un sentiment d'impuissance.

André lui avait dit avant le départ :

— Nous emporterons de quoi peindre. Nous trouverons là-bas des sujets à chaque tournant de la route.

— Tu comptes donc te remettre à la peinture ?

— Oh ! moi...

Il semblait avoir admis que son talent avait trouvé ses limites et qu'il serait ridicule de se faire des illusions : il n'accrocherait jamais ses œuvres dans les Salons. Il en avait pris son parti sans trop d'amertume.

— Ces paysages me font peur, avoua-t-elle. Cet enchevêtrement de vieilles baraques, ce foisonnement de verdure, ces montagnes qui changent sans cesse de couleur, cette lumière trop pure à laquelle je ne suis pas habituée...

Il la rassurait.

— Van Gogh non plus ni même Renoir n'étaient habitués à cette lumière et à ces paysages. Pourtant ils les ont maîtrisés. Tu feras de même, ma chérie.

Elle dut se battre contre elle-même pour se contraindre à affronter le motif et vaincre son sentiment d'impuissance. Maurice, quant à lui, ne semblait pas obsédé par ces problèmes : il ne répugnait pas à poser son chevalet en plein vent, certain de ne pas être assailli par des groupes de gamins frondeurs ; il peignait des paysages urbains de préférence : Bastia... Corte... Belgodère... Il était plus sensible à la pierre qu'à la forêt.

André ne cacha pas sa satisfaction devant un paysage de Suzanne représentant un champ d'oliviers entouré d'un mur de pierres sèches avec une montagne roux et bleu en fond de décor.

— Cézanne n'aurait guère fait mieux ! s'exclama-t-il. Et cette vue de Corte : une merveille ! C'est peint dans un style naïf mais tu as parfaitement traduit la lumière.

Il laissait Suzanne et Maurice partir en quête d'un sujet et les attendait en se reposant sous le mûrier de l'auberge, devant une bouteille de vin muscat. Suzanne s'inquiétait de ce parti pris d'inactivité quand elle surprit un manège équivoque entre lui et une jeune paysanne de Belgodère, servante de l'auberge, Teresa. Elle les observa et les surprit alors qu'ils sortaient, main dans la main, d'une bergerie abandonnée proche du village. Elle dit sèchement :

— Finies les vacances ! Nous rentrons.

— Nous avions prévu de rester une quinzaine ! protesta André. Je commençais à me plaire ici et vous faites, ton fils et toi, du bon travail.

— Je comprends que tu veuilles rester ! Ce patelin est plein d'attraits pour toi et tu en profites, surtout en mon absence. L'idylle avec Teresa, terminée ! À moins que tu ne décides de refaire ta vie avec cette maritorne.

Elle plongea la main dans son sac de voyage, en sortit un titre de transport qu'elle lui jeta au visage. Blême de fureur, il riposta : qu'elle apporte la preuve de ses soupçons !

— Rien de plus facile ! dit-elle.

Penchée à la fenêtre, elle appela Teresa. À peine était-elle entrée, elle lui administrait une paire de claques.

— Inutile de nier, ma fille : je sais tout !

Teresa cacha ses larmes dans un coin de son tablier : elle croyait que monsieur André était le fils de Mme Valadon.

Lorsque Maurice, alerté par les éclats de voix, surgit à son tour, la dispute tourna au pugilat sous un déluge d'imprécations.

— Salaud ! tu trompais ma mère !

— Tu crois qu'elle se gêne, elle ?

— Répète !

— Je ne discute pas avec un ivrogne.

Suzanne les sépara à coups de canne. Elle sentait la colère refluer en elle insensiblement. Après tout, qu'André fût attiré par cette gamine, elle trouvait cela naturel ; de plus elle ne pouvait oublier qu'elle avait trahi André avec Pascin. Elle n'avait à lui reprocher son manque de discrétion. Elle avait appris sans surprise, mais non sans amertume, qu'il avait à Paris, de temps à autre, des aventures qui n'étaient que de banales coucheries de hasard. Ici toute la population devait être au courant du manège des amoureux, et cela l'indisposait.

Ils quittèrent Belgodère dès le lendemain mais, au lieu de reprendre le bateau pour Marseille, ils passèrent le restant de leurs vacances dans les environs de Bastia.

Le vaudeville sentimental mis à part, ces vacances avaient été profitables à Suzanne : les longues marches en montagne avaient fait courir dans ses veines un sang neuf ; elle s'était enivrée de lumière, de soleil, de couleurs ; elle avait brossé une douzaine de toiles et pris quantité d'esquisses ; la nourriture simple et roborative lui avait redonné de l'énergie. En reprenant pied sur le continent elle se sentait disposée à de nouveaux efforts et à de nouvelles luttes.

Maurice, ayant mis à profit cette cure d'abstinence, avait acquis la certitude qu'il pouvait peindre et dessiner sans le secours du vin et de l'alcool. Il n'avait dérogé qu'une seule fois. C'était à Corte, un soir de fête où le vin coulait à flots ; il avait insulté les musiciens sous prétexte qu'ils se refusaient à jouer un air populaire : *À Ménilmontant.*

Madeleine avait traversé une période difficile : alitée à la suite d'une indigestion, elle avait gardé la chambre durant trois jours et avait senti la mort rôder autour d'elle.

— Je sais que je n'en ai plus pour longtemps, mes pauvres petits, dit-elle. J'aurais bien aimé qu'on m'enterre à Bessines, auprès de mes vieux, mais c'est trop loin. Quand mon cercueil sera dans la tombe...

— Arrête, maman ! Tu n'en es pas là !

— ... il faudra veiller à le recouvrir de paille pour que j'entende pas le bruit des pelletées de terre qu'on jettera sur moi...

À peine les Valadon avaient-ils rangé leurs bagages, Suzanne reçut la visite de Fernande Olivier qui fondit en larmes dans les bras de son amie.

— C'est fini ! gémit-elle. J'ai cessé de plaire à Pablo. Il est tombé amoureux d'un de ses modèles, Eva, et refuse de s'en séparer. Et s'il n'y avait qu'elle... Je ne suis pas jalouse, tu le sais, parce qu'un artiste a besoin d'aventures, mais j'ai craqué hier. Il me donne à choisir : accepter la présence d'Eva sous notre toit ou le quitter. J'ai choisi de partir. Ça lui a fait de la peine mais il se consolera vite. Qu'aurais-tu fait à ma place ?

244

— Ce que tu viens de faire. Mais ce choix, pourras-tu l'assumer ? Qu'est-ce que tu vas devenir ?

— Je l'ignore. Ça fait trois ans que nous vivons ensemble, que nous partageons les mêmes soucis, les mêmes joies, les mêmes amitiés. Nous n'aurions jamais dû quitter le Bateau-Lavoir. Depuis que nous demeurons boulevard de Clichy il n'est plus le même. Le décor a changé, le milieu a suivi. Il a fait de nouvelles rencontres, des hommes et des femmes. Il me délaisse...

— Le changement, dit Suzanne, mais aussi l'usure, le pire ennemi de l'amour. J'ai connu ce phénomène, moi aussi.

Deux ans avant son voyage en Corse, Suzanne avait mis en chantier une toile de grandes dimensions qu'elle avait intitulée *La Joie de vivre*. Elle en avait fait deux versions. La première avait donné un haut-le-cœur à André. C'était une huile sur carton de dimensions réduites, qui rappelait *Le Bois sacré* du Puvis de Chavannes : un groupe de femmes nues en train de s'habiller au sortir du bain avec, à droite, un homme accompagné d'un chien : André et Lello.

— On dirait que ça ne te plaît pas, constata-t-elle.

— On dirait un groupe de fantômes dans un cimetière. Je comprends ton souci de créer des contrastes, mais ce lieu est sinistre. Et puis c'est maladroit, sec, empesé...

En rangeant la toile dans un placard, elle avait eu un réflexe de colère. Quelque temps plus tard elle reprit cette œuvre qu'elle avait exécutée dans un moment d'exaltation lyrique et s'attacha à tenir compte des critiques d'André : elle éclaircit le décor, assouplit les formes des personnages, supprima le chien. André se montra satisfait de ce nouvel essai, en regrettant la présence d'un arbre mort qui, dans le coin gauche, semblait faire pendant à son propre personnage et qui déséquilibrait l'ensemble.

— Cet arbre, dit-elle, restera où il est. Sa présence est symbolique. Cette végétation luxuriante, ces êtres pleins de vie finiront comme cet arbre. C'est ce que Gauguin a voulu exprimer dans son tableau : *D'où venons-nous ? Que sommes-nous ? Où allons-nous !* Et d'ailleurs, si ça ne te plaît pas, tant pis ! J'en suis satisfaite, moi, de cette toile.

Au retour du voyage en Corse, Maurice dut affronter une épreuve redoutable. Le père Pigeard, qu'on appelait le Baron, lui présenta un verre d'eau salée en lui disant :

— Mon gars, si tu veux t'initier à la navigation, faut avaler ça cul sec, sans recracher !

Maurice fit la grimace en avalant la mixture dans un concert d'ovations.

— Tu es des nôtres ! ajouta le Baron. L'Union marine de la butte Montmartre est heureuse d'accueillir un grand peintre amoureux de la mer.

Il lui accrocha à la boutonnière une ancre de marine et lui donna l'accolade. Le dîner traditionnel comportait des huîtres, des fruits de mer, du poisson et des galettes bretonnes. On trouvait dans les précédentes promotions des noms illustres : Max Jacob, Pablo Picasso, Amedeo Modigliani...

Pigeard avait installé un chantier naval sur un des derniers espaces libres du Maquis. Aidé de ses sociétaires, il construisait périssoires, yoles et skiffs destinés à des promenades dominicales sur la Seine. Poussé par sa mère qui avait vu dans cette activité un moyen de l'arracher à ses mauvaises fréquentations, Maurice s'était présenté et avait été agréé par le vieux loup de mer.

Le repas terminé, Maurice, éberlué, dut satisfaire à deux autres épreuves : chiquer du gros-cul de terre-neuvas et chanter ou reprendre en chœur une chanson de marin.

— *La Paimpolaise* ! annonça le Baron. Une... deux...

J'aime Paimpol et sa falaise...

Plutôt que de s'abîmer l'estomac, Maurice préféra recracher la chique, à peine l'eut-il en bouche.

Le Baron entreprit de lui enseigner les rudiments de la natation, à plat ventre sur un tabouret. Maurice rentrait le soir rue Cortot en fredonnant *La Paimpolaise.* Il avait passé sa journée à tailler des planches, à raboter, à clouer. Après dîner, il s'enfermait dans sa chambre pour peindre les toiles qu'André se chargeait de négocier.

— Ça fait plaisir de le voir revenu à une vie normale, constatait Suzanne. Il ne boit plus que du cidre breton.

André ne pouvait qu'en convenir ; en revanche Maurice peignait moins bien. Il ne pouvait pourtant souhaiter, pour améliorer sa peinture, qu'il retournât à ses anciennes habitudes.

Maurice semblait avoir renoncé au vin et pourtant, certains soirs, il réintégrait son logis dans un état second, la démarche incertaine, un sourire béat aux lèvres. Quand on l'interrogeait, il répondait mystérieusement :

— J'ai visité le nirvana...

— C'est quoi encore, cette histoire ? demandait Suzanne. Le Nirvana... Une nouvelle boîte, sans doute...

Maurice, sans cesser de sourire, secouait la tête, un index sur ses lèvres. On n'en saurait pas plus.

Militaire au Tonkin au temps de Jules Ferry, le Baron en avait rapporté des habitudes d'opiomane. Il avait installé dans un coin de son chantier naval une fumerie de style indochinois : tentures orientales, lits de camp, et tout l'attirail nécessaire pour atteindre l'extase. Invité à une promenade dans ces paradis artificiels, Maurice y avait découvert, avec des rêves éthérés, une nouvelle nature d'ivresse.

Un soir, à la suite d'un abus, le nirvana prit les couleurs de l'enfer. Maurice quitta sa couche en titubant, criant qu'il était Gengis Khan et qu'il allait massacrer dix mille infidèles. Il ne fit qu'agresser le Baron et la petite Tonkinoise qui lui tenait compagnie, balayant dans sa colère inspirée le mobilier, écrasant les pipes sous son talon. On mit le forcené à la porte, on lui arracha son insigne, on le renia.

Maurice avoua à sa mère, d'un ton chagrin, ses nouveaux égarements et son éviction. Il réclama une pipe et de l'opium que Suzanne lui refusa avec fermeté. Soit ! mais il ne reprendrait ses pinceaux qu'à condition qu'on le laisse boire à sa soif. Suzanne transigea pour un litre par jour.

André avait négocié au nom d'Utrillo un contrat avec Louis Libaude. Bon prince, le marchand avait accepté de régler l'arriéré des frais d'internement à Sannois mais exigé qu'on lui fournît six toiles par mois. Il envisageait en outre une exposition particulière d'une trentaine de toiles à la galerie Blot, rue Richepanse.

Le succès de cette manifestation dépassa ses espérances.

C'est alors que le marchand décida de traiter directement avec l'artiste, les exigences d'Utter lui paraissant exagérées. Il s'engageait à régler le montant des frais médicaux éventuels et à verser à Utrillo une rente mensuelle de trois cents francs.

Six toiles par mois ? Bagatelle ! Maurice aurait pu les brosser en une journée. Le premier mois il en fournit une vingtaine à Libaude qui leva les bras au ciel : c'était du travail bâclé ; qu'il s'applique davantage ! Maurice chargea André de fourguer le reliquat aux gargotiers. Suzanne en conserva quelques-unes, parmi les meilleures, en prévision des mauvais jours...

Les soirées au Lapin agile n'étaient plus ce qu'elles avaient été. Maurice avait renoncé à s'y rendre.

Victor assassiné, Margot mariée à Dorgelès, Gaston Couté envoyé dans un asile, les bandes de Picasso et de Modi réduites à quelques têtes médiocres, le cabaret du père Frédé avait perdu son âme.

Les Valadon y avaient passé une soirée au retour de la Corse et s'étaient promis de n'y plus reparaître. L'ambiance y était sinistre. Le répertoire du patron se cantonnait dans les rengaines d'autrefois ; les poètes étaient médiocres et impécunieux plus que jamais ; il fallait, à chaque morceau qu'ils débitaient, cracher au bassinet.

Dans le public devenu composite, on côtoyait des filles mal poudrées, aux sourcils faits à l'allumette, des apaches en casquette et foulard, des trafiquants de drogue, des indicateurs, de faux marlous et de vrais truands. On y voyait aussi paraître, certains soirs, des touristes en goguette, sidérés de se voir soudain transplantés dans le repaire de la pègre. L'ambiance ne s'animait qu'à l'occasion des bagarres qui, Dieu merci, étaient fréquentes.

Avant de mourir de sa belle mort, l'âne Lolo avait connu son heure de gloire en devenant artiste peintre.

Avec la complicité de quelques comparses et en présence d'un huissier, Roland Dorgelès avait imaginé une farce de carabin. Avec la queue de Lolo en guise de pinceau, il avait brossé une toile intitulée *Coucher de soleil sur l'Adriatique* et signée Boronali, anagramme d'Aliboron. Au Salon des Indépendants, un amateur en offrit cinq cents francs. Il aurait pu s'offrir un Monet ou un Pissarro pour beaucoup moins...

12

LE ROI LEAR

La lettre de Zoé avait des accents désespérés : de sa belle écriture d'ancienne institutrice elle sollicitait la venue de Suzanne chez Edgar Degas. D'urgence.

Suzanne trouva le peintre effondré dans son atelier. Il venait de donner congé à Pauline, son jeune modèle. Face à une toile bâclée, il tripotait, comme si elles tombaient de la lune, les fournitures pour photographie que venaient de lui livrer Tasset et Lhote.

— Vous, enfin ! dit-il dans un souffle. Que vous ai-je fait pour que vous m'abandonniez ?

— Je suis restée longtemps absente pour des voyages en Bretagne et en Corse, dit-elle.

— C'est en Italie que vous auriez dû aller. Moi, j'ai dû renoncer à voyager. Si je reste quelques jours loin de mon atelier, je me sens coupable, indigne, ridicule. Je suis comme ces vieilles bêtes qui dépérissent loin de l'étable.

Il avait failli lui écrire à plusieurs reprises mais, outre que le moindre billet lui demandait un effort, il ignorait sa nouvelle adresse. Elle l'inscrivit sur un feuillet qu'elle lui tendit.

— Tiens, tiens... mais c'est l'ancienne maison d'Émile Bernard et, avant lui, de ce fou de Léon Bloy.

Avec son opulente barbe blanche, des plis amers au coin des lèvres, Degas rappelait le patriarche d'Israël se lamentant sur l'exil de Babylone.

— Si je vous ai demandé de venir, c'est que je me trouve dans le plus cruel embarras. Approchez, je vous prie. Outre que je vous distingue à peine, je deviens sourd. Rien n'aura été épargné à mes vieux jours. Ayez la gentillesse de me rouler une cigarette. Le gros-cul est sur la commode. Je vais être contraint de déménager. Cet immeuble que j'habite depuis vingt ans est promis à la démolition. Je dois trouver à me reloger dès que possible mais je suis incapable de faire les démarches qui s'imposent.

Suzanne alluma la cigarette qu'elle venait de rouler et la lui tendit. Il ajouta en tirant la première bouffée :

— J'ai décidé de m'adresser à vous pour prendre l'affaire en main. Pourrez-vous me rendre ce service ?

— Dès demain, maître.

Lorsqu'elle eut quitté le peintre, Zoé l'intercepta sur le palier.

— Le maître me donne bien du souci, dit-elle. L'idée de déménager le bouleverse. Il a l'habitude de cette maison. Pourra-t-il travailler ailleurs ?

Sa seule distraction était de se promener sur les boulevards et de faire halte dans un café pour y boire un verre de lait chaud. Il fallait qu'il fît mauvais temps pour qu'il renonçât à cette pratique. Il s'arrêtait souvent devant les ateliers de blanchisserie, collait son visage aux vitres et se faisait houspiller par les ouvrières qui le prenaient pour un voyeur. Il se rendait parfois chez une modiste de ses amis afin de satisfaire sa passion pour les chapeaux féminins : il les caressait de l'œil, de la main, les respirait...

— Pensez-vous, ajouta Zoé, pouvoir lui trouver un appartement qui lui conviendra ? Le loyer importe peu. Il faut voir grand pour arriver à caser ces meubles, ces bibelots, ces peintures dont il n'accepterait pas de se séparer.

Vollard lui avait conseillé d'acheter l'immeuble dont il était locataire et de stopper le projet de démolition, mais où voulait-on qu'il trouve l'argent nécessaire ?

Suzanne tint parole : dès le lendemain elle se mettait en campagne pour prospecter dans les parages en s'adressant aux concierges.

À la suite de multiples démarches elle découvrit, au 6 du boulevard de Clichy, un sixième sans ascenseur proche de la place Pigalle. Restait à procéder au déménagement et, là, ce furent des scènes dignes de *L'Odyssée*.

Degas loua les services d'un déménageur professionnel et battit le rappel de ses amis ; ils vinrent peu nombreux puis, l'un après l'autre, devant les exigences et la mauvaise humeur du vieil homme, s'esbignèrent. Seule Suzanne resta jusqu'au terme de cette épreuve, soutenant Degas lors des navettes qu'il s'imposait entre les deux immeubles. Il ne se montrait patient qu'avec elle et elle supportait sans se plaindre ses humeurs et ses caprices.

Le déménagement terminé, il dit à Suzanne :

— Sans vous, Maria, je n'aurais pas pu mener ce déménagement à bien.

L'appartement lui convenait et les six étages n'étaient pas un inconvénient majeur. De ses balcons, il embrassait la place Blanche et la place Pigalle où il allait jadis s'approvisionner à la foire aux modèles. Zoé ne partageait pas sa satisfaction : six étages ! on voyait bien que ce n'était pas lui qui faisait les courses...

Suzanne laissa s'écouler quelques semaines avant de prendre l'initiative d'une nouvelle visite. Elle trouva Degas vautré dans un fauteuil, sa casquette sur le nez, au milieu du capharnaüm initial, comme le roi Lear dans les ruines de son palais.

— Maître, dit-elle, vous n'allez pas rester incrusté dans ce fatras. Si cet appartement ne vous convient pas, il faudra en chercher un autre.

— Dieu me garde de déménager une autre fois. Cela me tuerait. Je ne sais ni où je suis ni où j'en suis. Je dois avoir

255

l'air d'un voyageur oublié par un paquebot sur le quai avec ses bagages, dans l'attente d'un autre bateau qui ne viendra pas.

— Voulez-vous que je vous aide à emménager ? Au moins votre atelier, pour que vous puissiez travailler.

— Laissez, Maria. Pour le moment je n'ai plus envie de peindre ni de dessiner. Zoé me tarabuste sans succès. Secouez un arbre mort, vous n'en ferez pas tomber de fruits...

Sollicitée pour de nouvelles séances de pose, Clotilde s'était dérobée, trop prise qu'elle était par son bar de la rue de Steinkerque où elle n'avait pas tardé à attirer une clientèle interlope de gousses de tout poil et de diverses nationalités. En revanche, après Dolly qui avait disparu, elle lui avait adressé une jeune Anglaise, Diana, qui travaillait pour une agence de voyages et qui avait été séduite par les dessins de Suzanne que Clotilde lui avait montrés.

— Ma toile, dit Suzanne, s'intitulera *L'Avenir dévoilé* ou *La Tireuse de cartes*. Nous commencerons quand vous serez libre. Il faudra poser nue, évidemment.

Durant un mois, Diana revint régulièrement à l'atelier de la rue Cortot. Elle était de bonne composition et se montrait peu exigeante quant aux émoluments.

Cette rousse bien proportionnée, de carnation laiteuse, à la toison flamboyante, posa allongée sur un divan, une main sur son genou droit relevé, le visage incliné vers le tapis où une sorte de duègne vêtue de noir alignait des cartes pour y lire l'avenir.

Francis Carco, dans l'intention de recueillir quelques souvenirs du vieux Montmartre, fit une visite à Suzanne. Il tomba en arrêt devant cette toile à laquelle ne manquaient que quelques retouches.

— Ce tableau me surprend, dit-il. Au risque de vous choquer, je dirais que ce n'est pas une peinture de femme. En revanche, on peut affirmer que c'est votre chef-d'œuvre.

Carco l'amusait. Il était de petite taille, avec un visage taillé en traits un peu lourds. Son regard pétillant d'esprit et de bienveillance fouinait dans les coins et recoins de la Butte pour une collecte de portraits et d'anecdotes dont il comptait faire un ouvrage. Il avait toujours au coin de la bouche une cigarette dont la fumée le faisait grimacer.

— Ce n'était pas un sujet facile, ajouta-t-il. Vous l'avez traité avec une fermeté, une tranquille audace qui me confondent. Tout y est : le décor soigné, l'attitude du modèle, la façon dont le poids du corps s'équilibre, la majestueuse puissance des volumes, le contraste entre les divers plans et surtout la générosité de la matière.

Elle avait l'impression qu'il allait encore parler de cette œuvre durant des heures quant il ajouta abruptement :

— J'aurais aimé rencontrer votre fils, Utrillo.

— Je ne l'ai pas revu depuis une semaine et j'ignore où il se trouve. J'attends chaque jour des nouvelles de lui. Si vous entendez parler de quelque chose...

Depuis qu'une scène violente l'avait opposé à Utter, il semblait vouloir se faire oublier. André lui avait reproché de peindre de plus en plus négligemment, comme si seule sa signature pouvait donner de l'importance à ses toiles. Il avait ajouté :

— Je n'invente rien. C'est l'avis de Vollard, de Berthe Weill, de Libaude...

— Je les emmerde tous !

— C'est ton droit, mais si tu continues dans cette voie, plus personne ne voudra de ta peinture.

— C'est ça qui t'embête, hein ? Si mes toiles se vendent mal, plus de beaux costumes, de soirées mondaines, de petites maîtresses pour monsieur Utter !

— Si je n'avais pas pris tes intérêts en main tu serais à la soupe populaire et aux asiles de nuit...

— Et si la poule aux œufs d'or renonce à pondre, c'est monsieur Utter qui sera de la cloche !

— Et toi, tu finirais dans un asile psychiatrique.

— Escroc ! Profiteur !

— Ivrogne !

Ils en étaient venus aux mains. Lorsque Suzanne était arrivée, de retour de chez Degas, elle avait trouvé Maurice, le visage marqué, en train de faire son baluchon. Elle le questionna.

— Je pars, dit-il d'une voix sombre. Je ne supporte plus Utter et l'ambiance de cette maison. Nous nous sommes battus.

— Tu veux partir ? As-tu pensé à moi ? Ta mère n'est donc rien pour toi ?

Il s'assit au bord du lit, dans une pose familière, le front dans sa main, et se mit à sangloter. Elle prit place près de lui, l'attira contre elle.

— Ne pars pas, dit-elle. Je vais tâcher de vous réconcilier.

— Ce serait peine perdue, maman. Je ne veux plus rien avoir à faire avec cet incapable qui vit à nos crochets.

— Il fait le travail que je lui ai confié : il s'occupe de nos intérêts. Tu devrais te montrer plus indulgent. Si tu as besoin d'argent, il faut me le dire.

Maurice haussa les épaules. L'argent... l'argent... ils n'avaient que ce mot à la bouche. Jadis, il savait pouvoir compter sur l'affection de sa mère en toutes circonstances ; aujourd'hui, il n'y en avait que pour Utter. Conclusion :

— J'ai décidé de partir, dit-il. Je partirai.

— Partir ? Et où iras-tu ? À l'hôtel ? Dans un garni ?

— Je sais où aller, rassure-toi. Demain matin, quand tu te lèveras, je ne serai plus là...

Suzanne n'avait pas oublié la réflexion de Francis Carco : « La première des conditions pour réussir est d'être un homme. La misogynie est votre ennemie primordiale... » Elle eût aimé qu'il lui en dît davantage sur ce sujet, lui qui connaissait mieux qu'elle la « bonne société parisienne ».

Quand elle mesurait le chemin parcouru depuis son arrivée à Paris, sa menotte dans la main de Madeleine, serrant sa poupée de bois sous son manteau, elle sentait un vertige se creuser en elle. C'était en 1870 et elle avait cinq ans ; sa mère, elle s'en souvenait, courait les gares de Paris à la recherche de l'homme qui l'avait abandonnée.

Depuis, que de domiciles, d'événements, de personnages ! Que d'amours aussi...

Carco avait raison : elle avait dû, pour imposer sa peinture, dépenser plus de conviction, d'énergie, de talent qu'un homme ne l'eût fait à sa place. Et cependant, aujourd'hui encore, cette discrimination suscitait des obstacles.

Berthe Weill lui avait dit récemment :

— Mes clients aiment votre peinture, son réalisme, sa violence. Elle les attire, les subjugue mais, dès qu'ils lisent la signature, ils ont un mouvement de recul. J'en entends de belles ! De quoi se mêlent ces bonniches ? Peuvent pas rester à torcher leurs mômes ? D'ici qu'elles réclament le droit de vote... C'est tous les jours que j'entends ça, ma petite, tous les jours que je me bats pour vendre vos toiles...

André aussi se battait pour elle. Par conviction, par amour ou par intérêt ? Sans doute en vertu de ces trois motifs, avec sans doute une priorité au dernier.

S'il lui réclamait souvent de fortes sommes, ce n'était pas, disait-il, par goût du luxe — elle connaissait la simplicité de ses mœurs — mais...

— Comprends-moi : je me dois d'observer une tenue correcte, d'avoir des costumes taillés par les meilleurs couturiers, des vernis des meilleurs bottiers. Cela fait sérieux. Cela inspire confiance. Pour conclure une vente, je ne peux inviter mon client à déjeuner dans une gargote des Halles...

Lorsqu'il avait suggéré l'achat d'une automobile, Suzanne avait regimbé : il avait la folie des grandeurs ! Il se prenait pour Durand-Ruel ou Bernheim ! Une voiture...

Pourquoi pas un hôtel particulier, une villa sur la Côte d'Azur ? Non, non et non !

Ses nouvelles fréquentations lui avaient tourné la tête. Il parlait des écrivains et des artistes en renom comme de vieux amis. L'ancien agent de la Société générale d'électricité ne supportait plus les ragoûts de Madeleine. Il usait d'un langage châtié, même dans l'intimité, certains soirs où il prenait Youyou dans ses bras, après que les libations avaient stimulé ses ardeurs.

Au plus fort de sa rancune contre André, Maurice avait révélé à Suzanne que l'argent qu'il leur soutirait ne servait pas seulement aux frais de représentation. Les petites maîtresses lui coûtaient cher.

Lorsque Suzanne, discrètement, lui fit grief de ses dépenses, il protesta.

— C'est ton fils qui t'a mis ces idées dans la tête. S'il m'arrive de sortir avec de jeunes femmes, il s'agit de modèles qui me fournissent des informations sur la cote des peintres, et pas pour la bagatelle.

Suzanne baissait pavillon. Au milieu de ces incertitudes, une évidence : elle avait quarante-huit ans ; André vingt-sept. Comme on dit en Limousin, leur amour avait « passé fleur ». La maîtresse ardente et généreuse qu'elle avait été ne pouvait lui offrir que des fruits blets. Plutôt que de macérer dans ses doutes, elle eût préféré qu'il lui avouât ses écarts. Mais, jalouse comme elle l'était, eût-elle supporté ces révélations ?

Le départ de Maurice, l'ignorance où l'on était de sa nouvelle résidence mettaient André dans l'embarras. Bien décidé à tenter une manœuvre de réconciliation, il s'était mis à sa recherche. On signalait sa présence à tel endroit, mais l'oiseau s'était envolé quand il s'y rendait. Après avoir couru les établissements publics de haut en bas de Montmartre, il eut recours à Edmond Heuzé, l'argus de ces quartiers. Il en fut pour ses frais.

— Tu devrais, lui dit Suzanne, chercher dans les asiles, les hospices, les hôpitaux...

— Et pourquoi pas dans les prisons ?

— En effet : pourquoi pas ?

Il se remit en campagne et dut renoncer : Maurice Utrillo était insaisissable.

13

À LA BELLE GABRIELLE

Ce début de siècle n'avait rien de banal : il se révélait plein de drames, d'heureux événements, de surprises.

Un mage, qui se faisait appeler modestement Nostradamus, annonçait non la fin du monde mais des incidents qui allaient bouleverser l'ordre des choses.

Ce fut en effet le temps des grandes catastrophes. Un coup de grisou avait laissé mille trois cents mineurs au fond d'une mine de Courrières... À Saint-Pétersbourg une journée d'émeute avait occasionné la mort de plus de deux mille manifestants... À la Martinique, on estimait à trente mille le nombre des victimes d'une éruption volcanique... Les massacres, en Chine, se soldaient par des centaines de milliers de victimes... Le Midi des viticulteurs était à feu et à sang... La bande à Bonnot terrorisait Paris... Les soubresauts du siècle mort secouaient la planète.

La capitale vivait dans les transes et n'en dormait plus : on avait volé *La Joconde* ; les soupçons s'étaient portés sur Guillaume Apollinaire et Pablo Picasso : deux « sales métèques ». Une autre affaire bouleversait l'opinion : la danseuse Mata-Hari avait attaqué en justice Antoine, le directeur de l'Odéon, pour avoir, disait-elle, « révélé les secrets de ses danses hindoues ».

L'opinion n'était jamais en repos. Une nouvelle affaire venait de l'ébranler : des danseuses se montraient sur scène

« nues et sans maillot » ; l'une d'elles, Colette Willy, avait déclaré : « Je ne comprends pas la pudeur locale. » Mistinguett exhibait aux Folies-Bergère les plus belles jambes de Paris. On allait de scandale en scandale. Les évêques de France avaient violemment réagi contre ces vagues d'indécence en interdisant dans leur diocèse une danse nouvelle : le tango. La morale était sauve.

Dans cette chienlit, quelques notes réconfortantes : rompant les barrières du machisme ordinaire, la Justice avait ouvert ses portes à une femme magistrat, Mme Petit, qui avait fait la couverture du supplément illustré du *Petit Journal*. Même la science pensait aux femmes : des savants avaient découvert un remède contre les « microbes de l'obésité » et une pilule miracle pour « engraisser et faire des femmes décharnées des êtres potelés et séduisants ».

L'emprunt russe avait mobilisé sur tout le territoire la masse des épargnants.

En voyant André surgir, brandissant une liasse, Suzanne se dit qu'il avait dû gagner à la loterie.

— Mieux que ça, Youyou ! Ce sont des bons de l'emprunt russe. J'en ai pris pour mille francs !

Elle en eut un vertige. Il voulait les ruiner ? Mille francs...

— La France entière en achète ! Les intérêts vont progresser à une allure fantastique. La Russie est un pays d'avenir mais elle a besoin de fonds pour lancer son économie. Nous allons être riches !

Elle céda à ce mouvement d'enthousiasme. Après tout, pourquoi se priver d'une chance de devenir millionnaire ?

C'est grâce au père Deleschamps, qui connaissait Montmartre aussi bien qu'Edmond Heuzé, que Suzanne eut des nouvelles de son fils.

— Allez fouiner du côté de la rue du Mont-Cenis, dit-il. Il doit crécher dans les parages.

On avait donné à Marie Vizier l'éponyme de son établissement installé rue du Mont-Cenis : La Belle Gabrielle. Une

266

invention de poète pour rappeler que l'une des maîtresses d'Henri IV avait eu pignon sur rue dans les parages.

Cette Junon forte en gueule, d'une rudesse généreuse, d'une majestueuse vulgarité, avait le verbe gouailleur des grenouilles des Halles, rendu rauque par l'abus du gros gris.

Maurice n'avait pu manquer de faire escale chez elle au cours de ses pérégrinations.

Peu après son voyage en Corse, il s'était rendu chez son vieil ami César Gay, l'ancien policier qui l'avait fait élargir alors qu'il se trouvait à la Santé. Ils avaient fêté leurs retrouvailles. Comme il restait à Maurice quelques toiles à placer, il alla les proposer à une voisine, la tenancière de La Belle Gabrielle. Elle l'avait accueilli cigarette au bec et lui avait lancé :

— Et pour monsieur, ça sera ?

Il avait déballé sa marchandise.

— Qu'est-ce que tu veux que je fasse de cette barbouille, mon coco ? Regarde ! Les murs en sont tapissés... Mais faut dire... faut dire... T'es pas manchot. Y a du jus là-dedans. Tu en veux combien ?

— Vingt francs le lot de trois.

— Eh là ! mon coco, je suis pas Mme Rothschild ! Deux thunes, ça te va ?

— Plus un casse-croûte et un litre. Vous faites une bonne affaire, madame. Chez Sagot et Berthe Weill c'est plus cher.

— Voilà tes dix balles. Une soupe, de la galantine, du fromage, ça te va ? Avec un litre, bien sûr.

Elle avait appelé la servante.

— Céline, occupe-toi de cet artiste et soigne-le bien.

Elle avait placé les cartons sur une étagère, derrière l'amer Picon et le bocal de cerises à l'eau-de-vie.

— C'est quoi, ce « V », à la suite d'Utrillo ?

— Valadon. C'est le nom de ma mère.

Marie avait paru surprise.

— Suzanne Valadon ? Mais tout le monde la connaît ! J'ai lu un article de Francis Carco sur elle. Dis donc, mon coco, elle est célèbre, ta maman !

Ce soir-là, qui était un samedi, il vint une foule de clients : des calicots, de petits fonctionnaires aux vêtements fatigués, une équipe de matelassiers, de timides arpètes novices de comptoir et un nombre respectable de grenouilles de trottoir.

Sur le coup de sept heures, en raison de l'affluence, Maurice s'était replié sur les arrières du bistrot pour dîner en toute tranquillité et s'était endormi.

Il faisait nuit lorsque Céline commença à ranger les chaises pieds en l'air sur les tables, à balayer et à projeter de la sciure sur le parquet. Marie Vizier secoua l'épaule de l'artiste.

— Dis donc, coco, tu vas prendre racine ? La Belle Gabrielle n'est pas un asile de nuit.

Elle l'aida à se lever. Il fit quelques pas, s'accrocha au comptoir, tomba sur les genoux.

— Ben, mon colon, lui lança la gargotière, il te suffit d'une chopine pour être poivre ?

En fait Maurice pouvait se prévaloir d'états de service éloquents : il venait de sécher sa dixième bouteille de la journée et se sentait encore une petite soif. Quand il réclama une autre chopine, la patronne la lui refusa.

— Où que tu vas crécher cette nuit ? ajouta-t-elle.

Il n'en savait rien.

— Tu as bien un domicile ? Ta mère, elle habite où ?

— Rue Cortot.

— Céline va t'accompagner.

— Je peux pas rentrer chez moi. Pourriez pas me garder pour la nuit ?

— T'en as de bonnes, mon coco ! Je fais pas hôtel. Si tu veux une piaule...

— Pas besoin. Un coin avec une couverture, ça ira. J'ai l'habitude. Vous aurez une autre toile.

— Y a bien la cave... proposa Céline.

— Il aurait froid, ce chérubin, et puis, toutes ces bouteilles, ça lui donnerait des idées. Il dormira dans un fauteuil de ma chambre. Je risque rien. Il est pas dangereux.

Elles le soutinrent jusqu'à la chambre, lui ôtèrent ses vêtements et ses chaussures. Il n'avait pas changé de linge depuis plusieurs semaines et l'odeur les fit reculer.

— Dieu vous rendra vos bontés... bredouilla-t-il.

— Et avec intérêts, j'espère ! dit Marie.

Les chansons d'un groupe de fêtards remontant l'escalier de la rue du Mont-Cenis réveillèrent Maurice au milieu de la nuit. Incapable de se souvenir de l'endroit où il se trouvait, il se crut revenu rue Cortot, se mit à injurier André et à appeler sa mère. Marie se leva, s'agenouilla près du fauteuil.

— Eh bien, mon coco, on rêve, on appelle sa maman ? Tu me raconteras ta peine demain. Allez, dodo...

Il ne pourrait pas se rendormir : il avait froid et ce fauteuil n'avait rien d'un pullman. Il demanda à Marie de lui faire une place dans son lit. Elle bougonna puis finit par accepter, à condition qu'il se tienne tranquille. Il se rendormit quelques instants plus tard, enlacé par des bras de nourrice, dans une agréable odeur de graillon et de patchouli. Le rire gras de Marie le fit sursauter.

— Eh bien, mon chéri, si c'est vrai que t'es pas manchot, t'es pas non plus paralysé de la quéquette, nom de Dieu ! T'as envie, on dirait. Alors viens, mon chérubin, fais l'amour à la Belle Gabrielle...

C'est la bonniche qui lui apporta son déjeuner au lit : café-croissants. Il se sentait un appétit d'ogre. Appuyé au dosseret, il s'efforça de reconstituer les événements de la veille. Bilan confus : une première chopine au Billard en bois, une halte chez l'ami Émile et au Clairon des chasseurs puis au Consulat d'Auvergne où il avait dû brosser rapidement une toile pour régler l'addition... Et ainsi de suite. Une fameuse virée !

— Et alors, s'écria Marie, on fait la grasse matinée ? Il est dix heures. Faut que Céline fasse la chambre, et moi j'ai du boulot.

— Moi aussi. Faut que je peigne quelques toiles.

— Tu m'en as promis une hier, tu te souviens ? Où tu vas te mettre pour travailler ?

— Ben, ici, si tu n'y vois pas d'inconvénient.

— Dans ma chambre ? Pas question !

— Tu me mets à la rue ? Je pensais que tu avais de la sympathie pour les artistes.

Elle battit des bras comme pour lancer un signal de détresse. Mettre à la porte un artiste comme Utrillo... Il la prenait par les sentiments. Bonne fille, elle céda. Il pourrait s'installer dans le débarras pour une journée ou deux.

— Après, du vent, mon coco !

Elle lui demanda où il allait, un dimanche, trouver le matériel nécessaire : il portait toujours sur lui sa panoplie de pinceaux et de tubes et il trouverait bien dans la cave de vieux cartons d'emballage qui lui serviraient de toiles.

Il fit un brin de toilette, s'attarda à regarder Paris somnoler au creux du cratère d'où partaient les escaliers, dans la rumeur des cloches et la brume ensoleillée du matin.

À la fin de la journée, il avait torché trois toiles et bu seulement deux litres. Marie le récompensa de cette journée de labeur par une nuit ardente et lui fit des confidences plus ou moins imaginaires. Elle prétendait descendre en droite ligne de la maîtresse d'Henri IV, Gabrielle d'Estrées. À vingt ans, disait-elle, elle avait à ses pieds tous les rapins de Montmartre et quelques maîtres. On pouvait la retrouver à titre de modèle sur des toiles qui figuraient dans les musées. Elle avait fait sa pelote dans une brasserie de filles au bas de Montmartre et avait ouvert La Belle Gabrielle grâce à la générosité de quelques amants fortunés.

— Rien de sélect, comme tu vois, mais une clientèle fidèle et qui se plaît chez moi où la cuisine est de qualité et bon marché. Je suis originaire du Périgord, tu comprends ?

À quarante ans passés, elle donnait dans la matrone mais avec encore quelque apparence de séduction et cette vulgarité qui plaisait tant aux hommes.

— Surtout, ne va pas croire que je suis une putain ! J'aime les vrais hommes, ceux qui en ont dans le pantalon. Alors, le peu de temps qui me reste à m'envoyer en l'air, je le mets à profit.

Elle s'exprimait d'une voix lente et profonde dans laquelle jouaient des harmoniques de goualeuse de bastringue, que l'abus du crapulos rendait un peu rauque.

Il lui fit cadeau de deux toiles : l'une représentant sa gargote, l'autre une vue de Paris depuis l'escalier. Reconnaissante, elle lui accorda un nouveau délai.

Elle lui dit un soir :

— Je trouve que tu faiblis, mon coco. Tu as besoin d'un revigorant. Céline te fait les yeux doux. Tu lui mets la main aux fesses, ça marchera.

— Si tu étais moins avare de ton picrate, ça marcherait peut-être mieux avec toi. Deux litres seulement par jour, c'est pas humain. Je perds mes moyens.

Coucher avec Céline n'avait rien d'une perspective exaltante : elle était assez jolie quand on n'y regardait pas de trop près, malgré ses cheveux filasse qui lui tombaient sur les joues et son odeur de serpillière mal essorée. Il accepta néanmoins pour ne pas peiner Marie et y trouva quelque plaisir. Puis, comme de la patronne, il ne tarda pas à trouver la pilule amère.

Marie avait accepté de monter la barre à trois litres, ajoutant :

— Ça me plaît d'héberger un artiste, mon coco, mais faut pas abuser de ma bonté. Je veux pas d'un ivrogne chez moi.

Elle lui annonça un soir qu'elle allait fermer boutique pour quelques jours : elle devait rendre visite à sa vieille mère, en Dordogne.

— Je te laisse Céline. Amusez-vous bien en mon absence. Travaille et n'essaie pas de lui voler les clés de la cave.

L'idée lui vint qu'il devrait, pour remercier Marie de son hospitalité, lui faire un cadeau digne d'elle. Il passa une journée et demie enfermé dans les cabinets avec une lampe à pétrole et son attirail, à peindre sur les murs crasseux quelques vues de Montmartre et de La Belle Gabrielle, avec Marie sur le pas de la porte.

— Qu'est-ce que c'est que ça ? s'exclama-t-elle à son retour. T'es devenu fou ? Et toi, Céline, t'aurais pas pu le surveiller ? Qu'est-ce que les clients vont penser ? Que j'ai transformé les chiottes en galerie d'art ? Tu vas m'effacer ça, et tout de suite !

La mort dans l'âme, armé d'un chiffon imprégné d'essence de térébenthine, Maurice dut faire le sacrifice de son chef-d'œuvre. De ce jour les relations avec la patronne tournèrent au vinaigre. Il en conçut du chagrin. Sans renoncer à la bonne hôtesse, il allait, dans la journée, se consoler ailleurs.

Un soir il rentra ivre mort, s'engouffra dans son atelier et vomit en giclées généreuses.

— Cette fois-ci, lui dit Marie, tu as passé les bornes. Tu iras t'arsouiller ailleurs, et que je ne te voie plus.

Elle jeta ses cartons et tout son matériel sur le trottoir en lui criant des injures.

Pour la première fois depuis l'abandon du domicile familial, Maurice se sentit seul et désemparé. Ses cartons sous le bras, il erra dans les rues de la Butte. Il s'achetait un quignon de pain et de la galantine ici, un litre de rouge là, allait faire la sieste dans le Maquis et passait ses nuits dans un coin du chantier naval qui avait cessé ses activités depuis que la police avait découvert la fumerie clandestine et mis à l'ombre le Baron.

À la tombée de la nuit, passant devant le 12 de la rue Cortot, il résista à l'envie qui l'étreignait d'aller embrasser sa mère et sa grand-mère, d'implorer leur pardon, mais il redoutait qu'André ne fût présent et ne lui cherchât de nouveau querelle. Il y avait de la lumière dans la salle à manger où Madeleine devait mettre le couvert et dans le « grenier » où Suzanne était occupée à peindre.

Des souvenirs d'une douceur de nid lui firent chavirer le cœur. Il se dit qu'il faudrait bien que lui, l'enfant prodigue, qui avait rompu avec les lois et trompé la confiance de la tribu, revienne en son sein, repentant. Il prendrait dans ses bras sa mère et sa grand-mère, donnerait le baiser de paix à André et tous les quatre commenceraient une nouvelle existence rayonnante de bonheur paisible. C'est le tableau biblique que dressait pour lui, lorsque Maurice allait lui rendre visite, l'abbé Jean. Il retrouverait la place qu'il n'eût jamais dû quitter et joignait ses mains pour une prière jaculatoire à Dieu et à la famille.

Renonçant à satisfaire ce premier élan, il passa son chemin en direction de la place Saint-Pierre, évita le bar-tabac où il venait de reconnaître le père Deleschamp en train de vider une chopine avec Sagot, afin de n'être pas tenté de les rejoindre.

Il songea soudain qu'à cette heure l'église devait être encore ouverte et qu'il pourrait y rencontrer l'abbé Jean. La lumière des vitraux semblait lui faire signe.

André posa son chapeau sur la table et rejeta son veston en arrière en le tenant par les revers, ce qui traduisait chez lui anxiété ou colère.

— Il est enfin revenu, dit-il. Qu'est-ce qu'il te voulait ?

— De qui veux-tu parler ? demanda Suzanne.

— De ton fils, évidemment ! Je l'ai vu sortir de la cour avec ses cartons. Il voulait de l'argent ?

Elle eut du mal à lui faire comprendre qu'elle ne l'avait pas vu et lui reprocha de n'avoir pas cherché à le rattraper. Il eut un mouvement de lassitude.

— Il reviendra de lui-même, dit-il, quand il sera à bout de ressources. L'ennui, c'est qu'il continue à distribuer ses toiles comme des prospectus !

Au printemps dernier, dans une salle des ventes, une vue de Notre-Dame avait coté quatre cents francs, mais ensuite la cote avait baissé, jusqu'à soixante francs pour une *Église de Montigny*.

André avait d'autres motifs d'inquiétude : la guerre s'installait dans les Balkans, au terme d'un imbroglio où se brouillaient les responsabilités entre l'Autriche-Hongrie, la Serbie, la Russie, la Roumanie et la Turquie. Ça tiraillait en tous sens et il était à craindre que des obus ne vinssent s'écraser à l'ouest de l'Europe.

Ses craintes se confirmèrent avec l'assassinat, en Serbie, à Sarajevo, au mois de juin, de l'archiduc François-Ferdinand et de son épouse morganatique, la duchesse de Hohenberg. Excellent prétexte pour l'Autriche-Hongrie de déclarer la guerre à la Serbie et pour la Russie, alliée à cette petite nation, d'envoyer un ultimatum à Vienne.

— Le tsar, dit André, vient de mobiliser ses troupes. La guerre n'est pas loin. C'est dire que j'ai des inquiétudes pour les titres de l'emprunt. Nous risquons de ne jamais en voir les intérêts.

Il dîna de mauvaise humeur, refusa le dessert et déclara qu'il allait se coucher.

— Je vais avoir besoin de toi, lui dit Suzanne, pour une petite heure de pose.

— Je suis fatigué et je n'ai pas que ça à faire. Au lieu de m'embêter, trouve-toi un autre modèle masculin.

— Ça ne peut être que toi, tu le sais.

Suzanne travaillait depuis plus d'un mois sur une œuvre de dimensions importantes : *Le Lancement du filet*. Elle avait décidé de procéder à la manière du cinématographe, en décomposant la scène en trois images : celles d'un lanceur de filet qu'elle avait observé en Bretagne. Pour donner plus de véracité à sa toile elle avait acheté un véritable filet qu'André s'était attaché à manier correctement. Les trois esquisses le montraient nu. Pour celle qui occupait la partie droite, Suzanne devait préciser l'équilibre des jambes sur le rocher.

André se dévêtit de mauvaise grâce, prit la pose.

— Ton bras droit bien tendu, à l'horizontale, légèrement crispé. Le gauche replié mais sur la même ligne. Enroule plusieurs fois la corde autour de ton poignet et regarde la rivière, pas moi !

Comme elle le sentait angoissé par les événements dont il venait de lui parler, elle lui proposa de partager son lit. Ils parlèrent longtemps avant de faire l'amour. Elle avait confiance en l'avenir : les hommes n'étaient pas assez fous pour déclencher un conflit qui embraserait l'Europe.

— Ils ne sont pas fous, dit-il, mais irresponsables. Ils considèrent la guerre comme un événement inéluctable. Il y en a toujours eu ; il y en aura toujours. Telle est leur logique. Et, comme les fabricants de canons poussent à la roue pour écouler leurs stocks, un conflit me semble inévitable. Il y aura une mobilisation générale en France et, pour nous, tu sais ce que ça signifie...

— Tu as été exempté, il y a sept ans.

— Cette fois-ci, ils n'y regarderont pas de si près...

Passé l'office du soir, Maurice trouva l'abbé Jean occupé avec le bedeau et une bigote à préparer le décor de la messe dominicale.

— Tiens ! dit le prêtre, revoilà notre néophyte.

— Il faut me pardonner, dit Maurice. Du travail... des ennuis... Puis-je vous parler ?

Maurice lui confia qu'il était toujours tenté par le diable, que son vice s'accrochait à sa chair comme un chancre, qu'il ne savait plus que faire.

— Je ne vois que deux solutions, lui dit le prêtre : l'internement en maison de santé et la prière. Priez-vous ?

— Ben... Euh... Ça m'arrive. Rarement à vrai dire.

— Max m'a raconté que vous vous êtes évadé de Sannois. Il faut y revenir. Vous pourrez vous confier à l'abbé qui dessert la chapelle. C'est un ami.

— S'il n'y avait que ça, mon père...

Maurice lui raconta son séjour chez Marie Vizier, son éviction brutale, la brouille avec sa famille, l'écrasante sensation d'abandon qu'il éprouvait, la tentation qui l'obsédait de mettre fin à ses jours.

— En tant qu'homme, je ne vaux rien. En tant qu'artiste, pas grand-chose. Qui me regretterait ?

— Ça n'arrangerait rien ! Vous vous retrouveriez en enfer avec tous vos vices sur les reins.

— L'enfer, je le connais, dit Maurice. J'y vis depuis longtemps.

Hébergé pour la nuit par l'abbé Jean, Maurice quitta le presbytère à l'heure du laitier pour ne pas importuner son hôte. Son carton sous le bras, il alla rôder dans les parages du Sacré-Cœur, prit son petit déjeuner à l'Abri Saint-Joseph où une œuvre caritative prenait en charge les nécessiteux. On lui servit un chocolat et une tartine. La provende lui parut-elle insuffisante ou l'attitude des bigotes de service hostile ? Pris d'un accès de fureur qui ne devait rien à l'alcool, il s'en prit à une serveuse, l'injuria, renversa les tables, jeta dehors les panières de pains. Seuls les policiers parvinrent à le maîtriser.

Cette fois-ci au moins on savait où trouver Maurice : la famille avait été prévenue. André déclara qu'il finirait chez les fous ; Suzanne protestait qu'il s'agissait d'une crise de délirium et que, plutôt que de savoir son fils chez les fous, elle eût préféré...

Elle n'en dit pas plus. André ajouta :

— Nous ne pourrons pas demander à Louis Libaude de payer les frais d'internement. Il nous renverrait aux termes de notre accord. Souviens-toi : il faisait toutes réserves pour le cas où Maurice, à la suite de sa dernière cure, échapperait à ta tutelle.

Les relations avec ce marchand patient mais retors, qui avait fait d'excellentes affaires avec Utrillo, devenaient précaires : il avait dû quitter Paris afin d'aller soigner sa fille en traitement à Berck pour une tuberculose osseuse.

Triste... Le petit monde des marchands montmartrois se dépeuplait. Après Eugène Soulié, Clovis Sagot venait de passer l'arme à gauche, victime d'une cirrhose. La veuve avait bradé son fonds de commerce : des Picasso, des Braque, des Van Dongen, des Juan Gris, des Utrillo, des liasses de dessins, à bas prix. Résultat : un effondrement des cours.

Montmartre connut les prémices de la guerre sans qu'on eût à regretter une victime.

Farceur invétéré, Francisque Poulbot, dessinateur humoristique, qui avait fait fortune grâce à ses dessins publiés par *L'Assiette au beurre*, *Le Rire* et quelques autres gazettes illustrées, avait organisé comme chaque année un divertissement guerrier de grand style. Il avait procédé à la mobilisation générale de ses amis et connaissances, les avait revêtus d'uniformes militaires de location, les avait armés de vieilles pétoires datant de la Révolution et de cartouches à blanc, avait fourni à ses grenadiers des pétards et des fusées de feu d'artifice.

Au matin d'une nuit de beuverie patriotique et guerrière où les chansons de corps de garde avaient alterné avec des hymnes belliqueux, il avait lancé ses troupes à l'assaut du Moulin de la Galette dans un concert de hurlements, de détonations et de musique militaire.

Panique générale sur la Butte. Les indigènes quittaient leur domicile en hurlant :

— Les Prussiens sont de retour ! Ils attaquent !

Personne n'avait oublié les événements de la guerre de 70 et de la Commune.

La cloche de la chapelle desservie par le père Georges scandait paisiblement les heures calmes du bel été francilien. Les journées s'effilochaient sans heurts, comme de la laine de mouton dans les arbres du parc. Maurice passait l'essentiel de son temps en promenades dans les allées, en compagnie des pensionnaires et des infirmiers, le reste à peindre et à lire, notamment des poèmes de Verlaine qu'il apprenait par cœur. Le docteur Revertégat lui avait confié le recueil de *Sagesse* en lui disant :

— Vous trouverez dans ce livre des affinités avec votre situation, ainsi qu'un apaisement. Gardez-vous de montrer cet ouvrage au père Georges : Verlaine, pour lui, c'est le diable qui préférait l'odeur de la « verte » à celle de l'encens. Verlaine a écrit ces poèmes au cours d'un internement à la prison de Mons, à la suite de la blessure infligée à son ami Rimbaud. Vous n'êtes pas dans une prison, vous, Utrillo...

> *Le ciel est, par-dessus le toit,*
> *Si bleu, si calme !*
> *Un arbre, par-dessus le toit,*
> *Berce sa palme...*

Maurice ne se lassait pas de lire, de relire, de se réciter les vers du « pauvre Lélian » et parfois, dans son sommeil, ces vers lui tournaient dans la tête. Ils lui faisaient l'effet d'un dictame et lui procuraient plus de bien-être que les remèdes. Il imaginait le poète à la fenêtre de sa cellule, regardant les pluies tomber interminablement sur les grisailles du Nord :

> *Il pleure dans mon cœur*
> *Comme il pleut sur la ville...*

Le docteur Revertégat avait fait d'Utrillo son pensionnaire favori. Il lui avait pardonné son évasion et ne restait pas une journée sans prendre de ses nouvelles ou lui rendre visite. Ce gros homme au visage de lémurien l'avait pris en affection et l'encourageait à peindre et à dessiner.

— Quelle différence, lui disait-il, avec ce que vous peigniez naguère à Montmartre ! Vos toiles sont plus soignées. La pâte est à la fois plus dense, plus souple, plus travaillée. Et tout ça avec une palette très limitée...

— Une leçon de ma mère : pour elle, cinq couleurs suffisent.

Proche de la fin de son internement, il n'avait pas l'idée de prendre la clé des champs. Sa liberté, il la trouvait dans ses promenades et dans son travail. L'essentiel de la sérénité où il baignait lui venait surtout de la contemplation des arbres : il pouvait passer des heures à regarder des nuées d'oiseaux faire la fête dans leurs ramures. Le père Georges lui disait :

— Chacune de vos toiles, mon fils, est un hommage adressé au Créateur à travers sa création.

Il lui proposa de peindre un chemin de croix pour sa chapelle. Maurice s'y essaya puis renonça : les scènes de genre n'étaient pas son fort. D'ailleurs il évitait de peindre des personnages ; on voyait évoluer ici et là des silhouettes vues de dos, comme s'il craignait d'affronter leur regard ; ses femmes dotées de croupes volumineuses ressemblaient à des fourmis.

Chaque semaine sa mère lui rapportait de Paris des gâteries, des tubes de couleur et des nouvelles.

C'est par elle qu'il apprit que Jaurès avait été assassiné, que la guerre venait d'éclater et qu'Utter s'était présenté comme engagé volontaire.

— Il s'est décidé il y a quelques jours, dit Suzanne. Les médecins-majors n'ont tenu aucun compte de sa réforme précédente. Bon pour le service ! Il sera cantonné au nord de Villefranche-sur-Saône. Je crains qu'on ne t'appelle sous les armes, toi aussi, mon chéri...

Elle ajouta en triturant son mouchoir :

— Nous allons nous marier. C'est dans l'ordre des choses, tu comprends ?

Maurice s'inclina : il comprenait fort bien.

— Tu vas quitter bientôt cet établissement. Le docteur Revertégat est content de toi. Il estime que tu es guéri. Te sens-tu disposé à reprendre une vie normale ? Tu reviendras à la maison. C'est là qu'est ta place. Dans ta chambre, rien n'a bougé. Tu y retrouveras de quoi peindre.

Maurice demanda des nouvelles de la grand-mère : sa santé s'était dégradée et l'annonce de la guerre l'avait ébranlée : elle disait qu'elle ne voulait plus revivre cela, qu'elle préférait mourir.

— Je crains que ça ne tarde guère, dit Suzanne. Elle a quatre-vingt-cinq ans, tu sais...

Lorsque le bourdon du Sacré-Cœur annonça la déclaration de guerre, Suzanne travaillait à son *Lancement du filet*. Le paysage à la Poussin, traité en tonalités délicates, donnait aux lointains une image de paradis terrestre alors que le monde allait sombrer dans l'enfer. Elle posa sa palette, ses pinceaux, se prit la tête à deux mains et pleura.

Utter sous les armes en compagnie de son ami Edmond Heuzé, Maurice absent, Madeleine alitée depuis une semaine, cette demeure ne donnait plus une impression de vie que par sa présence et celle de Lello ; elle la sentait se refermer sur elle peu à peu, comme pour l'étouffer. La vie était ailleurs, avec ses exaltations scandées par le bourdon qui lui semblait sonner sous son crâne depuis une éternité.

Prise de suffocation, elle sortit en cheveux, dans sa blouse d'atelier maculée de peinture. Sur le pas des portes, les femmes interrogeaient le ciel, comme si des zeppelins ou des *Tauben* allaient surgir ; elles faisaient quelques pas dans la rue, rentraient, scrutaient l'horizon de leurs fenêtres. Des murmures de voix inquiètes montaient des places, s'amplifiaient au fur et à mesure que Suzanne approchait de la place du Tertre où des passants s'agglutinaient autour du tambour de ville. Des enfants pleuraient dans les bras de leurs mères.

— On les aura ! criaient des patriotes. Ils tiendront pas trois mois !

— Ils ont eu Jaurès, nous aurons Guillaume !

— À Berlin ! Vive la France !

Elle descendit la rue Lepic en direction des boulevards. On faisait queue devant les magasins d'alimentation, les femmes étant persuadées que la guerre allait amener des restrictions.

La rumeur s'amplifiait à l'approche des boulevards : roulements de tambour, chants patriotiques, sonneries de clairon. Des femmes pleuraient en silence et résistaient aux mains qui voulaient les entraîner dans ce délire.

C'était bien d'un délire qu'il s'agissait : une manière de 14 Juillet qui aurait pris les accents d'une réjouissance guerrière. Les bus pavoisés transportaient sur l'impériale des groupes qui entonnaient *La Marseillaise* et *Le Chant du départ*. Des voitures passaient en trombe, surchargées de passagers brandissant des drapeaux. Des artilleurs qui passaient par là en groupes joyeux furent fêtés comme des héros, entraînés au bistrot, abreuvés de vin et d'alcool.

Parvenue place Pigalle, Suzanne s'apprêtait à rentrer à son domicile quand elle aperçut une silhouette familière :

celle d'Edgar Degas, assis à la terrasse d'un café, devant un verre de lait. Elle s'assit près de lui, prit sa main. Il sursauta.

— Qui êtes-vous ? Que me voulez-vous ?

— Je suis Maria, maître, rassurez-vous. Pourquoi ne rentrez-vous pas ? On dirait que ces gens sont devenus fous.

— Je ne comprends pas ce qui se passe. Quelle est cette fête qu'on célèbre ?

Non seulement il était quasiment aveugle mais il devenait sourd. Aveugle et sourd dans une vie qu'il avait rendue désertique par son mauvais caractère. Ludovic Halévy, israélite et dreyfusard, Pissarro, anarchiste, Mary Cassatt trop susceptible, avaient disparu de son horizon. Zoé était allée mourir dans sa province, faisant place à des domestiques inhabiles à servir ce vieil infirme coléreux. Il n'avait conservé de relations qu'avec Paul Bartholomé, le peintre espagnol Zuloaga y Zabaleta, Georges Rouault, Marc Chagall et un acteur et auteur dramatique, Sacha Guitry.

— Comment pouvez-vous l'ignorer, maître ? C'est la guerre. Tout Paris est en ébullition. À deux pas d'ici on vient d'envoyer des pavés dans une vitrine qui exposait des produits d'Allemagne.

Il se mit à bouger nerveusement sur son siège en frappant le sol du bout de sa canne.

— La guerre ? Ainsi nous sommes en guerre, nom de Dieu ! La vie va devenir encore plus difficile. Ma pauvre Maria, je crois que l'humanité devient folle. Je crois que j'aurais dû faire comme Mary Cassatt : foutre le camp !

Mary Cassatt... Ils s'étaient de nouveau chamaillés au sujet d'un portrait qu'il avait fait de sa vieille amie ; il lui plaisait si peu qu'elle l'avait vendu à Durand-Ruel. Installée à Grasse, non loin de chez Renoir, elle était devenue elle-même aveugle et avait renoncé à peindre. Suzanne désespérait de jamais connaître la nature exacte de leurs rapports : ils étaient intimes sans que personne pût savoir où s'arrêtait cette intimité.

Elle le raccompagna chez lui en le tenant par le bras ; les passants se retournaient sur le couple étrange que formaient cette femme en cheveux, revêtue d'une blouse de peintre, et cette sorte de Mathusalem. Il s'arrêtait pour soupirer de cette voix geignarde qu'elle détestait : « Il vaudrait mieux que je sois mort... À mon âge, voir une nouvelle guerre... Si seulement je pouvais travailler... »

Rien n'avait bougé dans l'atelier où les deux petites servantes n'avaient pas le droit de pénétrer sans son autorisation : c'était le même entassement désordonné encombrant toute la superficie de la pièce, avec des circuits vermiculaires pour accéder à divers points.

— Restez encore un peu, dit-il, et ouvrez cette fenêtre. On crève de chaleur dans cette turne ! Parlez-moi de vous. Ah ! terrible Maria, si vous saviez comme vous me manquez...

Suzanne arpentait son atelier de long en large, cognant du poing au passage contre les meubles et le mur.

— Jamais je n'aurais dû céder ! s'écriait-elle. Jamais ! Où est-il maintenant et que fait-il ?

Ce que faisait Maurice, elle en avait pourtant une petite idée : il était en train de courir les comptoirs en compagnie de Max Jacob devenu son rabatteur pour un marchand nommé Guillaume, qui, pour spéculer, recherchait des Utrillo. Ils ne se quittaient pour ainsi dire plus : on les rencontrait à Saint-Pierre, au Sacré-Cœur, dans les bistrots ou sur un banc de square en train de pique-niquer, des bouteilles à leurs pieds.

Retour de Sannois, Maurice était resté tranquille quelques jours, attentif à l'état de santé de sa grand-mère, aidant sa mère aux soins du ménage, passant des heures, la nuit surtout, à son chevalet. Détendu, sobre, affectueux...

Comme Suzanne se plaignait de ne plus recevoir la visite des collectionneurs et des marchands, la mobilisation ayant dépeuplé leurs rangs, Maurice se proposa pour aller lui-même prospecter la clientèle. Il avait amassé une quantité importante de toiles et Suzanne avait elle-même brossé quelques natures mortes, des portraits et des bouquets.

— Inutile ! avait-elle répondu. La guerre terminée, ils reviendront d'eux-mêmes. Ça ne tardera guère : d'ici quelques mois nos poilus seront à Berlin.

— J'ai besoin de prendre l'air, dit-il. Si je reste enfermé dans cette maison j'en crèverai ou je deviendrai fou.

— Tu peux te promener dans le jardin, t'y installer pour peindre. L'air y est meilleur que dans les bistrots.

— Il faut que je me procure des cartes postales.

— Je t'en rapporterai du bureau de tabac. D'ailleurs, c'est une manie : tu peux très bien faire sans ça.

Un matin qu'il peignait sous le tilleul la voix de Max l'interpella.

— On ne te voit plus, Maurice ! Où étais-tu passé ?

En l'absence de Suzanne partie promener Lello, ils se rendirent au Bouscarat pour boire une absinthe, puis ils finirent la soirée par une prière commune à Saint-Pierre. Max lui parla de ce marchand, Guillaume, qui l'avait chargé de faire la tournée des bistrots pour en ramener des Utrillo.

Un soir où il s'attarda, Suzanne lui demanda d'un air sévère d'où il venait. Il était allé livrer quelques toiles à Guillaume. Il n'avait pas bu plus que de raison, et même il avait fait quelques emplettes de denrées devenues rares : du café, du sucre, des conserves... Il y ajouta quelques billets. Elle rafla le tout.

— Je ne tolérerai plus ces escapades, dit-elle. Je sais comment elles risquent de se terminer. Tu étais sans doute avec ton ami Max. Il me déplaît que tu fréquentes ce drogué.

— Il a du talent et c'est une vieille connaissance.

Il avait passé avec Max une partie de la journée dans le quartier de la rue du Mont-Cenis. La Belle Gabrielle avait fermé ses volets, l'essentiel de sa clientèle étant sous les drapeaux, et Marie avait regagné son Périgord. En revanche Le Casse-Croûte était resté ouvert malgré la crise. Cette gargote se situait à l'angle de la rue Paul-Féval ; c'était un bouchon de piètre apparence, aux murs constellés de toiles d'Utrillo et de quelques autres artistes nécessiteux, dont le patron, César Gay, faisait un discret commerce.

— Et revoilà notre Maurice ! s'écria le père Gay. Tu as une mine superbe, et toi de même, Max. Mes amis, les retrouvailles, ça s'arrose !

Il déboucha une bouteille de derrière les fagots et glissa à l'oreille de Maurice :

— Si tu te trouves dans l'embarras, dis-toi que le tonton César est toujours là. Faudra qu'on parle sérieusement tous les deux.

Le Casse-Croûte n'avait rien d'un assommoir. Désuet, dépourvu de toute superfluité, il présentait un aspect rassurant. Dans l'immeuble locatif dont le bistrot occupait le rez-de-chaussée, il hébergeait deux artistes renommés : le dessinateur Jules Depaquit et le peintre d'histoire Tiret-Bognet, deux joyeux lascars qui avaient échappé à la mobilisation.

Jouant les intermédiaires, Max proposa quelques toiles d'Utrillo. César Gay en acheta trois, payées recta, avec une autre tournée. Max proposerait les autres à Guillaume. Le patron déboucha une autre bouteille de mousseux.

— Mes amis, encore une autre que les Boches n'auront pas ! Restez dîner. Il y a du cassoulet de midi.

Max dit à l'oreille de Maurice :

— Ce vieux salaud peut bien se fendre d'un dîner. Il a fait une bonne affaire. Il revendra ces toiles dans quelque temps le double de ce qu'il les a payées.

Jules Depaquit arriva assez tôt pour mettre les pieds sous la table.

Maurice avait rencontré à diverses reprises cette grande bringue longiligne et mollassonne, au visage maussade sous la casquette en peau de lapin. Il avait une manie : celle de suivre tous les enterrements, en pantoufles, lorsque le temps le permettait. Quand on lui demandait s'il ne trouvait pas à la longue ce passe-temps monotone, il répondait que non, puisque ce n'étaient jamais les mêmes qu'on portait en terre. Il pénétrait dans les bistrots en rasant les murs comme un adolescent aux portes d'un bordel, choisissait le coin le plus éloigné de l'entrée.

Ce soir-là, Depaquit avait son compte. Alors qu'on en était au fromage il monta sur sa chaise et se mit à entonner d'une voix de basse des chants patriotiques.

— Les Boches l'ont dans le cul ! s'écria-t-il.

— Dans le cul... répéta Maurice.

— On ira baiser leurs Gretchen à Berlin !

— À Berlin, oui...

Après une ingestion d'éther, Max somnolait, un sourire béat aux lèvres, le gilet gonflé de cassoulet.

— Faut célébrer la victoire ! ajouta l'ivrogne.

— C'est ce que nous venons de faire, mon gars, lui rappela César. Que veux-tu que nous fassions de plus ?

— Organiser un défilé. Où sont tes drapeaux ?

Depaquit ouvrit la porte donnant sur l'escalier intérieur et lança :

— Tiret-Bognet, descends de suite ! On va célébrer la victoire de la Marne !

On vit apparaître, l'air parfaitement ahuri, la silhouette falote du peintre d'histoire, en robe de chambre et en pantoufles.

— Faudrait peut-être que je remonte m'habiller, dit-il.

— Inutile ! Cette robe de chambre te donne l'allure d'un cosaque. Apporte ta carabine.

Manquait le troisième larron de la bande à César : Georges Delaw, un illustrateur qui se disait pompeusement « Imagier de la Reine », sans préciser de quelle reine il s'agissait. Il demeurait à deux pas, rue du Mont-Cenis, et rappliqua quelques minutes plus tard.

— Un défilé ? dit-il. Vous êtes devenus fous ? Vous le ferez sans moi ! Je ne tiens pas à passer la nuit au poste !

— Il ferait beau voir qu'on emprisonne des patriotes ! s'écria Maurice.

Depaquit monta chercher dans le grenier un tambour datant de la Révolution, mobilisa quelques soiffards qui achevaient une partie de manille en leur promettant une tournée. Il s'écria :

— Debout les morts ! La victoire est à nous ! *Allons, z'enfants de la Patri-i-eu...*

César en tête, battant du tambour, un vieux képi d'ordonnance sur le crâne, le cortège se mit en route. Par la rue Saint-Vincent puis la rue des Saules, il se dirigea vers la place du Tertre en jouant ici et là, devant les terrasses des bistrots, des sérénades endiablées. Des gens se montraient aux fenêtres ou sortaient sur le pas des portes, certains se mêlant au défilé, attirés par la perspective d'une tournée générale.

En passant rue Cortot, Maurice sollicita et obtint une halte devant sa demeure. Roulement de tambour, *Marseillaise...* La silhouette de Suzanne se montra en chemise de nuit, à la fenêtre donnant sur la cour.

— C'est ma mère ! cria Maurice en brandissant son drapeau. Maman, nous avons gagné la guerre !

Une ronde de pèlerines à bicyclette fit se disperser les patriotes les moins ardents ou les plus méfiants. Les irréductibles furent conduits au poste de police. César, tant bien que mal, en tant qu'ancien de la maison, arrangea les choses. On avait occasionné un tapage nocturne, soit, mais c'était pour relever le moral de la population.

Le brigadier de service les libéra, sauf Maurice : il l'avait surpris en train de pisser dans le porte-parapluies.

La colère de Suzanne, le lendemain...

— Je ne veux plus de toi dans ma maison. Puisque tu te plais tant avec tes amis, reste avec eux !

— Je me suis laissé entraîner. Et puis nous n'avons rien fait de mal. Je regrette...

— Trop tard ! D'ailleurs je dois m'absenter pour quelques jours. André a été blessé. Il est en traitement dans l'Isère. Une voisine s'occupera de ta grand-mère. À propos, ça rimait à quoi, ce charivari ? Je t'ai reconnu, tu sais ! Vous vous amusez alors que nos soldats se font tuer sur la Marne ! Où as-tu passé la nuit ?

— Au poste de police.

— Ils auraient dû te garder plus longtemps. J'ai préparé ta valise. Nous nous reverrons à mon retour. Peut-être...

À Mézieux, à une trentaine de kilomètres de Lyon, avaient été regroupés des contingents de blessés et de mutilés. Pour Suzanne, le voyage fut long et épuisant : trains rares, encombrés, inconfortables, horaires improbables... Elle trouva André hâve, dépenaillé, hirsute, au fond d'un dortoir de collège.

— Une balle dans la cuisse, dit-il. On n'en meurt pas, mais je suis réformé à titre définitif. Heuzé lui aussi a été réformé, en raison d'une vieille blessure qu'il s'est faite en dansant au Moulin-Rouge. Parfois, quand je pense à l'ambiance de l'arrière, je me dis que j'aurais préféré rester sur le front avec les copains.

Il pestait contre le gouvernement qui avait caché à la population les défaites ayant marqué le début des hostilités, ces retraites successives, cette honte qui s'attachait à des chefs incapables que Joffre avait renvoyés dans leurs foyers.

— Si tu peux rester quelques jours de plus, dit-il, je rentrerai avec toi...

14

L'ESCLAVE

Le local n'avait rien d'un cabinet particulier : une pièce étroite, en rez-de-chaussée, voisine de la salle de café. On vida cette resserre à marchandises, on la nettoya de sa poussière et de ses toiles d'araignée. On y installa Maurice Utrillo.

— Entendons-nous bien, lui dit César Gay : tu auras le gîte et le couvert assurés, mais donnant, donnant : tu vas te remettre à peindre sous ma surveillance. Je ne veux plus te voir gaspiller ton talent dans les bistrots !

— Si je comprends bien, répliqua Maurice, je suis au pain sec et à l'eau !

— Je ne suis pas un garde-chiourme ! Tu auras ta ration de pinard puisque ça t'est indispensable pour travailler, mais pas plus de deux litres par jour et trois si tu fais du bon travail.

Maurice se remit à la tâche sans enthousiasme. César lui fournissait le nécessaire, sans oublier un lot de cartes postales. Le peintre prenait ses repas en famille. Comme César était bon cuisinier il s'étoffa et reprit des couleurs.

Deux litres, c'était la portion congrue : il en réclama un troisième que César lui refusa. Qu'à cela ne tienne ! Il trouva un subterfuge : par la fenêtre grillagée, il guettait le passage des gamins dont certains s'arrêtaient pour le voir à son chevalet. Il les envoyait chercher une bouteille ou deux à l'épicerie voisine. Parfois du rhum. Il leur laissait la monnaie.

— C'est curieux, lui disait César, avec seulement deux litres tu es ivre. Comment expliques-tu ce mystère, mon garçon ?

Maurice se garda bien de l'expliquer.

Un dimanche où César avait baissé son rideau, condamné la porte de la cave et celle de la salle de café, Maurice, ayant séché ses deux litres, se sentit une soif persistante. Il grimpa à l'étage où César avait son logement, fouilla armoire et placards, ne trouva qu'un flacon d'eau de Cologne qu'il vida à moitié, ce qui le propulsa au septième ciel.

Interrogé au retour de César sur cet étrange phénomène d'évaporation, Maurice fit le mort. On en resta là.

— Je trouve, lui dit César, que tu peins de moins en moins bien. Ce Sacré-Cœur que tu viens de terminer, c'est du caca ! Je me suis montré trop généreux avec toi. Désormais, ce sera un litre.

— Vieux grigou ! Esclavagiste ! glapit Maurice. Je vais faire grève ! Si tu crois que je suis pas au courant de ton trafic... Combien tu les vends, mes toiles, hein ? Combien ?

— Calme-toi, mon petit ! Tu n'es pas bien chez tonton César ? On est aux petits soins pour toi. Tu devrais m'en être reconnaissant !

— Reconnaissant à un garde-chiourme ? Jamais !

Maurice foula aux pieds la peinture qu'il avait commencée, brisa ses pinceaux, les jeta par la fenêtre.

— Ne te fâche pas, mon petit, gémit César. Si c'est du vin qu'il te faut, tu en auras tant que tu voudras, mais gare ! J'exige de la qualité. Si tu continues, personne ne voudra de ta peinture.

L'incarcération volontaire cessa le jour où Maurice reçut sa feuille de mobilisation. Il la tourna, et la retourna, la lut et la relut comme s'il s'agissait d'une erreur du ministère.

— Tu te plaignais de vivre comme un planqué, lui dit Max. Voilà l'occasion de montrer que tu es un patriote.

Maurice partit pour le dépôt d'Argentan dans les mêmes dispositions d'esprit qu'un condamné marchant à l'échafaud. Il fut exempté pour « maladie nerveuse », avec une mention en marge de la fiche de révision : *Fils d'Espagnol.*

Son retour chez le père Gay fut fêté comme si Maurice revenait avec sur l'épaule la colombe de la paix. En fait il ne ramenait qu'une cuite carabinée.

— Ces fumiers ! s'écria-t-il. Ils voulaient me faire passer pour fou. Fou, moi !

— Tu n'es pas fou, non ! dit le tonton Gay avec des larmes dans la voix. Toi, le meilleur peintre français du moment !

On fêta ce retour par des agapes généreuses auxquelles César associa quelques vieilles bouteilles. Le lendemain il laissa Maurice dormir tout son soûl mais, à l'heure de la soupe, il lui dit :

— Fini de plaisanter ! Tu dois montrer que la France en guerre n'a pas cessé d'être la terre des arts. Tu vas me torcher trois toiles par jour et tu auras autant de pinard que tu pourras en boire. Tiens : tu devrais peindre la cathédrale de Reims en flammes. J'ai découpé l'image dans *Le Petit Journal.* Ces sujets-là, ça se vend comme des petits pains.

— La cathédrale de Reims..., bredouilla Maurice. Les Boches ont bombardé la cathédrale de Reims ? Ces barbares, ces salauds !

— Ton œuvre, ajouta Max, témoignera aux yeux du monde du vandalisme de l'ennemi.

Soudain inspiré, persuadé qu'il était investi d'une mission humanitaire, Maurice décida de se mettre au travail sur-le-champ. On lui fit comprendre que l'heure était tardive et qu'il y verrait plus clair, le lendemain, à jeun. Il ne voulut pas en démordre.

Alors qu'il se levait de table en emportant une bouteille de secours pour la nuit, il sursauta.

— Qu'est-ce qu'on entend ? dit-il. Pourquoi ces coups de feu ?

Les convives s'esclaffèrent : c'était le peintre d'histoire, Tiret-Bognet, qui, de sa fenêtre du troisième, tirait avec sa carabine pour effrayer les passants.

Une main le secoua dans son sommeil. La voix de César lui dit :

— Il faut te lever, Maurice : ta grand-mère vient de passer. Utter a demandé qu'on te prévienne.

Maurice sentit le monde chavirer, un vide se creuser autour de lui. Madeleine, morte... Il se répétait cette litanie sur le chemin de la rue Cortot. Pour lui, la grand-mère ne pouvait pas mourir. Depuis sa naissance, sa véritable mère, ç'avait été elle. Secoué de sanglots, il se dit qu'il ne verrait plus sa silhouette lente et grise, sa chevelure poivre et sel, la pèlerine qui lui couvrait les épaules en toutes saisons. Omniprésente, elle avait veillé sur lui, attentive à sa santé, gémissant lorsqu'il ramenait de mauvaises notes, qu'il revenait avec des vêtements sales et déchirés, ivre de colère ou de vin. Elle était de ces êtres dont la présence n'apparaît indispensable que lorsqu'ils disparaissent.

Ni Suzanne ni Utter ne se dérangèrent lorsqu'il se présenta. Il se pencha vers le lit mortuaire, embrassa le front d'une froideur de marbre, dont les rides semblaient s'être assouplies, s'émut du regard vitreux filtrant des paupières mi-closes.

— Tu restes avec nous jusqu'à l'enterrement, dit Utter. Après nous parlerons.

Au cimetière de Saint-Ouen, lorsque le cercueil descendit dans la tombe, Suzanne se souvint trop tard du vœu de la défunte : elle souhaitait que l'on mît sur le cercueil une couche de paille pour assourdir le bruit des pelletées de terre...

Aussi brève eût-elle été pour lui, la guerre avait mûri André Utter. Il était revenu conscient de son devoir et de sa capacité d'assumer la subsistance de sa petite famille. Il s'était persuadé de deux évidences : il n'aurait pas d'enfant de

Suzanne qui, d'ailleurs, ne l'avait pas souhaité ; il n'avait donc plus qu'elle pour l'attacher à la vie et à la société, à l'exception de deux sœurs qui demeuraient loin de la capitale.

Il retint Maurice par les basques lorsque, de retour du cimetière, il s'apprêtait à prendre la tangente, dans la crainte d'une explication.

— Ta mère, dit André, va avoir besoin de nous deux. La mort de Madeleine lui a causé beaucoup de chagrin. Elles ont toujours vécu ensemble. Cette pauvre vieille était son ombre, sa réplique. Que comptes-tu faire ? Revenir vivre parmi nous, te montrer raisonnable, ou continuer à mener cette vie de patachon ?

Maurice savait qu'il n'échapperait pas à cette question, mais il préférait que ce fût son beau-père qui la lui posât : avec sa mère il n'eût pas été certain de trouver la fermeté et la détermination nécessaires pour lui résister. Sur le chemin qui le ramenait à Montmartre, il avait eu le temps de préparer une réponse.

— Ma présence auprès de ma mère ne s'impose pas, dit-il, puisque te voilà revenu. À mon tour de te poser une question : vas-tu toi-même te montrer raisonnable et renoncer à ta vie de millionnaire ?

Cette riposte, André ne l'attendait pas. Il se frotta le menton. Maurice allait-il lui échapper une nouvelle fois ? D'autres se chargeraient d'exploiter la poule aux œufs d'or, et il savait qui. Aller trouver l'esclavagiste, faire un esclandre ne servirait qu'à fortifier l'intention de Maurice d'échapper à l'emprise familiale et risquerait de provoquer une rupture définitive. Mieux valait attendre qu'il eût touché le fond de la déchéance et, alors qu'il serait rejeté du cercle de ses faux amis, le ramener dans le giron du couple, l'apprivoiser, le domestiquer...

— Tu fais peu de cas, ajouta André, de l'affection que ta mère te porte, des nuits blanches passées à t'attendre, à pleurer devant son impuissance à te raisonner.

— Ma mère est plus forte que tu ne le penses. Plus forte que toi et que moi. C'est un roc. Tu te trompes si tu crois qu'elle me laisse indifférent. Je l'aime comme un fils doit aimer sa mère, malgré quelques incohérences de ma part.

Surprise d'André : il n'avait jamais vu Maurice aussi calme, résolu, maître de ses propos, comme si la mort de la grand-mère avait détaché de lui les scories l'incitant à un jugement erroné sur sa propre nature. Il fit un pas de clerc.

— Quoi que tu en penses, tu seras toujours le bienvenu dans cette maison. Elle est la tienne.

Maurice avait retrouvé sa cellule du Casse-Croûte dont la porte lui était grande ouverte.

Les premiers temps d'après son retour, subjugué par le vandalisme des Allemands, il avait peint la cathédrale de Reims en proie au sinistre. Cette image l'obsédait, lui arrachait des cris de rage. Il mêlait ses larmes à sa peinture comme Picasso le faisait, ou du moins s'en vantait-il, du caca de bébé. Ce qui sortit de son atelier durant cette période d'affliction était marqué par l'angoisse et la colère. Lui qui s'intéressait si peu aux événements, il feuilletait le supplément du *Petit Journal* pour y découvrir des images de barbarie qui l'exaspéraient et le stimulaient.

Il profita d'un beau jour d'été pour sortir de sa coquille. César lui demanda où il allait.

— Me balader, répondit-il. Besoin de respirer. Je vais aller faire quelques promenades en banlieue. J'ai besoin d'argent. Cinquante francs, ça devrait aller.

— Tu donneras des nouvelles, mon petit. Si tu es en difficulté, sache que tonton César est toujours là.

Dans les jours qui suivirent cette fugue, il adressa à tonton César des cartes postales avec quelques mots destinés à le rassurer : *Pas soûl... Tout va pour le mieux... Bu un seul rhum aujourd'hui... Sage comme une image...*

Il ne travaillait pas ; il se promenait, prenait plaisir à bavarder avec des gens de rencontre, qui se demandaient ce que cet énergumène bavard et gesticulant leur voulait. Il finit par se rendre suspect à la gendarmerie car, moins sobre qu'il l'affirmait dans son courrier, il semait ici et là de menus scandales. En revanche, à la suite du saccage d'un cabaret à Aubervilliers, il avait été appréhendé et gardé à l'ombre deux jours durant.

Le Lancement du filet avait fait sensation au Salon des Indépendants.

La critique avait enfin découvert en Suzanne Valadon une femme peintre qui, par la puissance et la virilité de ses toiles, changeait des nymphettes sclérosées de Marie Laurencin dont la rupture avec Apollinaire, parti pour la guerre, alimentait les ragots.

Francis Carco revenait de plus en plus fréquemment rendre visite à celle qu'il considérait à la fois comme un grand peintre et comme une amie ; il lui apportait des livres, des coupures de journaux, parfois des nouvelles de son fils qu'il rencontrait chez César Gay.

André avait reproché à son épouse de ne pas peindre ce qu'elle avait sous les yeux : la maison, le jardin, la vue sur le Sacré-Cœur et sur Paris.

— Nous avons la chance, lui dit-il, de vivre dans un lieu exceptionnel et tu sembles t'en désintéresser. Les toiles que tu as rapportées de Corse montraient tes dons pour le paysage et ont trouvé facilement des acquéreurs. Alors, pourquoi cette indifférence pour ceux que tu as sous les yeux ?

Aux paysages, elle préférait les femmes nues. Les modèles se succédaient dans son atelier : des amies, des relations de Clotilde, des professionnelles. Pourtant elle ne pouvait nier avoir connu de grandes joies à peindre, en Corse, à l'ombre des oliviers et des châtaigniers.

Elle se décida enfin à suivre l'avis d'André. Elle brossa des vues de la longue maison émergeant de l'exubérance d'un jardin qui lui rappelait certains coins sauvages du Maquis d'avant sa désertification. Elle peignit l'arrière, avec son allée en pente, son escalier à demi enfoui sous la végétation. Campée à la fenêtre de son « grenier », elle exécuta une vue de l'énorme coupole byzantine du Sacré-Cœur, d'un blanc de craie, émergeant d'une tempête de toitures. André était sous le charme.

— Excellent ! s'écriait-il. Cette toile fera grand effet à la galerie de Berthe Weill.

Après le succès de Suzanne aux Indépendants, l'exposition chez la « petite mère Weill » (la « petite merveille », précisait Derain) connut un triomphe.

L'argent affluait et André avait réfléchi à la manière de le dépenser. Durant sa convalescence à Meyzieu il avait, en compagnie de Suzanne, visité les environs. Elle avait rapporté de ces excursions quelques toiles et André une idée.

— Ce château que nous avons visité, à Saint-Bernard, au bord de la Saône, est à vendre. Si nous l'achetions ?

— Mais c'est un tas de pierres. Il est inhabitable !

— C'est vrai, mais nous l'aurions pour une bouchée de pain et nous pourrions le restaurer, en partie du moins.

Elle se dit que ce jeune fou revenait à ses ambitions passées : un hôtel avenue Junot, une villa dans le Midi, une voiture, et aujourd'hui ce château !

— Cesse de rêver ! dit-elle. Tu nous vois menant une vie de châtelains ?

Désappointé, il avait enfermé ce projet dans le coffret aux illusions, sans renoncer tout à fait à l'en ressortir. Suzanne, quant à elle, sentait peu à peu faiblir sa défense. Après tout, Saint-Bernard pourrait être pour la famille un Montmagny bis, une retraite favorable à la création et un lieu de détente. Et puis, ces pierres qui racontaient le passé, cette vue majestueuse sur le fleuve...

On pouvait s'offrir cette fantaisie mais rien ne pressait.

Au début d'août Suzanne reçut une nouvelle de plein fouet : Maurice venait d'être interné de nouveau, cette fois-ci dans l'asile d'aliénés de Villejuif.

— Tu entends, André ? À Villejuif, chez les fous !

Ce qui avait mis, si l'on peut dire, le feu aux poudres, c'est l'émotion que Maurice avait provoquée à Montmartre. Le planqué qu'il prétendait être avait pris les armes : en l'occurrence des pétards dont, un briquet à la main, il menaçait les passants. L'intervention de la police avait mis un terme à cette provocation.

— Eh quoi ! avait-il protesté, c'est pas la grosse Bertha ! On peut bien s'amuser un peu...

Cet amusement d'ivrogne n'était pas du goût du brigadier. On l'avait mis à l'ombre après lui avoir confisqué ses jouets. Pour s'excuser, Maurice avait adressé au procureur de la République une lettre démente, déclarant qu'il était *catholique militant de la France indulgente* et ajoutant en marge : *Une bouteille de vin à 10°*. Il avait signé : *Maurice Utrillo-Valadon*.

Sur sa lancée il avait envoyé à Matisse un billet du même tabac :

Je soussigné, peintre paysagiste, déclare avoir, dans un moment alcoolique, allumé en état d'ivresse manifeste par l'éther, allumé un pétard de 100 grammes à la main, parce que j'étais un peu fou et malade, rue Saint-Vincent. À remettre d'urgence télégramme téléphoné à Monsieur Matisse, artiste peintre. J'adore votre talent de peintre et m'incline devant vos provocations insultantes.

C'était la première fois que Maurice acceptait l'idée d'être « un peu fou », mais sa provocation ne confinait qu'en apparence à la folie. On estima que la panique qu'il avait provoquée relevait de la facétie de carabin et on le relâcha.

Le lendemain, dégrisé, sa décision était prise.

— On n'a pas le droit, s'écria Suzanne de l'interner avec les fous ! Si l'on devait enfermer tous les ivrognes de Paris, il faudrait créer une centaine d'asiles supplémentaires.

— Tu as raison, dit André, mais la vérité c'est qu'il se conduit comme un dément.

— Il faut faire quelque chose : ameuter l'opinion, les autorités !

— L'opinion se moque de ton fils et les autorités ont d'autres chats à fouetter.

— On dirait que tu en prends ton parti et même que ça te soulage de le savoir à Villejuif ! Tu détestes mon fils, avoue-le !

— Et toi, reconnais qu'il fait tout pour se rendre insupportable.

— Il n'en serait pas là s'il avait pu compter sur ton affection et ta compréhension...

— Et s'il avait trouvé auprès de toi un amour sincère. Tu ne lui manifestes quelque intérêt que lorsqu'il lui arrive des tuiles.

Suzanne s'arma d'énergie et de patience pour courir les administrations, remuant ciel et terre. Elle revenait de ces démarches découragée, au bord de la crise de nerfs.

— Il faut que je le voie. Accompagne-moi à Villejuif.

— J'ai autre chose à faire que rendre visite à un aliéné.

Elle partit seule, prit à la porte d'Italie le tramway qui la déposa à l'angle des avenues de Fontainebleau et de la République, dans les parages immédiats de l'asile. Elle dut attendre deux heures avant d'être reçue par le directeur, un nabot barbichu, aux allures militaires qui, ayant feuilleté le dossier de l'interné, lui fit une révélation.

— Madame, c'est votre fils lui-même qui a demandé à être interné. Il n'est pas fou mais il risque de le devenir. Au début de son séjour nous avons dû lui passer la camisole de force. Vous ne pourrez pas le voir, du moins aujourd'hui : il a fait une nouvelle crise et nous l'avons enfermé au pavillon des agités. Quand vous reviendrez, apportez-lui de quoi peindre. S'il pouvait se raccrocher à cette passion, il serait sauvé.

Maurice resta à Villejuif d'août à novembre.

Peu à peu, il avait retrouvé son calme et s'était plié au régime de sobriété qu'on lui imposait. Au fur et à mesure que sa guérison se précisait, il supportait de moins en moins la présence des autres pensionnaires et devait s'isoler pour peindre des images de sérénité : arbres, toitures, pans de mur... La présence de ces fous autour de lui tournait à l'hallucination. Ils le poursuivaient dans les allées pour le regarder peindre, lui volaient ses tubes de couleur dont ils avalaient le contenu avec des mines gourmandes. Il ne trouvait de repos que dans sa cellule.

Le matin de novembre où sa mère vint le chercher, elle le trouva comme transfiguré : son visage avait repris les traits délicats de sa jeunesse, sa démarche de la souplesse et de l'assurance, sa parole toute sa facilité d'élocution. Elle le traita avec infiniment de délicatesse comme un vase rafistolé que le moindre choc eût risqué de mettre de nouveau en miettes.

En dépit de l'opposition d'André, il réintégra sa chambre-atelier et sa place sous le tilleul du jardin où il se réfugiait par beau temps pour peindre le panorama sur le Sacré-Cœur qui le fascinait.

Dès le premier jour Utter avait posé ses conditions.

— Tu peux rester puisque ta mère l'a décidé, mais n'oublie pas que tu es en liberté surveillée. À la première incartade, retour à Villejuif et, cette fois-ci, tu risques de ne plus en sortir !

Maurice baissait la tête comme un enfant menacé d'être puni.

L'accalmie se poursuivit jusqu'aux fêtes de fin d'année. Du fait de l'état d'enlisement de la guerre, elles furent discrètes, d'autant que les restrictions devenaient draconiennes et que l'argent manquait. La vente des toiles de Suzanne et d'Utrillo parvenait difficilement à faire vivre le ménage. On recevait beaucoup de visiteurs amenés par André, mais ils repartaient le plus souvent les mains vides. Suzanne avait entrepris une série de toiles de modestes dimensions faciles à écouler : natures mortes, bouquets et portraits, mais le bénéfice qu'elle en tirait n'était pas à la hauteur de son talent. De même pour les œuvres de son fils, qui encombraient le marché et se négociaient à bas prix dans les bistrots.

Maurice avait apporté à Paris les tableaux sur carton réalisés à l'asile ; ils marquaient la fin de ce que la critique appelait un peu abusivement sa « période blanche ». André put en placer quelques-uns chez un nouveau marchand, Henri Lalloue.

Lorsque Maurice vit arriver dans son atelier le poète Francis Carco, mégot aux lèvres, la mine réjouie, il était d'humeur maussade et l'accueillit sans aménité, en poursuivant son travail au chevalet : il n'aimait pas qu'on le regardât en train de peindre d'après des cartes postales, ce qu'il faisait couramment.

— Encore une toile de la « période blanche », Maurice ?

— La clientèle ne veut que ça. C'est pas une vie. Le bagne ! Ils veulent du blanc ? Je leur en donne. Comme s'il n'y avait que cette couleur, nom de Dieu !

— Tu devrais laisser libre cours à ton talent et à tes goûts, ne pas tenir compte de l'opinion des épiciers.

— Je me ferais engueuler par Utter ! Si je t'écoutais, qui achèterait mes toiles ?

— Moi... Quelques connaisseurs...

— Te vendre une toile, à toi ? Donne-moi un jour ou deux et je t'offrirai un joli paysage, avec de la couleur.

Il reposa sa palette, rejeta son chapeau sur sa nuque.

— Si on allait s'en jeter une ?

— Interdit ! Si Utter ou ta mère apprenaient...

— Utter, je l'emmerde. Quant à ma mère, elle apprendra rien si tu lui dis rien. Et puis je suis libre d'aller me balader quand ça me plaît. Nous ne sommes pas à Cayenne !

Ils se dirigèrent vers Le Bouscarat. En cours de route, Maurice raconta à Carco ses subterfuges destinés à se procurer du vin et du rhum. Son pourvoyeur était un gosse du quartier qui lui faisait passer les bouteilles par la fenêtre à l'aide d'une corde. Il affirma qu'il buvait modérément, le soir de préférence, pour ne pas attirer l'attention.

— Je tiens pas à replonger, tu comprends ? Le père Gay souhaiterait que je revienne chez lui, mais je résiste. Pas question de retomber dans ses griffes !

Installés à la terrasse, sous un soleil timide, ils parlèrent de Max Jacob. Le poète venait de publier un recueil : *Le Cornet à dés*, où il racontait en vers son enfance bretonne et sa vie misérable à Montmartre. Il avait depuis quelques mois élu domicile à Montparnasse où il avait retrouvé son ami Modigliani, Picasso, Pascin et quelques autres joyeux compagnons.

Francis apprit à Maurice que Max songeait à se faire baptiser. Le Christ lui était apparu de nouveau et, cette fois-ci, sur un écran de cinéma, en superposition aux images du film. Il avait suivi des séances d'instruction religieuse avant son baptême, avec Pablo comme parrain. On en riait sous cape.

Maurice confia à Francis qu'il avait lu à Villejuif son recueil : *La Bohème et mon cœur*.

— C'est simple et beau comme du Verlaine, dit-il. Je me souviens : *Le doux caboulot/Fleuri sous les branches/ Est tous les dimanches/Plein de populo...*

— Un jour, dit Francis, j'écrirai sur toi et ton œuvre. J'y pense depuis quelque temps déjà...

Suzanne était revenue à un genre qui lui était familier depuis ses débuts : le portrait. Elle travaillait pour le plaisir ou sur commande. Un jour qu'elle était occupée à peindre un jeune modèle, Gaby, Maurice pénétra sans prévenir dans son atelier et s'arrêta sous le coup de l'émotion. Ce qui l'avait surpris, c'était moins la nudité de la jeune fille qui posait en chemise et bas noirs que son regard d'un bleu de mer en Bretagne et son air de biche étonnée..

— Gaby, dit Suzanne, je vous présente mon fils. Eh bien, Maurice, dis bonjour à la demoiselle !

Il revint le lendemain sous un prétexte futile, s'assit dans un coin de fenêtre en faisant mine de croquer le Sacré-Cœur. De temps à autre, distraitement, il laissait son regard flotter autour de Gaby que sa présence ne paraissait pas incommoder. N'était-il pas lui-même un artiste ? Le manège se répéta plusieurs jours de suite, si bien que Suzanne confia à André :

— J'ai l'impression que notre Maurice en pince pour Gaby. Une aventure sentimentale pourrait lui être bénéfique. D'ailleurs, à son âge, vivre seul, ça n'est pas sain.

— Si ça pouvait déboucher sur un mariage, ce serait encore mieux.

— N'anticipons pas ! Ils n'ont pas échangé trois mots. Tout se passe dans le regard. Et il la dévore des yeux.

Le lendemain Suzanne dit à Gaby :

— Ma petite, je crois que Maurice éprouve pour toi autre chose qu'une simple curiosité.

— Que voulez-vous dire, madame ?

— Qu'il est amoureux, tiens !

Un soir, après la pose, elle les réunit autour d'une cerise à l'eau-de-vie, puis fit en sorte de les laisser seuls. Quand elle revint, Gaby était assise sur l'accoudoir du fauteuil occupé par Maurice. Quelques heures plus tard Suzanne entra dans la chambre de son fils.

— Parlons franchement, dit-elle. Est-ce que cette fille te plaît ? J'ai l'impression qu'elle n'attend qu'une chose : que tu te déclares.

Elle leur laissa la bride longue, leur suggéra même d'aller passer un dimanche à Argenteuil. Gaby ferait des bouquets de fleurs sauvages pendant qu'il peindrait ; elle veillerait à ce qu'il évite de boire. Cette idée leur plut. Ils prirent le tramway place de Clichy jusqu'à la gare d'Argenteuil d'où ils gagneraient les bords de la Seine. De tout le trajet il ne la quitta pas des yeux au point que, mal à l'aise, elle lui demanda ce qui pouvait tant l'intéresser en elle.

— Votre regard, Gaby. Un regard que... un regard qui... En vérité, tout me plaît en vous.

Elle éclata d'un rire un peu vulgaire et lui prit la main. Utrillo amoureux d'elle ? Oh ! là là !...

Ils déjeunèrent dans un bouchon aux murs tapissés de deux superbes Pissarro et de quelques croûtes néo-impressionnistes. Il mangea peu et but modérément pour lui faire plaisir ; elle de même. Au moment de la promenade, il lui dit avec des graviers dans la voix :

— Il fait vraiment trop chaud pour sortir. Je vais retenir une chambre pour ma sieste. Me tiendrez-vous compagnie ?

— Monsieur Maurice, minauda-t-elle, vous n'êtes pas sérieux.

Il fit un autre pas audacieux en décidant de la tutoyer.

— Je ne pense qu'à ça depuis que je te connais. Veux-tu que je parle franchement ? Alors, voilà : j'ai envie de toi ! Si tu te refusais à moi, je serais capable de me jeter dans la Seine.

Elle cacha un rire derrière sa main.

— Je suis persuadée que vous ne le feriez pas.

— C'est que tu me connais mal.

Il se leva, ôta son veston, se dirigea vers le fleuve. Elle se jeta à sa poursuite en protestant : il était fou ! qu'il cesse de lui faire peur ! Accroché aux branches, il s'avança sur un tronc d'arbre couché au-dessus de l'eau.

— As-tu changé d'avis, Gaby ?

— Non ! Oui ! Revenez, je vous en prie.

Déçu par cette réponse évasive, il se laissa tomber dans le fleuve en criant qu'il ne savait pas nager. Par chance, l'eau ne lui montait qu'à la ceinture.

— C'est donc que vous m'aimez vraiment ! dit-elle. Revenez. C'est oui.

Elle n'en était pas à ses premières armes mais il n'eut garde de s'en formaliser. Ils passèrent cet après-midi de grande chaleur à faire l'amour, fenêtre close sur la rumeur du bal et le ronron des vapeurs remontant vers Paris, tandis que les vêtements de Maurice séchaient aux volets. Il lui demanda si elle était obligée de regagner Paris dans la soirée ; elle avoua que personne ne l'attendait, que ses parents lui laissaient toute liberté.

Leur idylle durait depuis un mois, sous l'œil protecteur de Suzanne, quand un soir elle vit Maurice remonter l'allée en titubant, le chapeau de travers, le visage en larmes. À peine entré, il s'accrocha à sa mère.

— C'est fini ! dit-il. Oh ! maman, maman...

— Qu'est-ce qui est fini, mon grand ?

— Gaby et moi. Nous nous sommes querellés.

— Tu avais bu ?

— Un peu.

Décidée à en avoir le cœur net, Suzanne se rendit chez Gaby dont les parents tenaient une crémerie dans les parages. Elle demanda à Gaby de lui raconter l'événement qui avait motivé cette rupture.

Maurice, en état d'ébriété, avait fait irruption dans la chambre séparée de celle de ses parents, où ils se retrouvaient d'ordinaire. Jusqu'à ce jour, elle avait toléré ses humeurs, sa jalousie injustifiée, ses colères lorsqu'il rentrait ivre. Ce soir-là, il avait passé les bornes : il l'avait frappée, avait vomi dans l'évier, l'avait traitée comme une prostituée.

— Il était comme fou, madame Valadon ! J'ai cru qu'il allait me tuer. Regardez : je porte encore des marques.

Exit Gaby, Maurice resta quelque temps à se morfondre. Malgré les mises en garde de ses proches sur le danger d'une récidive, il avait repris ses tournées dans les bistrots. Au cours d'un repas qu'Henri Lalloue lui avait offert au chalet de Chez Adèle, il avait confié au marchand :

— J'ai conscience que la liberté ne me vaut rien. Je ne mène une vie normale que dans une maison de santé. Je vais demander une nouvelle fois mon internement. Pas à Villejuif, évidemment. Je ne le supporterais pas.

Lorsqu'il se souvenait de ce lieu maudit, la sueur lui venait aux tempes.

Lalloue lui fit une proposition : il connaissait le docteur Vicq, directeur de la maison de santé d'Aulnay-sous-Bois, dans la banlieue nord-est de Paris. Il pourrait le recommander ; il serait soigné comme un coq en pâte, sans avoir à subir la promiscuité des aliénés.

— Bien entendu, ajouta-t-il, suivant les termes de notre contrat, je réglerai vos frais de cure, moyennant quoi vous me réserverez la primeur de votre production. Car vous continuerez à peindre, évidemment.

— Évidemment... répondit Maurice.

Un matin de septembre 1917, Edmonde, une des jeunes servantes de Degas, fit irruption au 12 de la rue Cortot.

— Mon maître veut vous voir, madame Valadon. Je crois qu'il va passer.

Avenue de Clichy, Suzanne trouva Paul Bartholomé en larmes. Il la prit dans ses bras en sanglotant.

— Nous arrivons trop tard, dit-il. Juste avant sa mort Degas a tenu à prévenir deux amis seulement : vous et moi. Pour passer de vie à trépas, il n'a pas eu de frontière à franchir : depuis quelques années, vous le savez, il n'avait plus goût à la vie ni à son travail. Ses dernières œuvres sont bien décevantes. Il s'en rendait compte et attendait la mort avec sérénité.

Avec sérénité ? Voire. Il avait confié à Suzanne : « Je pense sans arrêt à la mort. Je me demande ce qu'il peut bien y avoir là-bas, derrière. Ça m'inquiète... » Les problèmes religieux n'entraient pas dans ses préoccupations ; pourtant il avait été bouleversé par un voyage à Lourdes, en curieux. « Ah ! Maria... ces chants, cette musique, ces prières, ces cris... »

Mary Cassatt avait pris sur elle de lui faire administrer l'extrême-onction, l'avant-veille de la congestion cérébrale qui l'avait emporté.

308

— Regardez comme il est beau, dit Suzanne. Ses traits sont détendus sous la barbe blanche, son sourire s'est fait légèrement méprisant. Il ressemble au vieil Homère. Que va-t-on faire de ses collections ? Il y en a pour une fortune.

Bartholomé lui confia qu'une nièce de l'artiste, Jeanne Fèvre, qui s'occupait de lui depuis peu, prendrait l'affaire en main. Cet atelier et l'appartement étaient un véritable musée ; tout serait dispersé dans une vente.

Le jour des obsèques, un radieux soleil de septembre baignait Paris. C'est dans le caveau de famille que furent déposés, après un service funèbre à l'église Saint-Jean, rue des Abbesses, les restes d'Edgar Degas. Claude Monet avait quitté Giverny pour assister à la cérémoie. Près de lui, Mary Cassatt, appuyée à son bras, le visage dissimulé sous une voilette qui cachait un chagrin et, peut-être, une blessure d'amour jamais cicatrisée. Autour d'eux, une trentaine d'amis artistes s'interrogeaient du regard en attendant les discours. Il n'y en eut pas, Degas s'y étant opposé.

André attendait Suzanne au retour des obsèques. Il eut un sourire narquois pour lui dire :

— Alors, beaucoup de monde pour porter en terre ton amant ?

Elle jeta son sac sur la table, le défia du regard.

— Degas n'était pas mon amant.

— C'est faux ! Je suis bien placé pour le savoir.

Il faisait allusion à une scène à laquelle Suzanne n'avait guère attaché d'importance et dont elle se souvenait à peine.

Il y avait dix-sept ans, alors qu'elle recevait dans son ancien appartement de la rue Cortot Utter et Heuzé, elle leur avait dit en entendant des pas dans l'escalier : « C'est sûrement Degas. Cachez-vous dans le placard. » Un éternuement d'Heuzé, peut-être volontaire, avait révélé leur présence. Degas avait ouvert la porte du placard en marmonnant : « Il vous en faut deux, à présent ! » Cette scène digne d'un vaudeville à la Feydeau avait laissé croire aux deux amis que le maître était son amant.

— J'affirme que je n'ai jamais été sa maîtresse, dit Suzanne, mais, s'il me l'avait proposé, j'aurais sûrement accepté. Ton ami Heuzé, qui fait courir ce faux bruit, est une langue de vipère. Il me déteste comme il déteste Maurice.

Malgré le bel automne qui rayonnait sur la Butte, les jours et les semaines qui suivirent parurent incolores. Suzanne se reprochait de n'avoir pas été plus sensible à l'affection du maître, d'être restée parfois des mois sans daigner donner de ses nouvelles ou lui rendre visite. Elle se souvenait des billets qu'il lui adressait pour la sermonner : *Alors, terrible Maria, on oublie son vieil ami ?* Elle avait partagé avec lui une amitié équivoque mais profonde, tissée d'incertitudes quant à leurs sentiments réciproques, de non-dits, d'espoirs déçus peut-être. Suzanne se demandait si, en fait, ils n'avaient pas peur l'un de l'autre, si leurs caractères abrupts ne risquaient pas, au cas où leurs rapports auraient évolué vers la passion, de provoquer des étincelles et un incendie dévastateur.

Maurice resta six mois à Aulnay et ne semblait pas s'y ennuyer. Henri Lalloue, non sans gémir, réglait la pension avec une régularité exemplaire et Maurice, tout aussi régulièrement, lui remettait le nombre de toiles convenu.

Du fait de la guerre et peut-être de la prolificité de l'artiste, les toiles de Maurice se vendaient mal. Les bistrots et les épiciers de la Butte en regorgeaient ; à eux seuls, Marie Vizier et César Gay en possédaient des dizaines. La plupart, il est vrai, étaient bâclées, ce qui donnait de la valeur à celles que Maurice peignait dans le calme de son ermitage.

Alors que le conflit tirait à sa fin, Lalloue, quasiment ruiné, dut résilier leur contrat. Un marchand attaché à Modigliani, Zborowski, le lui racheta, persuadé que le talent d'Utrillo ne tarderait pas à être reconnu et que sa peinture vaudrait de l'or.

Carco dit à Suzanne :

— Je ne comprends pas cette prévention persistante contre votre fils ! J'ai montré ses œuvres à des amateurs fortunés sans parvenir à les persuader qu'ils feraient une bonne affaire. Maurice est victime de cette réputation de scandale qui reste attachée à lui. Il n'a pas réussi par son talent à désarmer cette fatalité. Je crois en ce talent et je suis convaincu qu'il réussira à l'imposer. Personne avant lui n'a peint de tels sujets et avec un tel tempérament.

Femme à la contrebasse... Nu se coiffant... L'Acrobate faisant la roue... Nature morte catalane... Le Service à thé... Suzanne ne chômait pas. Son style avait pris de la maîtrise, sa pâte de la densité, ses couleurs de la vigueur, dans les contrastes notamment. Peu à peu les influences de Van Gogh, de Gauguin, de Cézanne se diluaient dans une vision personnelle du modèle. Elle avait appris à faire éclater à bon escient un rouge, à laisser se dégrader un bleu ou un vert.

Carco travaillait pour elle : il avait décidé, comme pour Maurice, de l'imposer et y parvenait sans avoir à jouer les maquignons. Certains critiques la portaient au pinacle.

Elle poursuivait ses études de nus au crayon gras, au fusain, au pastel. Elle se sentait là dans son véritable élément, comme dans le reliquat amniotique de ses débuts : celui qui avait fait dire à Degas, lors de leur première entrevue, qu'elle était une véritable artiste.

Une relative aisance financière l'autorisait à louer les services de modèles choisis pour leurs formes généreuses sans tomber dans l'obésité comme lorsqu'elle peignait sa servante, Catherine.

— Pourquoi, lui disait Carco, ne pas faire votre autoportrait ? J'aime beaucoup celui que vous avez peint à dix-huit ans, ce regard de défi, comme d'une louve prisonnière.

— Mon autoportrait ? Vous plaisantez, Francis. Je suis une vieille femme sans attrait. Et puis, il y a la photo...

Elle aimait bien celle que Paul avait prise avant la guerre, à son chevalet, en compagnie de Maurice. Elle était alors dans la maturité rayonnante de la cinquantaine. Belle encore, sans une ride.

— Vous êtes toujours très belle, Suzanne, je vous l'assure.

Il portait à ses lèvres une main qui sentait l'essence de térébenthine et la baisait entre deux taches de couleur.

Maurice lui manquait.

La nouvelle de son internement volontaire avait fait le tour de la capitale. Les visiteurs qui demandaient à sa mère des nouvelles de l'artiste s'attiraient la même réponse : il allait bien, il travaillait...

Il écrivait à sa mère des lettres confuses, un pathos où les mouvements de repentir alternaient avec des élans d'affection. Elle lui rendait rarement visite, bien qu'Aulnay fût proche de son domicile, de crainte qu'il ne lui demandât de le ramener à Paris où il ne tarderait pas à replonger dans son vice.

À sa dernière visite, il lui avait dit :

— Maman, il me tarde de rentrer. Paris me manque. Parfois, j'ai des idées d'évasion.

— Pourquoi ? Tu es bien, ici. Tu fais de la bonne peinture, dans un milieu agréable. Le docteur Vicq est content de toi.

Cet asile douillet lui donnait l'impression de ne pas être dans son élément, de perdre son temps. L'air de Montmartre lui manquait avec l'odeur des verdures sauvages, des ruelles qui sentaient l'évier et le salpêtre, des filles qui passaient en groupe et se moquaient de sa dégaine. Ici, il ne respirait que celle des pelouses fauchées, de la cuisine et du laudanum. Il gémissait.

— Viens me voir plus souvent. Ne m'abandonne pas.

— J'ai beaucoup de travail, répondait-elle. Et puis ces va-et-vient me fatiguent.

Mauvais prétextes : il faisait mine d'y croire alors qu'elle-même n'y croyait pas.

Un matin de la mi-novembre, à onze heures, un clairon avait sonné la fin des combats.

En sortant du wagon de Rethondes, le général Pétain avait signé le dernier communiqué de la guerre et conclu par ce post-scriptum : *Fermé pour cause de victoire...*

Ce même jour, un souffle de tempête heureuse avait balayé Paris. Les boutiques avaient baissé leurs rideaux, les écoles fermé leurs portes et les maisons leurs volets. Paris n'était plus dans Paris : la foule se pressait sur les places, sur les Champs-Élysées où défilaient des mutilés. Pétain recevait son bâton de maréchal des mains du président Poincaré. Dans Strasbourg libéré, Foch faisait une entrée solennelle.

Sans un mot, tête basse, Maurice posa son baluchon sur la table et se laissa tomber dans un fauteuil, les bras ballants, le chapeau sur l'œil.

— Je viens de m'évader, dit-il d'un air sombre. Ça ne devrait pas t'étonner : je t'avais prévenue.

— Il ne te restait que deux ou trois semaines pour être libéré. Qu'est-ce qui t'a pris ?

Il avait cédé à une impulsion irrésistible. Ce matin, il avait rassemblé son bagage, pris quelques cartons sous son bras et, à pied, avait pris le chemin de Montmartre. Comme il avait choisi de partir de bonne heure, son évasion était passée inaperçue.

— Il faut prévenir le docteur Vicq, dit-elle. Tu dois t'excuser...

— Inutile ! Je n'y reviendrai pas. J'en avais assez du prêchi-prêcha du bon docteur Vicq, de ces infirmiers toujours sur mes talons, de ces cons qui voulaient que je leur raconte ma vie et que je fasse leur portrait...

— Mais tu étais libre !

— La liberté surveillée, c'est pas la liberté...

Le cycle infernal ne tarda pas à reprendre, et de plus belle.

Maurice avait rencontré par hasard son ami Modigliani en vadrouille sur la Butte et ils avaient fêté leurs retrouvailles par un pèlerinage : chez Adèle où ils furent éjectés à coups de balai, chez César Gay qui leur fit grise mine et leur fit payer leur écot, au Bateau-Lavoir où ne nichaient plus que des rapins impécunieux, au Lapin agile où l'ambiance n'était plus ce qu'elle avait été...

À la nuit tombante, complètement poivres, s'épaulant pour ne pas choir dans la gadoue, Modi déclara qu'il était temps de rentrer à Montparnasse : Zborowski devait l'attendre à La Coupole, avec un client.

— Trop tard, dit Maurice. Tu vas souper et dormir à la maison. Zborowski reviendra demain.

En les voyant paraître, hilares, Suzanne ne se sentit pas d'humeur à se remettre à ses fourneaux. Elle s'écria :

— Dehors, bande de poivrots ! Un grand peintre comme vous, Amedeo, vous soûler comme un vulgaire clochard...

— J'ai honte..., bredouilla Modi, mais j'y peux rien.

— Ben, dit Maurice, reste plus qu'à trouver où bouffer et pieuter. À la belle étoile, hein ? Ça nous connaît. Ou alors dans la cabane du jardin. S'il pleut, nous serons à l'abri.

Ils passèrent la nuit couchés à même le sol de terre battue, serrés l'un contre l'autre à cause du froid. Lorsque la fraîcheur de l'aube réveilla Maurice, il se demanda ce qu'il faisait là. Quand il monta boire un café, sa mère voulut savoir où se trouvait l'*autre*.

— Quel autre ?

— Ton copain Modi, tiens ! Il est déjà reparti ?

Modi ? Il ne se souvenait pas de l'avoir rencontré la veille. Il avala son café, alla le vomir dans l'évier.

— Malade à crever... dit-il. Ça me grouille à l'intérieur. J'ai du coton dans les guibolles et du brouillard dans le crâne. Qu'est-ce qui m'arrive, nom de Dieu ?

Il annonça qu'il allait se coucher et demanda à sa mère d'appeler le médecin. Lorsque ce dernier arriva, Maurice venait de traverser une crise de délirium et avait encore de la bave aux lèvres et des soubresauts. Il décréta que Maurice serait inguérissable si l'on ne se décidait pas à lui faire subir une sérieuse cure de désintoxication. Il proposa de le faire entrer à Picpus.

Utter entreprit les démarches destinées à l'admission : entreprise difficile, l'établissement étant encombré de malades et de blessés des suites de la guerre. On lui trouva néanmoins une place au fond d'un dortoir. Un avantage : cette maison se situait dans le XIIe arrondissement, près de la gare de Lyon.

Léopold Zborowski, comme l'avaient fait avant lui Libaude et Lalloue, accepta de régler les frais d'internement et les soins, avec un contrat en bonne et due forme. Maurice se laissa conduire à Picpus, pour ainsi dire par la main.

Interné à la fin de l'année, il s'évada au début de l'année suivante. Si cette cure s'était prolongée, avoua-t-il, c'est pour le coup qu'il serait devenu fou furieux. L'administration préfectorale lui affecta un infirmier à domicile, pris sur le contingent de Picpus : un nommé Pierre.

— Nous ne pouvons garder chez nous, dit Utter, ce grand malade et son garde du corps. Ils gâcheraient notre intimité.

Il leur trouva un petit appartement meublé rue Saint-Vincent.

« Notre intimité »... Le mot avait fait sourire Suzanne. Elle ne voyait son mari que le matin, au petit déjeuner, et le soir, lorsqu'il revenait de ce qu'il appelait ses « prospections ». En fait, s'il rendait visite aux marchands, aux clients, aux journalistes, c'est surtout dans les bars à la mode qu'il « prospectait ».

Et la peinture n'avait rien à y voir.

La dernière fois que Suzanne avait rencontré Renoir il lui avait fait promettre de venir lui rendre visite aux Collettes, la villa qu'il avait fait construire près de Cagnes-sur-Mer, au milieu des vignes et des oliviers. Sa chère Aline disparue, il se sentait seul dans ce paradis, malgré les soins dont on l'entourait. Suzanne n'irait pas à ce rendez-vous : le maître qui l'avait aimée et l'avait si souvent représentée dans ses œuvres venait de mourir.

Réduit à l'état de squelette, torturé par les rhumatismes déformants, le vieux maître n'avait pu se résoudre à abandonner son chevalet. La veille de sa mort, alors qu'on ôtait ses pinceaux de ses doigts recroquevillés, il avait murmuré avec une étincelle de malice dans l'œil : « Je crois bien que je commence à y comprendre quelque chose... » À la peinture ? À la vie ?

Une de ses dernières joies avait été une visite particulière au Louvre où l'une de ses œuvres était exposée. On l'y avait promené dans sa chaise à porteurs : un siège de vannerie suspendu à deux grosses tiges de bambou, dont il se servait pour ses promenades autour des Collettes. Il était resté un moment, comme en extase, devant *Les Noces de Cana*, de Véronèse.

Il était mort à la suite d'une rupture d'anévrisme, au milieu de ses nus, des roses et des anémones qui tapissaient les murs de sa chambre. Il n'eût pas souhaité d'autre décor.

317

Les temps qui suivaient la fin des hostilités étaient comme un jour des morts qui n'en finirait pas.

L'obituaire s'ouvrit en novembre 1918 avec la disparition de Guillaume Apollinaire : elle avait jeté la consternation dans les milieux des poètes et des artistes. Naturalisé français, combattant volontaire dans l'artillerie dès les premiers jours de la guerre, il avait reçu à la tête un éclat d'obus qui le marquait comme d'une étoile ; les gaz asphyxiants avaient ajouté à sa souffrance ; la grippe espagnole qui faisait des ravages dans tout le pays l'avait achevé. Il n'avait jamais pu oublier Marie Laurencin, Lou, et lui avait dédié ses plus beaux poèmes.

Victime non de la guerre mais de son âge, Federico Zandomeneghi l'avait précédé de quelques mois : il avait près de quatre-vingts ans et n'avait jamais pu, malgré son talent, accéder à la notoriété, du moins de son vivant. Durant quelques mois, Suzanne avait partagé avec cet étrange personnage une existence difficile du fait du caractère abrupt du peintre italien et de la misère qui était leur lot. Par son apparence physique, il rappelait le Bossu, de Paul Féval. Suzanne ne pouvait oublier qu'il l'avait aidée à sortir de son anonymat.

Après son évasion de Picpus, la vie de Maurice avait pris très vite l'allure d'une cavalcade frénétique dans les cafés de Montparnasse où il retrouvait quelques artistes qui avaient déserté la Butte.

Un jour où il était à jeun, Modi lui avait proposé de faire son portrait : il ne transforma jamais en peinture l'esquisse au fusain faite sur une nappe de gargote. Il vivait rue de la Grande-Chaumière en compagnie de Jeanne Hébuterne, fille sage au visage de vierge romane, qui lui avait donné une petite Nannoli. L'argent ne manquait pas au ménage, Zborowski ayant fait des pieds et des mains pour imposer le peintre. Une exposition chez Berthe Weill avait été un succès.

— Moi et Berthe, disait Modi, nous avons failli finir au trou. Le commissaire de police du quartier voulait dresser procès-verbal pour les nus exposés dans la vitrine. La connerie humaine est sans limite !

Il avait vendu quelques toiles, gagné de l'argent qu'il dilapidait au fur et à mesure. Après une série de cariatides, sculptures réalisées avant la guerre, il avait exécuté des nus et des portraits aux formes allongées, aux orbites énucléées imprégnés, disait-il, de réminiscences gothiques et byzantines. Depuis qu'il avait rencontré Jeanne, trois ans plus tôt, à La Rotonde, il lui consacrait son talent mais sans dévoiler sa nudité. Par pudeur ? par jalousie ? Il aimait cette fille comme il n'avait jamais aimé personne, à sa manière qui mêlait adoration et brutalité.

Depuis sa dernière rencontre avec Utrillo, sa santé s'était dégradée. La tuberculose, alliée à l'alcool et aux stupéfiants, le minait ; il crachait du sang.

Il invita Utrillo à dîner chez Rosalie, rue Campagne-Première, un bouchon où il avait ses habitudes.

— Cette gargote est pleine de rats, dit-il. Et tu sais de quoi ils se nourrissent ? De mes dessins que Rosalie a entassés dans sa cave.

Il était ce jour-là d'humeur sinistre. Il dit à Maurice :

— Je crois que je ne vais pas tarder à quitter ce monde de merde et devenir cendre. J'en ai assez appris sur la vie et sur l'art. Je peux crever.

Maurice l'avait secoué : il paraissait en bonne santé, il gagnait un peu d'argent, il était reconnu. Modi secouait la tête d'un air obstiné et répondait :

— Il ne me reste qu'un bout de cervelle déjà bien malade, mais je suis lucide.

Quelques semaines plus tard, victime d'une « atteinte méningée et cérébrale de nature tuberculeuse », Modigliani était transporté à la Charité et mourait quelques jours après. Inconsolable, Jeanne Hébuterne se jeta par la fenêtre du cinquième étage. C'était en janvier 1920.

Si, après sa mort, la cote des Modigliani avait atteint un niveau insoupçonnable, celle d'Utrillo connaissait la même escalade. L'armistice avait ouvert les vannes du marché. Artistes, marchands, collectionneurs ayant quitté l'uniforme retrouvaient avec la vie civile leur activité ou leur passion.

Un soir, André Utter arriva rue Cortot, le feu aux joues.

— *La Maison rose*, vendue mille francs à la vente Mirbeau ! s'écria-t-il. Le mois prochain, à la vente Descaves, les prix devraient flamber. Eh bien, Maurice, c'est la gloire ! Qu'en dis-tu ?

Maurice n'en pensait rien ou pas grand-chose. Tout ce bruit fait autour de lui commençait même à l'exaspérer.

— Je veux te faire un cadeau, ajouta Utter, au comble de l'exaltation. Quelque chose de chouette. Dis-moi ce qui te ferait plaisir : un beau chevalet à crémaillère ? un voyage dans le Midi ? un repas au Grand Hôtel ?

— Non, dit Maurice en versant une rasade de vin dans ce qui restait de sa soupe : un train électrique.

— Tu te moques de nous ! dit Utter. Pourquoi pas une poupée ?

— Laisse ! dit Suzanne. Maurice ne plaisante pas. Eh bien, mon chéri, tu l'auras, ton train électrique.

Le ménage avait dû congédier le garde du corps de Maurice. Pierre s'était révélé très vite incompétent et dangereux. Non seulement il négligeait son travail de surveillance mais il était devenu le compagnon de beuverie de son malade sans cesser de le pousser dans la voie d'un mysticisme frelaté : ils ne quittaient le bistrot que pour aller à l'église.

Inlassablement, les marchands écumaient les lieux publics et les épiceries de la Butte. Quantité de toiles d'Utrillo sortaient des arrière-boutiques, des caves et des greniers.

Après son train électrique, Maurice réclama un harmonium. Suzanne lui en trouva un, passablement désaccordé, chez le père Deleschamps. La sonorité de cet instrument sur lequel il pianotait d'un doigt lui rappelait le temps où, en compagnie de Max, il priait à Saint-Pierre. Désormais, depuis le départ de son garde du corps, il priait seul : Max s'était retiré au monastère de Saint-Benoît-sur-Loire. D'une vieille commode Maurice avait fait un oratoire sur lequel il avait placé deux statuettes en plâtre de la Vierge et de Jeanne d'Arc, sous une constellations d'images pieuses.

Une de ses distractions, lorsqu'il ne peignait pas ou laissait en repos son train électrique, consistait à envoyer d'une chiquenaude ses crayons et ses pinceaux dans le jardin où Suzanne allait les repêcher. Elle avait pris soin, de crainte que Maurice, un jour de dépression, ne sautât par la fenêtre, d'y faire poser une grille.

Elle entrebâillait la porte, y passait la tête.

— Eh bien, mon chéri, elle avance, cette *Rue Sainte-Rustique* ?

— Ça presse pas, maman. J'ai changé de motif.

— Et qu'est-ce que tu as décidé de peindre ?

— Ma cage.

Francis Carco arriva un matin chez les Valadon accompagné d'un couple descendu d'une voiture : Robert Pauwels et son épouse. Il leur avait tant parlé de cette famille d'artistes qu'ils avaient souhaité la rencontrer et lui acheter quelques toiles.

Fille d'un cabaretier d'Angoulême, Mme Pauwels s'était lancée dans la carrière artistique avec plus d'ambition que de talent. Elle avait joué les seconds rôles dans Molière et dans Feydeau. Au Théâtre du Parc de Bruxelles, elle avait rencontré avant la guerre un financier qui avait fait déposer dans sa loge un bouquet et un billet signé Robert Pauwels. Ils étaient tombés amoureux et s'étaient mariés. La paix revenue, le couple avait quitté le château d'Everberg, province du Brabant, pour vivre à Paris.

Un soir, Robert était revenu avec une toile sous le bras, pour l'offrir à son épouse. Elle s'écria :

— *Le Pont de Compiègne* ! Un Utrillo ! Il est magnifique !

Elle avait conclu par un baiser cette série de points d'exclamation et avait ajouté :

— Je meurs d'envie de connaître ce peintre. Arrangez un rendez-vous par l'intermédiaire de Carco.

La distinction du financier faisait contraste avec la faconde un peu vulgaire de son épouse, mais sans aucune

322

discordance, comme par contrepoint. Il restait figé sur son siège ou debout dans un angle de la pièce ; elle allait et venait, répandant autour d'elle une fragrance de patchouli.

— Trois artistes sous un même toit ! s'exclamait-elle. Quelle chance vous avez...

Remarquant que Maurice Utrillo était absent, elle se hasarda à demander la raison de cette absence.

— Il travaille souvent la nuit, répondit Suzanne, alors il se lève tard. André va le prévenir de votre visite.

Lucie Pauwels tournait de temps à autre son regard vers l'escalier comme s'il conduisait à un trésor d'église. Debout devant la fenêtre, fumant un cigare, Robert Pauwels paraissait fasciné par la vue sur Paris.

— Vous pouvez monter ! lança Utter. Le maître vous attend.

Maurice avait refusé de changer de chemise mais accepté d'enfiler une robe de chambre chinoise qui « faisait artiste ». Il paraissait d'humeur maussade comme lorsqu'on lui refusait une bouteille. En voyant paraître le couple il se réfugia derrière son chevalet.

— Et voici notre cher Maurice Utrillo ! ajouta Utter avec l'accent d'un bonimenteur annonçant la vedette d'un spectacle de fête foraine. Maurice, je te présente deux de tes admirateurs qui souhaitaient te rencontrer. Eh bien ! viens saluer Mme et M. Pauwels !

Maurice s'inclina, grimaça un sourire, balbutia une salutation confuse comme pour signifier que l'artiste doit s'effacer derrière son œuvre.

— Il faut excuser mon fils, dit Suzanne : il est un peu sauvage, comme beaucoup d'artistes.

Elle leur proposa de visiter l'atelier et leur présenta une dizaine de toiles qu'Utter sortait du placard.

— Comme c'est étrange..., dit Mme Pauwels : ces maisons tristes, ces portes et ces fenêtres fermées...

— Il y a un symbole là-dessous, dit Utter. Cela permet d'imaginer, derrière ces façades, des amours, des drames, la vie, quoi...

— Fascinant ! soupira Mme Pauwels. Robert, que pensez-vous de cette *Place des Abbesses sous la neige* ?

M. Pauwels sortit son carnet de chèques, son stylo, et demanda :

— Combien ?

La France des années folles avait fini de danser sous les drapeaux et les guirlandes de l'armistice pour accoucher d'une société nouvelle. Elle y pénétrait en foulant des tapis de confettis et de fleurs de papier. Elle traînait les pieds ; elle avait la gueule de bois.

La crise... On se méfiait de ce mot comme de la peste dans la fable. Il fallait pourtant bien l'appeler par son nom, la regarder en face.

Les ministères se succédaient en cascade sur fond de faillite, d'anémie boursière, de flambées de colère d'un peuple inquiet du chômage et de la hausse des prix.

Ce que les Pauwels avaient pu arracher à la guerre, la crise le leur grignotait. Ils avaient pu conserver quelques rentes, un hôtel particulier rue Flandrin, près du bois de Boulogne, une maison de campagne proche d'Angoulême et un verre d'amertume à absorber chaque matin.

Conscients d'avoir trouvé avec les Valadon une relation susceptible de leur ouvrir le cercle de la société artistique, ils les recevaient et leur rendaient fréquemment visite. Leur train de vie était à la baisse ; celui des Valadon flambait. Convaincu qu'il leur fallait un cadre digne de leur notoriété, Bernheim leur avait trouvé un petit hôtel particulier au 11 de l'avenue Junot ; il était doté du confort moderne et se situait à peu de distance du cœur de Montmartre. Au grand dam d'Utter, c'est au nom d'Utrillo que fut passé l'acte de vente.

Renouant avec un vieux projet, Utter avait obtenu de Suzanne qu'elle achetât le château de Saint-Bernard. Une visite qu'ils y firent leur révéla l'ampleur des travaux. Vue de la rive opposée, cette forteresse avait belle allure avec ses tours, ses courtines, ses jardins en terrasses ; de près, c'était une ruine ou presque, l'histoire en guenille, une armure rouillée jetée au fond d'une cave.

— Comment pourrons-nous vivre là ? gémissait Suzanne. Pas d'électricité ni de chauffage, l'eau dans le puits...

— Oui, répliquait Utter, mais quelle allure ! Un château du xive siècle, tu te rends compte ? Nous pourrons recevoir des amis parisiens, organiser des fêtes. Et pour travailler nous ne trouverons jamais un lieu plus favorable. Je suis persuadé que Maurice s'y plaira.

En remontant dans l'express de Paris, il se sentait lui pousser la particule, comme des ailes.

Avenue Junot, les Pauwels furent parmi les premiers invités des Valadon.

Le dîner où ils furent conviés au début de janvier devait leur laisser un souvenir ambigu : le menu était princier mais la place de Suzanne resta inoccupée. Utter prétexta une indisposition : le déménagement, sous une pluie battante, l'avait exténuée.

— Mensonge..., marmonna Maurice. Ils se sont encore battus.

— Ne l'écoutez pas ! protesta Utter. Il est vrai que nous nous sommes chamaillés mais demain il n'y paraîtra plus.

— Querelle d'amoureux..., dit Mme Pauwels. Un petit orage...

— Vous connaissez cette chère Suzanne, poursuivit Utter : une santé fragile, une susceptibilité à fleur de peau, un caractère difficile... La moindre contrariété la rend malade. Rien de grave, je vous l'assure.

Après avoir avalé cul sec un premier verre, Maurice piqua du nez dans son assiette et se tut : il aurait pourtant aimé ajouter que des disputes quotidiennes affectaient la vie familiale. Leur plus récente querelle concernait Lucie Pauwels : Suzanne s'était prise d'un sentiment de jalousie depuis que son mari faisait office de secrétaire et de conseiller pour le couple et, pensait-elle, suppléait les déficiences sexuelles du mari. « Ridicule ! protestait-il. Tu me vois baiser cette rombière, cette cruche ? » Il exagérait sciemment : Lucie avait encore de beaux restes, avec un certain goût, sinon pour la peinture, du moins pour la toilette.

Suzanne en était convenue quand elle avait compris que les visites répétées de l'ancienne théâtreuse s'attachaient moins à elle ou à Utter qu'à Maurice : elle avait pour lui des attentions touchantes, des regards qui trahissaient une sorte de fascination, des gestes équivoques.

Entre une fugue et un scandale dans un lieu public, Maurice traversait par foucades des aires de passion aussi intense que brève. Il s'était amouraché de Lydia, une mulâtresse posant dans l'atelier de Suzanne pour une *Esclave couchée*. Rabroué par la belle esclave, il gémissait : « Une négresse, refuser mes avances... »

Il avait senti un autre flux de passion lorsqu'une sœur d'Utter, Gabrielle, jolie blonde à la chevelure en cascade, avait pris la suite de Lydia, mais sans se dévêtir. Elle s'était montrée réceptive aux premiers élans du benêt mais l'avait vertement éconduit un soir où, pris de vin, il avait vomi devant elle.

Suzanne n'avait pas tardé à comprendre l'attirance de son fils pour les toilettes, les parfums, les grâces mondaines de la belle Lucie. Il lui avait dédié, « avec toute sa sympathie », un poème « satirique » qui semblait préluder à un chant d'amour. Ce *Montmartre-cancan* n'avait aucune qualité littéraire mais Lucie le remercia d'un baiser fougueux sur la bouche, en lui lançant avec un geste de théâtre :

— Ah ! cher grand artiste... Vous avez tous les talents !

Bouleversé, Maurice lui dédia un autre poème dont la belle Lucie retint particulièrement trois vers :

L'esclave

D'un déluge de fleurs je vous suis redevable
Pour l'ultime soirée, ô repas ineffable
Où vous me servîtes ô force vins nouveaux...

Le Parnasse de Maurice semblait couvert de pampres sur lesquels soufflait un vent de passion amoureuse. Il avait dû, se dit Lucie, rédiger ce poème sur le coin d'une table de gargote car il était constellé de taches de graisse et de vin, mais elle négligea ce détail en songeant que, si le ciel s'assombrissait d'une part — Robert était vieux et malade —, il s'éclairait de l'autre : Maurice l'aimait.

Quelques signes du destin confirmèrent ses espoirs.

Alors qu'elle se trouvait dans sa propriété de l'Angoumois, Doulce-France, une voyante lui fit des révélations bouleversantes : elle voyait dans son existence un homme éminent, pour lequel elle avait plus que de la sympathie mais qu'elle devrait surveiller et dorloter comme un enfant.

C'est alors que, procédant par élimination, elle se dit que ce ne pouvait être que Maurice Utrillo.

15

UN CHÂTEAU EN BEAUJOLAIS

Suzanne se penche sur la balustrade qui court le long du chemin de ronde passant en partie sous la toiture. Au-delà de la cour, de la haute tour carrée de l'entrée, la vallée de la Saône baigne dans une brume de printemps. Entre les embranchures des saules et des peupliers, on distingue les éclats de verre marquant la course plane du fleuve sur lequel glissent des embarcations descendant vers Lyon et Marseille.

— Nous serons bien, ici, dit-elle à Maurice. Quelle lumière ! Quel silence ! Et toutes ces pierres qui ont envie de nous raconter leur histoire... Je resterai une semaine seulement avec toi, mais je reviendrai.

Il s'approche d'elle, lui entoure les épaules avec son bras.

— J'aimerais, dit-il, que nous restions ici, toi et moi, seuls, toujours.

— Ça me plairait aussi, mon chéri, mais tu sais bien que c'est impossible ! Tous ces rendez-vous, ces expositions, ces réceptions...

— Oui, soupire-t-il. Je sais.

Elle n'aime pas rester longtemps loin d'André : il a toujours en tête quelque chimère ou de simples caprices. Quelques semaines avant cette visite à Saint-Bernard il lui a dit :

— Il nous faut une voiture. Tous nos amis ou presque en ont une. Bernheim m'a proposé de nous avancer les fonds nécessaires, mais l'argent de la vente de tes *Deux Baigneuses* et de quelques toiles de Maurice devrait suffire.

— Une voiture, a répondu Suzanne. Est-ce bien nécessaire ?

— Dans notre situation, ça me semble indispensable.

— Indispensable... Surtout pour lui...

Maurice sursaute.

— Que dis-tu, maman ?

— Excuse-moi. Je me parlais à moi-même : une manie de vieille.

André pensait au tonneau, la voiture légère de huit chevaux lancée par De Dion-Bouton qu'il avait admirée au Salon. Suzanne avait objecté qu'il ne savait pas conduire ; il apprendrait ; en attendant on ferait appel à un chauffeur de maître.

— Tant que tu y es, avait-elle ironisé, nous pourrions embaucher une cuisinière, un valet de chambre, une gouvernante...

— J'y songeais. Tu es fatiguée et il me déplaît de te voir abîmer tes mains au ménage et à la cuisine. Je pensais aussi qu'une gouvernante...

André obtint sa voiture, la gouvernante, mais pas la cuisinière : Suzanne tenait à cette fonction depuis la mort de sa mère ; cela lui procurait une détente.

Miss Lily Walton, jeune Anglaise au physique agréable mais au caractère ingrat, avait été recommandée à Utter par les Kats, des amis de la famille. Elle aurait à veiller sur la bonne marche de la maison, à s'occuper des chiens et des chats. À surveiller Maurice.

Suzanne l'avait mise en garde contre Utter.

— S'il vous fait des avances, ma petite, flanquez-lui une paire de claques.

Ce qu'elle fit en diverses occasions, sans s'attirer autre chose de la part d'Utter que des menaces de renvoi. Elle se défendait moins vigoureusement des avances du simple d'esprit qui, en la regardant évoluer dans son atelier, bavait d'envie derrière son chevalet.

Surprise de Suzanne le jour où la belle Anglaise annonça qu'elle tirait sa révérence aux Valadon : elle en avait assez de servir de tampon lors des disputes et des pugilats du couple et aspirait à une atmosphère plus paisible.

Suzanne s'en prit à son mari.

— C'est ta faute si elle nous quitte. Toujours à lui passer la main sous les jupes...

— Elle s'est plainte à moi que tu étais sans cesse dans son dos, à la surveiller !

— C'est faux ! Tu es un salaud !

— Et toi une vieille chèvre !

Le départ de Lily brisa le cœur du pauvre Maurice. Désespéré, il se remit à boire de plus belle.

Un soir de neige, alors qu'il remontait la rue Lepic en compagnie de Carco, son attention fut attirée par un attroupement autour d'un fardier lourdement chargé de futaille. L'un des chevaux de l'attelage avait glissé et ne parvenait pas à se remettre sur ses pieds...

— Fumier de canasson ! hurlait le conducteur. Tu vas te relever, oui ou merde ?

Sous les coups de fouet dont il le harcelait, le pauvre animal hennissait, le cou tendu, de l'écume plein la bouche. Maurice se précipita pour faire cesser les coups, en criant que le cheval ne pouvait se relever parce qu'il avait une jambe cassée. Il injuria copieusement les badauds que ce spectacle amusait.

— De quoi que tu te mêles, bonhomme ? s'écria le conducteur.

Carco s'approcha à son tour et ordonna au tortionnaire d'interrompre la correction. Indifférent à ces interventions, il se mit à frapper de plus belle en criant :

— Tu vas te lever, feignasse !

Maurice se rua sur lui, arracha le fouet, l'en flagella et le poursuivit sur la chaussée au milieu des rires de la foule.

Lorsqu'il retourna sur les lieux de l'incident, deux pèlerines l'attendaient en discutant avec Carco qui prenait la défense de Maurice, contre la foule qui le huait.

— Ainsi c'est vous, Utrillo, qui occasionnez ce scandale, dit un agent. On vous connaît bien dans le quartier. Encore ivre, sans doute...

— Il n'est pas ivre, protesta Carco. Je puis en témoigner.

— On dit ça... Sommes pas forcés de vous croire. Utrillo, vous allez nous suivre.

Lorsqu'on lui mit la main au collet il se défendit, cria qu'il était à jeun, qu'il s'était contenté de faire un geste d'humanité, rien n'y fit. Il passa une nuit au commissariat de la rue Lambert. Libéré aux aurores, il eut du mal à regagner son domicile : il avait le visage en sang ; on l'avait tabassé avec des sacs de sable.

Ce n'était pas la première fois qu'ils se trouvaient au château de Saint-Bernard mais ils y découvraient toujours du nouveau : de grandes salles au parquet vermoulu, des cheminées de pierre, des moellons sculptés, des restes d'un appareil guerrier, des espaces de jardins en terrasse livrés à la flore sauvage.

— Le maire de Saint-Bernard, dit Suzanne, m'a assuré qu'il existe des escaliers menant à une immense salle souterraine ornée de statues représentant les quatre saisons, mais que l'on n'en connaît pas l'entrée. Si ça t'amuse de la chercher... Mme Jacquinot t'y aidera peut-être.

Suzanne était en quête d'un factotum en jupons lorsque le maire lui avait proposé d'en parler à cette voisine, une brave paysanne rougeaude qui, sachant lire et écrire, pourrait donner des nouvelles de Maurice et se charger de le surveiller.

— Il faudra vous montrer attentive, dit Suzanne. Maurice est un brave garçon mais, quand il a bu, il est capable du pire.

Elle donna la consigne à la gouvernante : ni vin, ni courrier, ni colis. Elle devrait se gendarmer, ne pas hésiter à le punir le cas échéant.

Mme Jacquinot sursauta : interdire à M. Maurice de boire, en plein vignoble du Beaujolais !

— Je compte sur vous, ajouta Suzanne, pour me tenir informée chaque semaine, plusieurs fois si c'est nécessaire, par téléphone ou par lettre si ce n'est pas urgent. Dites-vous que c'est un grand artiste qui vous est confié...

Les quelques jours qu'elle resta à Saint-Bernard, Suzanne les passa en promenades dans cette vallée à laquelle le fleuve conférait poésie et majesté. D'aigres pluies printanières tombaient parfois de la montagne proche, balayaient les vignobles des pentes et, dès que le soleil réapparaissait, faisaient des fêtes de lumière sur les eaux.

— Lorsque je reviendrai, dit-elle, j'apporterai de quoi peindre. La région est superbe.

Elle avait tout prévu pour occuper son fils : un chevalet neuf, des couleurs, des châssis, sans oublier le train électrique. Elle l'aida à s'installer dans une pièce de la tour carrée et à la meubler sommairement. Il aurait une vue étendue sur les jardins et le fleuve. Elle n'avait pas oublié une collection de nouvelles cartes postales.

— Je suis persuadée que tu te plairas ici, lui dit-elle au moment du départ. Annette Jacquinot, comment la trouves-tu ?

— C'est une emmerdeuse...

Pauvre Annette Jacquinot ! Elle ignorait encore à quoi elle s'exposait.

Maurice se conduisait en châtelain mélancolique et solitaire, écrasé par l'ampleur, la majesté et l'austérité de son domaine. Sur les conseils de sa gouvernante et histoire de se donner un peu d'exercice, il entreprit de nettoyer la cour, autour du puits, et s'amusa à voir couleuvres et vipères fuir devant sa serpe.

Annette le conduisait chaque jour à l'église où officiait un brave homme de prêtre : l'abbé Brachet. Maurice obtint la confession, s'amusa à inventer des horreurs et, pour se faire absoudre, fit cadeau au prêtre d'un tableau qu'il venait de brosser : une vue de l'église sous la neige.

— De la neige ! s'étonna l'abbé. Pourtant vous n'étiez pas là l'hiver dernier.

— J'y suis venu pour quelques jours et cette neige est restée dans ma mémoire.

Il avoua à Annette, horrifiée, que s'il croyait en Dieu et fréquentait l'église, il n'avait pas été baptisé.

— Rassurez-vous, ajouta-t-il. Dès que possible, je me présenterai devant le Seigneur pour réparer cet oubli dont je ne suis pas responsable. D'ailleurs, ça m'est devenu nécessaire. J'ai l'impression que le baptême me délivrera de mes démons.

Un matin, en lui portant son petit déjeuner, Annette trouva la chambre vide et le portail ouvert. Affolée, elle courut dans le bourg, s'informa de maison en maison et revint bredouille. Elle téléphona à Suzanne qui la rassura : c'était une fugue ordinaire ; il faudrait simplement veiller à ce que cela ne se renouvelât pas.

Annette passa la nuit dans les transes, veillant à la chandelle. Au matin il était de retour, crotté jusqu'aux genoux. Il avait pris la veille au soir la route d'Ars, s'était égaré, avait dormi dans un buisson où des paysans l'avaient retrouvé et remis dans la bonne direction. Il jura qu'il n'avait bu que deux à trois litres.

— Mais où avez-vous trouvé l'argent ?

— J'ai échangé une gouache au bistrot contre du vin. Je recommencerai pas, je le jure.

Promesse d'ivrogne.

Annette trouva quelques jours plus tard son protégé complètement ivre, allongé sur le plancher, en pleine crise de délirium. Il avait forcé la porte de l'armoire où sa mère rangeait ses bouteilles d'apéritif et de liqueur. Nouveau coup de fil à Mme Valadon : que la gouvernante ne se mette pas martel en tête, mais qu'elle se montre plus vigilante. Elle en avait de bonnes Mme Valadon ! Annette ne pouvait tout de même pas le tenir enfermé et lui passer les menottes...

Au début de l'hiver, les Valadon débarquèrent de leur De Dion-Bouton pour tâcher de rapporter quelques toiles de Maurice : il avait peint des paysages des environs mais surtout des vues de Montmartre. Ils le trouvèrent sage comme une image mais taciturne. Questionné par Suzanne, il répondit :

— Tous ces démons, dans ma tête... Ils n'arrêtent pas de me harceler. Il faut que je me fasse baptiser.

— Quelle est cette nouvelle lubie ? Enfin, si ça peut t'apporter la paix, nous y pourvoirons...

Suzanne et Utter ne restèrent que quelques jours. Au moment de repartir, elle dit à son fils :

— Tu as bien travaillé. Continue et tâche de ne pas ennuyer cette pauvre Annette qui t'est si dévouée.

— Tu as bien de la chance, ajouta Utter. Le calme, un cadre princier, une gouvernante, aucun souci... Je t'envie. Si tu savais la vie que nous menons à Paris...

Maurice travaillait souvent la nuit, à la chandelle. Pris d'insomnie, il allait réveiller Annette qui couchait à l'étage supérieur.

— J'arrive pas à dormir. Ces hiboux, ces chouettes font un tel raffut. Et puis ça continue à bouger, là, dans ma pauvre tête...

Il redescendait dans sa chambre et se couchait, dans l'attente de l'express Lyon-Paris, qui passait à deux heures du matin. Parfois un rapace venait se percher sur le dosseret au fond de son lit pour observer cet étrange locataire.

Plusieurs fois par semaine, il écrivait à sa mère et, deux à trois fois par mois, Annette se rendait à la poste d'Anse pour expédier les dernières toiles. Tous les quinze jours Suzanne envoyait un mandat de cinq cents francs.

Le printemps venu, Annette régala son « grand artiste », comme elle disait, de salades de pissenlit. Elle fit l'acquisition de quelques oies qu'elle lâcha dans le jardin. Maurice les appelait ses *yoyottes* et se plaisait à suivre leurs jeux avec le chat Raminou.

La solitude dont se plaignait parfois Maurice était toute relative. Il recevait quelques visites, de femmes surtout, en tout bien tout honneur. Elles s'attachaient à lui arracher des confidences sur sa peinture et sa vie d'artiste parisien, repartaient avec un dessin ou une gouache en échange d'une bouteille de beaujolais. Annette piqua une grosse colère le jour où elle en découvrit une cachée dans le broc à toilette.

— Monsieur Maurice, ce n'est pas sérieux ! Vous m'aviez promis... Je vais être obligée de vous interdire ces visites. Si votre mère apprenait...

— Ma mère s'en fout ! Du moment que je lui envoie des toiles...

Il n'aimait pas ces curieux qui venaient rôder dans l'enceinte de son domaine. Lorsqu'il voyait une silhouette glisser furtivement sous les arbres ou longer les murs il tirait des coups de pistolet dans leur direction en criant :

— Propriété privée, nom de Dieu !

Deux ans avaient passé depuis le début de son exil lorsque Maurice fut sommé de revenir à Paris où l'on réclamait sa présence. Utter vint le chercher en voiture et invita Annette Jacquinot à les suivre. Veuve et sans attaches, elle accepta.

Le petit hôtel particulier avait bien changé. On y menait la grande vie ; certains jours, les Valadon y donnaient des repas où se retrouvait le gratin de la société artistique. Parmi les visiteurs et les convives les plus assidus, Paul Pétridès, ancien tailleur reconverti dans le marché de l'art. On avait chauffeur, bonne, gouvernante et même cuisinière, Suzanne y ayant enfin consenti. Le mobilier désuet de la rue Cortot avait fait place à des meubles de prix.

— Nous avons gardé ton atelier en l'état, mon chéri, dit Suzanne. Tu pourras te remettre à travailler quand tu le voudras bien.

Elle avait maigri et semblait s'être tassée. Ses lunettes à monture d'écaille lui donnaient l'air d'un lémurien. Pourtant elle n'avait rien perdu en apparence de son énergie et menait sa domesticité à la baguette.

— Vous, Annette, dit-elle, vous veillerez principalement sur Maurice. En certaines occasions, notamment pour les dîners, vous aiderez à la cuisine. Je ne veux plus vous voir porter ces vêtements de paysanne. Vous aurez une toilette décente. Quant à toi, Maurice, tu ne peux plus continuer, étant donné ta notoriété, à porter ces vieilles frusques.

Le jour où Annette reçut une rebuffade d'Utter, elle accourut en larmes rendre compte à la patronne de l'algarade.

— Madame, je ne peux plus rester dans cette maison. Je sens que je n'y suis pas à ma place. On me le fait trop souvent comprendre. Monsieur ne perd aucune occasion de me rabrouer.

Suzanne devait convenir qu'il n'épargnait pas cette pauvre fille : c'était tantôt ses chaussures qui étaient mal cirées, ses chemises mal lavées, ses costumes qui faisaient des plis. Annette pleurnichait : on ne l'avait pas embauchée pour ça !

— Vous l'ai-je assez répété, s'indignait Suzanne : vous n'avez pas à vous occuper de la toilette de monsieur. Lorsqu'il vous demandera vos services, envoyez-le promener ou dites-lui de venir me trouver.

— Je n'oserai jamais, madame.

Ce qui navrait le plus la pauvre créature, c'étaient les disputes continuelles entre les deux époux : un véritable théâtre de marionnettes où tous les coups semblaient permis, où chacun cachait un poignard dans ses manchettes. Maurice, qui avait l'habitude de ces scènes, lui conseillait de ne pas s'en formaliser. Il en avait de bonnes, son « grand artiste » ! Il s'enfermait dans son atelier, refusait de recevoir les visiteurs quand il était mal luné, excepté quelques vieilles connaissances comme Francis Carco, les Pauwels et des peintres émigrés à Montparnasse, qui lui rappelaient le bon temps du Bateau-Lavoir et du Lapin agile. Il oubliait ou faisait semblant d'oublier qu'Annette se trouvait en permanence en contact avec les protagonistes d'un vaudeville qui menaçait en certaines occasions de tourner au drame.

La jalousie de Suzanne s'était exacerbée avec l'âge. Alors qu'Utter, à moins de cinquante ans, avait encore des allures de dandy, elle sentait peser sur elle ses soixante-cinq ans et les maux qui commençaient à l'accabler.

Outre ses rencontres de hasard, Utter s'était entiché d'une lionne de bastringue, Zélia. Il s'affichait avec elle, lui offrait robes et bijoux chaque fois qu'il parvenait à placer des Valadon et des Utrillo. Un jour Suzanne lui proposa trente mille francs pour qu'il renonçât à cette catin ; il accepta mais se garda de tenir parole.

Il lui dit un jour :

— J'ai besoin de repos. Je vais aller passer quelques jours à Saint-Bernard.

— Bonne idée, dit Suzanne. Moi aussi j'ai besoin de calme.

— Non. Toi, tu restes. Je te rappelle que Berthe Weill attend avec impatience ta *Femme aux bas blancs* et ta *Nature morte aux tulipes*. Nous aurons besoin de son argent.

L'argument était incontournable ; elle battit en retraite.

Il ajouta qu'il partirait seul. Elle le regarda avec un sentiment de détresse, en essuyant ses lunettes embuées, monter dans sa voiture comme s'il n'allait jamais revenir. Elle avoua à Annette qu'elle n'avait pas confiance en lui ; elle était persuadée qu'il allait retrouver quelque femme là-bas.

— Je le saurai, madame, lui dit Annette. Le curé me raconte tout. Mais faut dire que toutes les femmes du pays sont plus ou moins amoureuses de lui, bel homme qu'il est, et qu'on gagnerait à le surveiller.

Surveiller Utter... Cette idée trotta dans la tête de Suzanne. Elle supportait mal la présence d'Utter et son absence lui était intolérable. Dans l'impossibilité de se maîtriser, elle loua les services d'un taxi et fonça vers Saint-Bernard en brûlant les étapes.

Stupeur d'Utter en la voyant paraître.

— Toi, ici ? Qu'est-ce que tu me veux ? J'ai droit à un peu de tranquillité, il me semble, avec tout le mal que je me donne pour toi et ton fils !

Elle dut convenir, après une visite méticuleuse des lieux, qu'il était seul. Et cependant...

— Je sais que tu as des aventures dans le pays. On dit même que tu t'intéresses aux gamines.

— Ma pauvre vieille, tu perds la tête. Ça fait deux fous dans la famille.

— Ajoutes-y un obsédé sexuel !

Elle passa son temps à le surveiller. Dès qu'une gardeuse d'oies s'aventurait devant le château, elle tâchait de le surprendre en train de l'observer.

— Elle te plaît, cette petite, hein ? Faut voir comment tu la reluques.

L'enfer. Elle n'eut de cesse de le ramener à Paris où elle-même avait à faire. Il baissa pavillon.

Dès le retour les disputes reprirent de plus belle.

Utter reprochait à sa femme ses toilettes négligées, l'invitait à suivre l'exemple de Lucie Pauwels ou de Marie Laurencin, deux arbitres des élégances féminines. Elle répliquait que son ambition se situait à un autre niveau et qu'elle se préoccupait peu de singer les dames du parc Monceau.

— Tu ne vas tout de même pas aller dîner chez les Pascin avec ce vieux pull-over ?

— M'en fous ! Ils me prendront comme je suis.

— Tu as décidé de me faire honte ?

— J'ai décidé d'être moi-même.

À la fréquentation des étoiles de la constellation parisienne elle préférait celle des planètes ignorées ou en voie de formation, de ces artistes nécessiteux autant que talentueux qui gravitaient autour du Bateau-Lavoir et dont Utter se moquait.

— Le Bateau-Lavoir... Ma pauvre amie, il n'existe plus ! Tout ce qu'on y trouve, c'est du résidu de lessive, du vieux linge, de la crasse... Aujourd'hui, c'est à Montparnasse qu'on trouve le gratin et l'avant-garde. Montmartre n'est plus qu'une sorte de village nègre pour touristes américains.

Elle protestait pour la forme. Utter avait raison. En partie seulement.

Juan Gris résidait encore au Bateau-Lavoir et semblait s'y plaire. Du séjour qu'il avait fait à Céret avant la guerre, il avait pris conscience, au contact de Picasso et de Braque, de la séduction que le cubisme exerçait sur sa peinture. Il avait réalisé plusieurs compositions dans lesquelles il incluait des éléments matériels qui accentuaient leur réalisme. Il avait acquis une force d'évocation, une qualité de travail, un sens de la construction qui en faisaient l'égal des meilleurs peintres cubistes. Il ne roulait pas sur l'or mais les collectionneurs s'intéressaient à lui.

Eugène Paul, qu'on appelait Gen-Paul, était revenu de la guerre unijambiste. Né rue Lepic, il avait exercé dans le quartier la profession de tapissier, mais sa passion était la peinture, et notamment l'expressionnisme, mode basée sur l'émotion et la subjectivité. Il jouait avec talent du mouvement et de la couleur, balayait ses toiles avec des raclures de palette, à gros traits, avec une violence panique qui donnait au sujet des sursauts de séisme et en dispersait les éléments. Grande gueule, difficile à vivre, il avait peu d'amis mais se sentait solidaire de quelques grands peintres, la plupart des étrangers, comme le Russe Chaïm Soutine, le Belge Willem de Kooning, l'Autrichien Egon Schiele.

Raoul Dufy, l'un des derniers adeptes du fauvisme, avait trouvé refuge impasse Guelma, dans l'appartement occupé naguère par les Valadon. Il avait évolué vers une peinture aérée, lumineuse, suave, fragmentant l'espace d'une manière rigoureuse, avec une apparente négligence. Peu fortuné, il apportait autant d'élégance dans sa tenue que dans son art. À l'opposé de Gen-Paul qui, dans ce domaine, se foutait du tiers comme du quart.

Las de l'ambiance de Montparnasse, Pascin était revenu à Montmartre et s'était installé boulevard de Clichy. Déboussolé, pris au piège entre sa légitime, Hermine David, et son égérie, Lucy Vidil, qui avait épousé le peintre d'origine norvégienne Per Krohg, il flottait comme une épave.

Lorsque Utter lui proposait de déménager une nouvelle fois pour s'installer à Montparnasse, Suzanne protestait :

— Jamais de la vie ! Ce quartier est plus connu pour ses bars à la mode que pour les artistes qui y travaillent. Et moi, les bistrots...

Il n'insistait pas : après tout c'était elle qui tenait les cordons de la bourse et, si elle se montrait généreuse avec les quémandeurs, elle refusait les dépenses superflues et ne voulait pas se laisser imposer un mode de vie.

Elle entretenait avec sa vieille amie Berthe Weill des rapports de confiance et d'amitié. Berthe s'était promis de l'imposer, en dépit des préventions du public pour la peinture des femmes, et elle y était parvenue. Chaque fois que Suzanne lui apportait une toile, elle rougissait de plaisir et d'émotion. Les nus surtout l'enthousiasmaient.

— Quelle pâte ! Quelle vigueur dans le dessin et la couleur ! On peut dire que vous n'avantagez pas vos modèles, mais pourquoi le feriez-vous ? Marie Laurencin, cette poseuse, ne vous monte pas à la cheville. Elle fait de la peinture de nursery...

Un dictame pour Suzanne. Elle buvait cette liqueur roborative dont elle avait besoin pour ne pas douter de son talent et pour survivre. Sa santé se dégradait ; l'abus qu'elle faisait depuis quelques années du tabac altérait sa santé, son équilibre et son moral. Dans son ménage l'ambiance virait du vinaigre au poison.

Certaines visites qu'on lui faisait la réconfortaient : celles de Francis Carco notamment. Il projetait d'écrire un ouvrage sur Utrillo et sur elle. Édouard Herriot, l'« homme à la pipe », disait Utter, était de ses fidèles. Il lui avait fait lire le texte de la préface qu'il avait rédigée pour le catalogue d'une exposition de cette artiste. *Suzanne,* écrivait-il, *c'est le printemps...*

Les familiers de l'avenue Junot avaient fait leur choix entre elle et son mari : Utter n'était plus pour eux qu'un peintre raté qui avait laissé un gentil talent en jachère et ne devait un semblant de notoriété qu'à Suzanne et à son fils en les exploitant d'une manière éhontée.

— Utter est un esclavagiste ! lui disait Nora Kats.

— Ne vous laissez pas faire ! conseillait Lucie Pauwels.

« Sans jamais cesser de sourire... »

C'est ainsi qu'Erik Satie avait décidé de vivre, et c'est ainsi qu'il était mort, après six mois passés à l'hôpital Saint-Joseph, dans le quartier de Plaisance. À ce sourire qui ressemblait à un défi ou à un regret, s'ajoutaient des traits d'humour qui balayaient ce que sa vie comportait de désillusion.

Suzanne l'avait croisé à plusieurs reprises dans les quartiers bas de Montmartre. Ce musicien dont Jean Cocteau disait que le talent était « sec mais chargé de fleurs » avait pris, avec sa barbe grise, son front dégarni, ses petites lunettes de fer, l'allure d'un vieux savant égaré dans ses cogitations moroses. La jeune génération boudait ses œuvres.

Le « vieux solitaire d'Arcueil », comme on l'appelait, avait occupé jusqu'à ses derniers jours son appartement transformé en sanctuaire. Là, régnait le souvenir de celle qui avait été son premier et son unique amour : Suzanne Valadon. Il ne l'ouvrait qu'à quelques amis ; ils pouvaient découvrir au-dessus de son lit le portrait de son ancienne maîtresse peint par elle-même. Dans un coffre ouvert après sa mort, son frère Conrad avait découvert des liasses de lettres non ouvertes et de partitions non jouées.

Au cours d'un banquet donné en son honneur à La Maison rose, par le critique Adolphe Tarabant, pour l'inauguration d'une exposition chez Bernheim jeune, Suzanne tenta d'évoquer le souvenir de ce musicien original mais trop discret et trop secret. Personne n'avait entendu l'une de ses œuvres en concert. On ne se souvenait que de ses boutades et des titres singuliers de ses compositions. Loin de se formaliser de cette ignorance, il en aurait souri et aurait dit : « Mon cher Biqui, laisse courir ! J'ai semé ; il faut attendre la germination. Je ne serai pas là pour y assister. Toi, peut-être... »

La notoriété d'Utrillo gagnait en ampleur de jour en jour. Il se dit qu'il avait atteint un sommet lorsque la direction du théâtre Sarah-Bernhardt lui confia la décoration et les costumes d'un ballet de Serge de Diaghilev, le créateur des Ballets russes : *Barabau* et *Jack*. Ce dernier ballet avait été conçu sur une musique d'Erik Satie. Utrillo travailla sur ces œuvres avec le concours d'André Utter.

Une émotion pour Suzanne : le nom de son fils associé à celui de son amant...

— Mon chéri, dit Suzanne, tous ces honneurs finissent par fatiguer. Nous avons bien mérité quelque repos. Un séjour à Saint-Bernard nous fera le plus grand bien.

La campagne baignait dans le bel été du Beaujolais rayonnant sur les vignes et le fleuve lorsque la voiture conduite par le chauffeur déposa le trio dans la cour du château.

La végétation avait de nouveau pris possession de la cour et des jardins hantés par des lapins sauvages et des serpents. Suzanne passa les premiers jours dans une inactivité totale, se gorgeant de soleil, se faisant promener en barque sur la Saône par des pêcheurs et dans les collines par la voiture. Elle se disait que, si la décision n'avait tenu qu'à elle, ce n'est pas avenue Junot qu'elle eût fini ses jours. Elle aimait ces vieilles pierres qui semblaient boire le soleil et changeaient de couleur avec la lumière et le temps ; elle aurait aimé leur arracher leurs secrets, y trouver peut-être un écho à sa propre existence. Comment Maurice pouvait-il s'enfermer dans sa tour pour y peindre la rue Saint-Vincent et la place des Abbesses alors que chaque jour ici était une fête païenne ?

Ses promenades en voiture dans la contrée constituaient pour elle une source de découvertes permanentes.

Dans les parages de Trévoux, alors qu'Utter, la pipe au bec, somnolait sur la banquette arrière, elle s'amusa au spectacle de sa chienne Mirza avec une chevrette qui, sans s'émouvoir, présentait ses cornes en bataille. Cette chèvre, elle la voulait ; on lui en demanda cinq cents francs. Marché conclu.

— Tu es folle ! bougonna Utter. C'est dix fois plus qu'elle ne vaut. Et que vas-tu en faire ? L'amener à Paris ?

Elle se dit qu'elle pouvait bien s'offrir un caprice de temps en temps. Elle nourrit la chevrette de carottes, s'amusa à la traire, fit des fromages. Un fermier de Saint-Didier lui échangea, contre une gouache d'Utrillo, une ponette qu'elle appela Fanny ; elle la monta à cru dans le jardin puis le long du fleuve, au risque de se casser les reins dans une chute, mais elle était si légère et la ponnette si docile que tout risque était écarté.

Une quinzaine plus tard, lasse de ces jeux puérils, elle rapporta sa ménagerie aux anciens propriétaires sans demander de dédommagement.

Un matin elle décida qu'il était temps de rentrer. C'était bien l'avis d'Utter, qui s'ennuyait ferme.

— Si tu préfères rester, dit-elle à Maurice, libre à toi. Après tout, tu travailles aussi bien sinon mieux ici qu'à Paris. En revanche, pas question de te laisser seul. Je vais te confier à un ami : le docteur Laforêt qui dirige une petite maison de santé dans les environs. Tu y seras comme un coq en pâte. Tu l'as d'ailleurs déjà rencontré : c'est un ami de Vlaminck et du sculpteur Salandre.

Maurice fit grise mine : il s'était vu maître des lieux, avec en poche la clé de la cave. Et voilà qu'on voulait de nouveau l'interner !

— C'est pour ton bien, renchérit Utter. Chez le docteur Laforêt tu pourras travailler sans le moindre souci et tu seras libre, à condition de ne pas abuser de ta liberté. Souviens-toi que Pétridès attend une vingtaine de toiles pour la fin du mois...

Maurice resta deux semaines dans la maison de santé, objet d'une surveillance et de soins constants. Il travaillait jusqu'au milieu de la nuit, sans omettre, avant de s'endormir, ses prières à la Vierge et à la Pucelle.

La veille de son départ, alors qu'aucun excès de boisson n'était venu perturber sa cure, le fils du directeur lui proposa une excursion à Lyon avec quelques copains, histoire de lui faire découvrir divers aspects de cette ville, qu'il ignorait. Le soir venu, ils firent la tournée des bistrots et des bordels jusqu'au petit matin.

Alors que son église venait tout juste d'ouvrir sa porte, le curé de Bron vit s'avancer un groupe de fêtards qui poussaient devant eux en rigolant un énergumène gesticulant et vacillant sur ses jambes. L'ivrogne s'inclina, fit le signe de la croix et, tout de go, demanda le baptême. Le prêtre le pria de déguerpir et de revenir quand il serait à jeun : il n'était pas en état de recevoir la grâce divine.

— T'inquiète pas, dit le fils du directeur, puisque c'est ton jour, il faut y passer. Nous allons te baptiser nous-mêmes, comme les compagnons du Christ.

Ils lui firent cortège jusqu'aux quais du Rhône, l'aidèrent à ôter ses vêtements et l'ondoyèrent au nom du Père, du Fils, du Saint-Esprit...

— Ainsi soit-il, conclut le fils Laforêt.

Maurice se rhabilla en grelottant, ses larmes de joie se mêlant à l'eau lustrale qui sentait l'égout. Il gémit.

— Ah ! mes amis, mes chers amis, vous venez de m'ouvrir le chemin de la vraie foi.

Le concierge de l'immeuble où demeurait Pascin, avenue de Clichy, arrêta Suzanne au moment où, ayant traversé le groupe des badauds, elle s'engouffrait sous le porche. Il lui demanda où elle allait ; elle avait appris la mort du peintre et voulait lui faire une dernière visite.

— Il y a déjà du monde là-haut, dit le concierge. M. Pascin est mort depuis plusieurs jours déjà. Si vous avez le cœur bien accroché...

En abordant le palier sur lequel ouvrait l'appartement du peintre, elle eut un mouvement de recul : on y respirait une odeur de cadavre mêlée à celle du désinfectant et des fleurs. C'est un ami du peintre, André Salmon, qui la conduisit jusqu'à la chambre où reposait Pascin. Le sculpteur lituanien Jacques Lipchitz était occupé à prendre l'empreinte du visage. La chaleur suffocante qui régnait dans la chambre rendait insupportable l'odeur de décomposition. Assise dans un fauteuil, Hermine David se lamentait avec de petits cris aigus, comme ceux d'un animal pris au piège. Debout près d'elle, le visage lisse et fermé sous un casque de cheveux plats, une main sur l'épaule de sa compagne, se tenait Lucy Krohg.

Libéré du masque de plâtre frais, le visage de Pascin réapparut, gonflé, bleuâtre, ses lèvres effleurées d'un sourire amer.

Hermine, Lucy, plusieurs de leurs amis avaient durant trois jours frappé à sa porte, interrogé les voisins et le concierge sans obtenir de réponse. Lorsque le serrurier avait ouvert, on avait découvert une scène atroce : des traces de sang un peu partout, le cadavre de Pascin, poignets ouverts, pendu à l'espagnolette d'une fenêtre.

— Rien ne laissait supposer une fin aussi tragique, dit Salmon. L'avant-veille nous étions à La Cigogne avec quelques amis. Pascin paraissait normal, avec pourtant cette pointe de mélancolie qu'il avait parfois dans son sourire.

— Pourquoi ? dit Suzanne. Il ne manquait de rien. La vie lui souriait...

— En apparence, oui. L'essentiel lui faisait défaut et porte un nom : Lucy. Cette passion contrariée et sans espoir lui a été fatale. Il ne parvenait pas à faire son choix entre Hermine et elle.

Des femmes, ses anciens modèles pour la plupart, arrivèrent avec des gerbes de fleurs et des bouquets de lis qu'elles déposaient sur le lit.

— Pascin, dit Salmon, aimait les lis blancs. Il les comparait au corps de la femme.

Il prit Suzanne par le bras, la conduisit à la cuisine que l'on avait nettoyée des dernières traces de sang, sauf une : sur la porte d'un placard, Pascin avait écrit de la pointe d'un doigt trempée dans son sang : *Adieu Lucy.*

— Notre ami, reprit Salmon, souffrait surtout, je crois, d'une affection contractée dès son arrivée à Paris : le mal de vivre. À un ami aussi fidèle que moi, ça ne pouvait échapper.

Il tendit à Suzanne le billet que Pascin avait posé sur un guéridon à l'intention de Lucy : *Il faut que je m'en aille pour que tu sois heureuse... Adieu ! Adieu !*

Suzanne surgit, une fureur de walkyrie sur le visage, dans l'atelier de Maurice. Elle brandit sous son nez une feuille de papier comme pour le moucher et lui dit d'un ton âpre :

— Qu'est-ce encore que cette farce ? Il paraît que tu as voulu te faire baptiser ?

Il bredouilla lamentablement :

— Je n'ai pas voulu t'en parler... mais... je suis baptisé, oui...

C'était une lettre du docteur Laforêt. Son fils lui avait raconté l'odyssée rhodanienne. Navré de l'incident, ce brave homme...

— Tes copains se sont moqués de toi, pauvre innocent, et tu n'y as vu que du bleu !

— Je suis baptisé, maman. Je suis l'oint du Seigneur. Les apôtres étaient présents à mon baptême. Ils peuvent en témoigner. Il le fallait, maman : j'avais le diable dans la tête au point de me demander si le diable, c'était pas moi.

Au comble de l'exaspération, elle se jeta sur la commode à usage d'oratoire, saisit les deux statuettes sulpiciennes et les lança dans le jardin. Blême d'indignation, suffoqué d'une telle audace, Maurice protesta.

— Eh quoi ! s'écria Suzanne. Tu ne vas pas faire d'histoire pour des idoles en plâtre à trois sous pièce !

Il la bouscula, se rua dans l'escalier, remonta avec les deux statuettes serrées contre sa poitrine, et lança à sa mère :

— Ne fais plus jamais ce geste sacrilège, sinon je quitte définitivement ta maison.

— Et où irais-tu, pauvre naïf ? Tu es incapable de te diriger seul.

— J'irai rejoindre Max chez les moines de Saint-Benoît. Il a trouvé la paix, lui.

Elle s'esclaffa.

— Chez les moines ! La bonne blague. Ils seraient fiers d'avoir un grand artiste dans leurs murs mais ils ne te confieraient jamais le vin de messe.

Elle ajouta :

— Quand ton beau-père apprendra cette histoire de baptême, il sera furieux lui aussi.

Il descendit quelques marches vers elle.

— Je t'en prie, maman, ne lui dis rien !

Elle haussa les épaules. Révéler cette pantalonnade à Utter, provoquer une scène de plus, peut-être une guerre sainte, à quoi bon ? L'ambiance familiale était bien assez agitée sans ce surplus de tracas. L'atmosphère entre elle et son mari n'avait jamais été aussi tendue, de même qu'entre Maurice et son beau-père...

— ... et moi, ma chère Lucie, je suis au milieu et je reçois des coups des deux côtés au point que ma vie est devenue un enfer.

Elle pétrit son mouchoir, s'en essuya le visage. Une expression de détresse semblait accentuer ses rides, gâter son teint, colorer de mauve ses paupières fripées.

— Je ne sais plus que faire. Nous nous sommes de nouveau querellés, André et moi, à cause de Maurice qui n'a pas une production suffisante selon lui. Comme si mon fils était un esclave et moi le garde-chiourme !

— Maurice... Vous auriez dû le marier depuis longtemps. Je veux dire lui faire épouser une vraie femme, consciente de ses responsabilités et suffisamment énergique pour le maintenir dans le droit chemin. Pas une de ces gigolettes que je vois parfois tourner autour de lui. Une femme forte et qui ait de la religion.

Elle posa sa main sur le genou de Suzanne et ajouta :

— Vous avez eu tort de lui faire cette scène au sujet de son faux baptême. Vous lui avez d'un coup fait perdre les illusions qui lui sont nécessaires, autant ou presque que sa peinture. Cette farce peut vous choquer, vous qui ne croyez ni en Dieu ni au diable, et cela me choque aussi, mais, envers votre fils, il faut faire preuve de plus de compréhension et de tolérance.

— Vous avez raison, soupira Suzanne, mais je ne supporte pas qu'on se moque de lui... Quant à le marier, je ne vois pas qui pourrait le supporter...

Elle ajouta :

— C'est une femme comme vous, Lucie, qu'il lui aurait fallu.

C'est par les journaux que Suzanne apprit le décès de Paul Moussis, sans en éprouver la moindre émotion : il n'y avait jamais eu entre eux de véritable passion, mais une simple attirance consécutive à la disparité de leurs natures, de leurs comportements, de leurs goûts. Leur existence commune était à base de malentendus : il lui apportait la sécurité et l'aisance ; elle lui ouvrait des perspectives sur le domaine de l'art. Une pomme de discorde, Maurice, avait fait voler l'illusion en éclats.

Elle apprit avec stupeur que le frère de Paul s'était opposé à ce qu'elle touchât l'héritage : cinquante mille francs et, pour Maurice, une montre en or et un fusil. Ils n'eurent rien.

Maurice manifesta son intention de revenir à Saint-Bernard pour échapper à l'ambiance délétère de la famille. On lui accorda cette faveur à condition que ce fussent des vacances laborieuses.

Suzanne et Utter restèrent avec lui le temps de prendre le bol d'air et le bain de sérénité auxquels l'un comme l'autre aspiraient. Ils laissèrent Maurice seul.

Seul, Maurice ne le resta pas longtemps. Annette avait donné congé à ses maîtres pour se marier, non sans verser quelques larmes sur les joues de son « grand artiste » qu'elle ne reverrait jamais. En revanche, il ne manqua pas de compagnie.

Transfuge de La Frette-sur-Seine où ce fauve avait peint quelques toiles, Maurice de Vlaminck fut des premiers à rendre visite au châtelain de Saint-Bernard. Maurice aimait la compagnie de ce « colosse viandeux », comme disait Max, anarchiste et protestant, qui se libérait d'un trop-plein d'énergie créatrice dans sa peinture, ses romans et ses poèmes.

Vlaminck entraîna dans son sillage Raoul Ponchon, un poète qui se vantait d'avoir écrit plus de cent cinquante mille vers et avait commis un recueil qui, pour Maurice, constituait à lui seul un programme alléchant : *La Muse au cabaret*. Vinrent ensuite Othon Friesz, ami de Derain, de Guillaumin et de Braque qui, après avoir reçu en dépôt la grâce de son maître, Cézanne, s'était égaré dans la forêt des fauves. Vint enfin un sculpteur de la région, familier du château : le sculpteur Salandre.

Les agapes de ce cénacle haut en couleur et en propos se déroulaient dans la cour par les chaudes journées d'été. On buvait sec, on parlait d'abondance, on refusait le monde et l'on célébrait de nouvelles noces de Cana autour d'un Christ à la voix pâteuse et aux propos abscons.

Utter trouvait parfois que Suzanne exagérait.

Qu'elle donnât libre cours, avec ses modèles, à son goût pour le naturalisme, qu'elle ne leur épargnât aucune tavelure, aucune ride, aucune boursouflure de cellulite, passe encore. Mais qu'elle s'offrît elle-même en spectacle, nue jusqu'à la ceinture, à son âge, lui donnait une sensation d'écœurement.

Le jour où elle lui dévoila cette peinture : *Autoportrait aux seins nus*, il proféra un juron.

— Nom de Dieu ! Quelle mouche t'a piquée ? Quel besoin de montrer ta décrépitude ? C'est toi, ce bloc de saindoux ?

Elle avait serré les dents pour ne pas lui envoyer sa palette à travers la figure.

— C'est moi, cette vieille, oui, telle que je suis. Et je n'en ai pas honte !

Elle ne s'était pas avantagée. Et pourquoi l'eût-elle fait ? Impitoyable avec ses modèles, elle s'était refusé la moindre complaisance envers elle. Tout y était de ce qui provoquait la répulsion d'Utter : le teint jaunâtre de la peau, les seins défaillants, jusqu'aux traces de fatigue et aux deux tendons qui semblaient étirer le cou.

— C'est pas du Marie Laurencin, j'en conviens ! dit-elle, mais, à mon âge, je ne vais pas me mettre à tricher avec moi-même. Si ça peut te rassurer, ce sera mon dernier autoportrait. Une sorte d'adieu...

Elle eût aimé, sinon se justifier, du moins lui en dire plus. Il était parti en claquant la porte.

Suzanne traversait une période difficile.

L'exposition rétrospective organisée par la galerie Georges Petit, avec un catalogue préfacé par Édouard Herriot, président du Conseil et maire de Lyon, lui avait valu des critiques élogieuses mais peu de ventes. De même pour l'exposition de son œuvre dessiné et gravé à la galerie du Portique. À Genève, à Prague, le public avait boudé ses expositions.

L'album de luxe réalisé et édité par l'atelier de Daragnès, consacré à ses gravures exécutées chez Degas, n'avait trouvé que peu d'acheteurs.

Elle reportait sa rancœur sur Utter, lui reprochait de faire pour Utrillo ce qu'il ne faisait pas pour elle. Il se récriait ; Suzanne ne pouvait s'en prendre qu'à elle, elle n'avait qu'à peindre des toiles dans le goût du jour et plus ces anatomies de Gargamelles. Il aurait aimé qu'elle soignât sa toilette, se montrât davantage dans le monde, organisât davantage de dîners mondains...

— ... mais tu as choisi de te conduire en sauvage ! Tu préfères la compagnie de tes chiens et de tes chats à celle des critiques !

Ses chiens... Il ne lui en restait qu'un. Les autres reposaient au fond du jardin. Quant à ses chats, ils étaient pour elle le charme de sa vie, des amis muets mais fidèles.

Elle se plaisait de plus en plus à Saint-Bernard mais le moment ne tarderait guère où elle devrait renoncer à s'y rendre : ce long voyage la fatiguait et l'entretien de cette grande bicoque lui paraissait une tâche insurmontable. Lorsqu'elle avait décidé de mettre le château en vente, ni Maurice ni Utter ne s'y étaient opposés.

Ses périodes d'abattement alternaient avec des moments de gaieté morbide qui laissaient mal augurer de sa santé mentale. Le diabète et l'insuffisance rénale dont elle souffrait depuis longtemps ajoutaient à la précarité de son état.

La disparition de Degas lui avait été si pénible que ce vide qu'il avait ouvert s'élargissait de jour en jour. Comment aurait-elle pu oublier qu'il avait été le premier à proclamer son talent, à l'encourager, à lui révéler la magie de l'art ? Elle se reprochait de ne l'avoir pas incité à peindre un portrait d'elle, ou du moins à la faire figurer dans une de ses compositions, afin que subsistât quelque témoignage de leur attachement. Il ne resterait de cette profonde amitié, de cette affection discrète, qu'un brouillon de souvenir qui s'efface-rait avec elle.

C'est par le *Gil Blas* qu'elle apprit la mort, à Sitges, de Miguel Utrillo. Elle en éprouva un chagrin intense, de même que Maurice.

Quelques années auparavant, il lui avait envoyé la copie d'une photo sur laquelle il figurait en compagnie de son vieil ami Santiago Rusiñol, sur un bord de mer : une silhouette malingre, un visage souffreteux sous un large chapeau noir...

À l'occasion d'une Exposition universelle à Barcelone, Miguel avait reçu la Légion d'honneur. La ville lui avait confié la réalisation du Pueblo Espagnol. La peinture ne suffi-sant pas à cet artiste divers et prolifique, il avait passé par tous les secteurs de la création artistique et créé un musée d'art à Sitges, sa seconde patrie. La mort de son épouse et de quelques-uns de ses amis peintres rencontrés à Montmartre au temps du Moulin de la Galette avait hâté sa fin.

Elle l'avait aimé, lui. Aimé vraiment, corps et âme, mais avait compris trop tard que Miguel n'était qu'un oiseau de passage, que rien ni personne n'aurait pu le mettre en cage. Que gardait-elle de lui ? Peu de chose : un portrait au crayon et la photo d'une peinture le représentant dans le cadre du Moulin de la Galette, élégant et racé.

Lorsque Utter avait proposé à Suzanne d'exposer au Salon des Femmes artistes modernes, la réaction avait été vive : elle ne voulait rien avoir à faire avec ces « bas-bleus », ces « bonnes femmes », ces « tricoteuses ». D'ailleurs il était probable que ses peintures naturalistes seraient refusées.

Il fallut la visite, inspirée par Utter, de l'organisatrice, Marie-Anne Camax-Zoegger, pour la décider.

— Vous vous faites de fausses idées sur nos intentions, ma chère, lui dit la dame. Les femmes se réveillent. Elles réclament le droit de vote et les mêmes avantages que les hommes. Votre place est parmi nous !

Elle avait passé en revue les dernières toiles de Suzanne, portant son choix, de préférence aux nus, sur des natures mortes et des paysages de Saint-Bernard.

Pour les nus, qu'elle jugeait un peu trop naturalistes, on verrait plus tard...

C'est Utter qui lui apporta la triste nouvelle : Robert Pauwels était à l'agonie.

Ses premières crises d'urémie l'avaient abattu alors que le couple se trouvait dans son petit domaine de la Doulce-France, proche d'Angoulême. Il avait souhaité finir ses jours en Belgique mais il n'avait là-bas plus aucune attache, et d'ailleurs Lucie l'en avait dissuadé : leur vie était en France depuis la guerre, entre leur hôtel particulier du boulevard Flandrin et leur domaine des Charentes.

Leurs amis n'étaient pas en Belgique mais en France, et les Valadon étaient les plus chers et les plus fidèles.

16

LA « BONNE LUCIE »

L'ambiance délétère entre Suzanne et Utter semblait avoir atteint le point de non-retour. Elle allait insensiblement du vinaigre au poison.

Passé la cinquantaine, l'humeur d'André Utter s'était aigrie, en même temps que ses aventures amoureuses se multipliaient dans le milieu urbain qu'il fréquentait assidûment ; c'était comme si, prévoyant une baisse d'énergie, lui était venu le souci de dévorer la vie à belles dents.

Une lettre découverte par Suzanne dans son veston et la photo qu'elle avait découpée dans une gazette avaient mis le feu aux poudres.

Elle lui montra les deux pièces à conviction.

— Jolie fille, cette Sabine ! Au moins, est-ce qu'elle est majeure ? Je suppose que tu vas la prendre en main et même à bras-le-corps pour faire franchir la porte du succès à cette artiste...

— Encore une de tes inventions ?

— Cette lettre est une invention, peut-être ? La nuit que vous avez passée au Helder, c'était, je suppose, pour lui donner des leçons de peinture ? Et cette légende sous la photo : *Monsieur André Utter en compagnie de sa dernière découverte, à la Closerie des lilas...*

Utter réagit avec virulence, mais par une contre-attaque de flanc : elle lui faisait les poches ! C'était inadmissible !

Elle avait fermé les yeux sur beaucoup d'infidélités de son mari, encaissé sans broncher son infortune, mais là, il passait les bornes en portant ses infidélités sur la place publique. Elle lui lança :

— Si cette fille te plaît, si tu comptes refaire ta vie avec elle, ne te gêne pas !

Il s'approcha d'elle, tenta de lui arracher la lettre. Il y parvint en lui tordant le poignet et la jeta dans la cheminée.

— Tu pues le whisky ! s'écria-t-elle. Il est vrai qu'à ton âge il te faut des stimulants...

Il la gifla avec une telle violence que les lunettes s'envolèrent et que Suzanne s'effondra sans connaissance. Il appela la bonne, réclama de l'eau de Cologne dont il lui frotta les tempes, puis ils la portèrent sur son lit. Elle avait un hématome à la tête et saignait du nez. La bonne proposa d'alerter le médecin.

— Inutile, dit Utter. Elle va revenir à elle.

Lorsque Suzanne retrouva ses sens, Utter, à son chevet, le visage marqué par l'inquiétude, lui tapotait la main. Comme à travers une brume, elle reconnut le dessin de Renoir en face de son lit et, sur le chevalet, le bouquet qu'elle avait fini de peindre.

— Mes lunettes..., dit-elle.

— Rassure-toi, elles ne sont pas cassées.

— Qu'est-ce qui m'est arrivé ?

— Rien de grave. Une syncope à la suite d'une chute dans l'escalier. Comment te sens-tu ?

— Bien. Heureusement que tu étais là...

À quelques jours de cette algarade, il prit un air sévère pour lui dire :

— Nous ne pouvons plus continuer à vivre dans ces conditions. Tes accès de jalousie deviennent insupportables.

Elle ne broncha pas. Assise au coin d'une fenêtre, dans le fauteuil que Paul Pétridès venait de quitter, elle suivait de l'œil le manège des mésanges dans le tilleul.

— J'ai longuement réfléchi à nos problèmes, ajouta-t-il en s'asseyant sur l'accoudoir. Il faut envisager un changement, mais dans la sérénité.

Elle porta la main à son côté gauche avec une grimace : une douleur familière qui annonçait une crise de tachycardie. Le médecin l'avait prévu, elle fumait trop et ne se donnait pas suffisamment d'exercice.

— Pourquoi ne réponds-tu pas ? dit-il. Avoue que tu es toi-même excédée par ces disputes continuelles et que tu souhaites qu'on en finisse...

Elle répéta en écho :

—... qu'on en finisse.

— Tu es donc d'accord ? Tant mieux. Voilà ce que je te propose...

Ils se sépareraient. Elle garderait le petit hôtel de l'avenue Junot et veillerait sur son fils, avec au besoin le secours d'un garde permanent. Il ferait quelques travaux destinés à rendre l'appartement de la rue Cortot, où il demeurerait, plus habitable, sinon luxueux. Ils auraient des contacts fréquents pour les affaires mais chacun vivrait de son côté.

— Il est bon de garder quelques relations amicales. C'est la seule vraie richesse qui nous reste.

— Notre amitié, oui...

— Tu es d'accord sur tout ?

Suzanne tourna vers lui un regard sec et glacé ; elle haletait légèrement, la bouche ouverte, les pommettes avivées de rouge.

— Tu es souffrante ? Tu veux que j'appelle le docteur Gauthier ?

— Oui. Appelle-le...

Une ombre s'interposa entre la fenêtre et le lit que Suzanne occupait dans une chambre de l'Hôpital américain de Neuilly.

— Vous allez mieux, dit Lucie Pauwels. Vous pourrez sortir d'ici quelques jours. Si ça vous convient, je resterai près de vous jusqu'à votre départ. On va m'installer une couchette dans votre chambre.

Elle s'assit au chevet de la malade.

— J'ai appris votre décision de vous séparer d'Utter. C'est la sagesse même. Ces disputes avaient fini de miner votre santé. N'oubliez pas, ma chère, que vous aurez soixante-dix ans cette année ! Il faut vous ménager, cesser de prendre les événements trop à cœur.

Lucie lui donna des nouvelles de son fils. Il se montrait raisonnable depuis qu'Utter lui avait fait part de leur décision commune ; il travaillait avec assiduité et ne buvait pour ainsi dire plus.

— Il n'est pas venu me voir et il ne viendra pas, soupira Suzanne, mais je ne lui en tiens pas rigueur. Il n'aime pas les hôpitaux et je le comprends.

Elle montra à son amie la brochure qu'Utter venait de déposer sur sa table de soins : un texte qu'Adolphe Basler, journaliste et écrivain d'origine polonaise, venait de consacrer à son œuvre. La lecture de cet ouvrage avait réveillé en elle d'ardentes velléités : elle se sentait au bout des doigts un fourmillement qui se communiquait à son corps, comme lorsqu'elle s'asseyait devant son chevalet. Encore une semaine de patience et on lui ôterait des narines ces mèches qui lui donnaient une voix nasillarde ; elle pourrait d'ici peu se remettre à peindre.

Elle avait crayonné le portrait de l'interne attaché à ses soins : un jeune praticien plein d'attentions pour elle. À la suite de quoi les infirmières l'avaient une à une sollicitée : « Un simple dessin au crayon, madame Valadon... »

— Lucie, dit Suzanne, il faut que je vous parle. J'ai bien réfléchi à la condition de Maurice, à la suite de ce que vous m'avez dit concernant son célibat. Il faudra bien qu'un jour il renonce à ma présence, comme Utter. Je ne suis pas éternelle...

— Vous n'y pensez pas sérieusement, ma chérie ? Qu'est-ce qu'il deviendrait sans vous ? Une épave...

— Je n'ai jamais songé à l'abandonner à lui-même, moi vivante. En revanche...

Elle prit la main de Lucie, la serra dans la sienne.

—... en revanche le mariage lui serait salutaire. Vous êtes veuve, il est libre...

— Parlez franchement : vous souhaiteriez me faire épouser votre fils ?

— Si cette idée vous semble absurde, n'en parlons plus ! Pourtant, s'il est une femme, une seule, qui puisse lui permettre de mener une existence normale, c'est bien vous.

— Je reconnais que nous avons d'excellents rapports, mais de là à...

— Maurice vous aime à sa manière. Vous êtes la seule femme dont il accepte la présence dans son atelier sans jouer les sauvages.

Lucie ne le savait que trop bien : Maurice était amoureux d'elle. Il lui avait dédié des poèmes ; il avait pleuré sur son épaule en apprenant la mort de Robert Pauwels. Il l'avait même un jour, peu après son veuvage, demandée en mariage mais elle avait cru à une plaisanterie. Devenir la femme d'Utrillo, associer son nom à celui de l'un des plus grands peintres de l'époque...

Prise d'un vertige, elle sortit son mouchoir, s'épongea le front.

— Êtes-vous certaine qu'il veuille de moi ? Je ne suis plus de la première jeunesse, vous le savez...

— Si vous êtes d'accord, je lui parlerai.

Suzanne ajouta :

— Pas un mot à Utter de notre entretien. S'il apprenait notre projet, il serait capable de peser sur la décision de Maurice. Il tient encore la poule aux œufs d'or et ne voudrait pas qu'elle lui échappe...

Les dimensions de la maison lui parurent démesurées lorsque, au retour de Neuilly, elle en franchit le seuil. Déserte, elle laissait éclater ses limites, au point que Suzanne avait l'impression de pouvoir s'y promener des heures en découvrant des détails nouveaux, y respirer un air et des odeurs qu'elle n'y avait pas connus auparavant. Vide, la chambre d'Utter. Vide, celle de Maurice. Vides, les pièces affectées au personnel, sauf celle où logeait Fernande, sa bonne, une vieille demoiselle un peu grincheuse qui avait pris son service depuis peu et qui lui rappelait la gouvernante de Degas, Zoé.

Depuis le départ d'Utter puis celui de Maurice qui était parti pour Angoulême où il devait épouser Lucie, Suzanne se retrouvait dans une solitude idéale, les volets de la façade fermés afin qu'on la crût absente.

Elle passait ses journées à peindre des bouquets venus du jardin, à somnoler en fumant des cigarettes sur le divan des modèles, à lire des romans et des journaux, à jouer à la belote avec Fernande.

Utter avait profité du séjour de sa femme à l'hôpital pour déménager : peu de mobilier, l'essentiel se trouvant rue Cortot. Suzanne avait tourné en rond dans cette chambre curée jusqu'à l'os, en quête de quelque trace de sa présence, fouillant dans les placards, jusque sous son lit, cherchant son odeur sur une couverture oubliée, recueillant les cendres de sa pipe sur la bordure de la fenêtre.

Elle n'avait gardé de lui, hormis quelques dessins et deux toiles sur lesquelles il figurait, que le portrait à la pierre noire qui datait des premières années du siècle : il portait une chevelure ondoyante, une ombre de moustache, des lèvres boudeuses... Elle le plaça en face de son lit, sous le Renoir. Une présence qui la réconfortait sans la guérir ; il avait suffi qu'il mît à exécution son projet de séparation pour qu'elle jugeât de l'intensité d'une passion qu'elle avait mesurée jusqu'à ce jour à l'aune de la jalousie. Elle aurait tout donné pour qu'il revienne ; s'il l'avait exigé, elle aurait même renoncé à peindre.

Quelques jours après son retour de Neuilly, il avait sonné à la porte. Elle s'était refusée à lui ouvrir puis se l'était amèrement reproché ; elle avait même été sur le point de courir rue Cortot pour lui dire qu'elle lui pardonnait ses incartades et cesserait de le harceler. Mais qui, rue Cortot, viendrait lui ouvrir la porte ? Lui ou Sabine ?

— Fernande ! Si monsieur téléphone, répondez-lui que je suis souffrante...

Les tourtereaux donnaient de leurs nouvelles par lettre ou par téléphone plusieurs fois par semaine. C'était tantôt la sage écriture d'écolière de Lucie, tantôt celle, confuse, de Maurice. Ils semblaient savourer un bonheur sans nuage.

Les fiançailles avaient eu lieu à Chartres, en avril, le mariage religieux en l'église Saint-Ausone d'Angoulême, en présence du préfet, la cérémonie civile en mai, à la mairie du XVIe arrondissement. Suzanne prenait prétexte de son état de santé pour couper court à ces simagrées. Utter ne donna pas signe de vie.

La lune de miel avait eu pour cadre la ravissante demeure de la Doulce-France, au bord de la Charente. Maurice avait renoncé, sinon à boire, du moins à s'enivrer ; la présence de la bonne fée veillant sur lui chaque heure de chaque jour, lui prodiguant soins et affection, lui avait été salutaire.

Elle l'avait prévenu :

— Mon chéri, je tolérerai deux verres par jour, un à chaque repas et, si tu as bien travaillé, une prune à l'eau-de-vie avant de dormir.

Elle lui faisait feuilleter son album de famille.

— Là, c'est moi, en 1904, alors que j'étais l'élève de Talbot, sociétaire de la Comédie-Française et que je jouais sous le nom de Lucie Valore dans *Le Malade imaginaire*.

Il trouvait le nom de Valore très joli.

— Là, c'est moi en tenue de princesse orientale, au bal de l'Opéra, en 1923. Voici mon attelage de poneys. À côté, c'est mon cher Robert conduisant son automobile, en Belgique...

Maurice ne se sentait pas dépaysé à la Doulce-France. Les pièces étaient tapissées de toiles et dessins des Valadon ; au-dessus de leur lit figurait une grande œuvre de Suzanne, un nu de jeune fille datant de 1922.

Elle le tirait de sa sieste en lui disant :

— Tu t'es assez reposé. Il faut te remettre au travail. Regarde comme la nature est belle ! Tu ne manqueras pas de sujets. Tu devrais peindre des vaches charentaises...

Il s'installait en grommelant à son chevalet et quadrillait à la règle à calcul une carte postale représentant un monument. Lorsque Lucie partait se promener dans le jardin, il passait sur la pointe des pieds à la cuisine et se servait un verre de vin ou deux.

Coup de sonnette. Suzanne écarta le rideau. C'était Carco. Elle ne pouvait laisser croquer le marmot à ce vieil ami.

— Que se passe-t-il, Suzanne ? Je viens d'apprendre que tu as passé quelques semaines à l'hôpital et que tu refuses les visites. J'ai téléphoné. On m'a répondu que tu étais souffrante. Songerais-tu à entrer au couvent ? La diablesse aurait-elle idée de se faire nonne ?

Depuis peu, à l'initiative de Suzanne, ils se tutoyaient. Francis était une des rares relations à laquelle elle pût se confier en toute liberté, sans redouter que ses confidences fussent divulguées. Elle appréciait ses conseils et acceptait ses critiques.

— J'ai appris de même, ajouta-t-il, que tu t'es séparée d'André Utter. J'espère que vous n'irez pas jusqu'à divorcer. À ton âge, ce ne serait pas raisonnable. Et Maurice ? Parti pour Cythère à ce qu'on m'a dit. J'espère que son talent n'en souffrira pas. Et toi, ma chérie, comment te portes-tu ?

— Oh ! moi... Comme une vieille.

— Tu n'es pas si vieille que ça ! Ce n'est pas le moment de te laisser aller. Tu es libre, débarrassée de deux personnages qui te rendaient la vie difficile. Tu dois en profiter pour te remettre à peindre.

— Encore faut-il en avoir envie.

— Il suffira de te jeter à l'eau. Si tu crois que je n'ai pas connu, moi aussi, des traversées du désert, des périodes de découragement... Tu as la chance d'être connue, célèbre même. La plaquette de Basler a de nouveau attiré l'attention sur toi. On se demande pourquoi tu fais la morte. Basler est venu te rendre visite il y a peu : il a trouvé porte et volets fermés. Au téléphone, une voix qui n'est pas la tienne lui répond invariablement que tu es souffrante.

— Tu m'excuseras auprès de lui. Tu lui diras... Et puis non : je lui écrirai.

Ils fumèrent quelques cigarettes tandis qu'elle lui montrait ses dernières œuvres.

— J'aime tes bouquets, dit-il. Un peu décoratif, une palette trop limitée, un trait un peu insistant, mais quel éclat et quelle vigueur...

Il ajouta ex abrupto :

— Fais un brin de toilette. Je t'emmène dîner sur les boulevards. Il faut que tu sortes de ta coquille, que tu voies du monde.

— Mais je n'ai rien à me mettre, Francis !

— Presque toutes les femmes disent ça au moment de sortir. Habille-toi comme si tu allais chez la crémière. Tout le monde s'en fout, tu sais, à commencer par moi.

Ils s'attablèrent chez Laure, rue des Martyrs. Cette petite maison tenue par Mme Taillandier, ancienne actrice reconvertie dans la galanterie puis dans la restauration, n'était ni le Foyot ni le Tortoni mais la cuisine était soignée et les prix honnêtes.

Suzanne n'était pas entrée dans un restaurant depuis des lustres. L'ambiance animée, un peu turbulente même, la mit mal à l'aise ; sans la présence de Francis elle eût fait demi-tour.

Il lui parla de son travail : de nouveaux articles sur Utrillo, qui feraient suite au livre que Bernard Grasset avait publié quelques années auparavant : *La Légende et la Vie d'Utrillo*. Il allait publier également un livre de souvenirs qu'il était en train de fignoler.

— J'ai trouvé son titre : *Nostalgie de Paris*. Il y sera question de toi et de ton fils que je compare à François Villon. J'ai observé beaucoup de similitudes dans leurs destinées.

Il récita à voix basse quelques vers d'un recueil en préparation : *Petite Suite sentimentale*. Plus que le roman ou le journalisme, la poésie était sa passion.

Carco fut interrompu par l'irruption d'un groupe de musiciens ambulants qui faisaient la manche.

— Tiens ! dit-il, la bande à Gazi... Je les vois souvent opérer. Ce sont d'excellents chanteurs et musiciens, malheureusement sans emploi. Gazi, c'est le guitariste. On l'appelle le Tartare à cause de son physique. Joli garçon, au demeurant...

Le jeune musicien s'approcha de Carco, s'inclina devant Suzanne.

— Je vous connais, madame Valadon, dit-il. Lorsque je jouais à l'Auberge du clou, on m'a parlé de vous et de votre amitié avec Erik Satie. Ça m'a donné envie de vous connaître. Si vous permettez, nous allons jouer une de nos compositions pour vous : *Rêve tzigane*...

— Je comprends, dit-elle à Carco, pourquoi on l'appelle le Tartare : ce teint basané, ces yeux bridés, ce visage d'Asiate... Il a beaucoup de charme, ton Gazi.

— Dis donc, tu ne vas pas en tomber amoureuse ?

— Et pourquoi pas ? Rien ne me l'interdit.

Leur morceau terminé, Carco offrit aux musiciens une tournée de bières. Gazi revint boire son bock à leur table.

— Je suis heureux de vous avoir rencontrée, madame Valadon, dit-il. Je joue de la guitare et je compose des airs à la mode, mais ma véritable passion c'est le dessin et la peinture. J'ai peint votre ancienne maison de la rue Cortot il y a quelques années. Comme vous me regardiez de votre fenêtre, j'ai failli pousser le portail, mais je suis trop timide.

Elle lui demanda quels étaient ses sujets favoris.

— Des nus, des vues de Montmartre, quelques portraits d'amis et... des copies de vos œuvres et de celles de votre fils. On dit que quelques-unes de vos peintures seront bientôt exposées au Luxembourg...

— C'est vrai, dit Carco, et ce n'est que justice.

Il ajouta :

— Si Suzanne est d'accord, peut-être pourrais-tu lui présenter tes œuvres.

— Volontiers, dit Suzanne. Vous me trouverez 11, avenue Junot. J'y vis en permanence.

Les musiciens jouèrent un dernier morceau, firent passer le chapeau et se retirèrent.

— Et voilà ! dit joyeusement Carco. Le début d'une idylle entre le célèbre peintre Suzanne Valadon et un prince tartare !

Lucie avait décidé de se remettre à la peinture mais n'en trouvait pas le loisir.

Elle avait commis dans sa jeunesse et après son mariage avec Pauwels quelques aquarelles qui ne donnaient aucune certitude quant à son talent. Sa récente cohabitation avec Utrillo l'ayant incitée à s'initier à la peinture à l'huile, elle s'offrit le matériel nécessaire et se lança dans quelques essais sous l'œil sceptique de Maurice. Elle exécuta et signa Lucie Valore quelques ébauches que n'eussent pas reniées des élèves du cours de dessin d'un collège. Découragée, elle reporta ses tentatives à plus tard.

Lucie avait revendu le petit hôtel de l'avenue Flandrin où trop de souvenirs lui rappelaient son cher défunt pour un pied-à-terre modeste, rue de la Faisanderie. Peu après, elle achetait une charmante villa au Vésinet, sur un bord de Seine. Elle la fit restaurer à grands frais et l'appela La Bonne-Lucie. Une vaste pelouse précédait la demeure de modestes dimensions, flanquée d'une sorte de mirador vitré effleuré par les embranchures d'un grand chêne. Ils succédaient dans cette maison au sculpteur Antoine Bourdelle.

Lucie installa Maurice dans une vaste pièce transformée en atelier, proche de la cuisine. De temps à autre, lorsqu'elle s'absentait pour s'occuper de ses rosiers, il allait discrètement s'« en jeter une ». Lucie n'était pas dupe : tant qu'il n'était pas ivre...

— Mon chéri, tu as encore bu de la chartreuse !

— Mais non, mon amour, je t'assure...

— Alors elle a dû s'évaporer.

Elle marquait d'un trait le niveau de la liqueur, faisait le compte des bouteilles de vin mais se gardait de provoquer un drame en constatant une disparition. Elle le laissait vaquer dans les parages car il n'y avait pas de café à proximité.

Lucie aimait recevoir : des fournisseurs, des artistes, des gens de lettres. Maurice en prenait ombrage et se réfugiait derrière son chevalet.

— Maurice, dis bonjour à la dame ! Maurice, tu feras bien une petite gouache pour Mme Joséphine Baker ? Maurice, pourquoi ne dis-tu rien ? Il faut l'excuser. Quand il est à sa peinture il devient un peu sauvage, comme tous les grands artistes. Il ne vit que pour son œuvre...

Plusieurs fois par mois, ils prenaient le train à la gare de Saint-Germain, descendaient à celle de Saint-Lazare d'où le métro les conduisait rue de la Faisanderie ou à Montmartre. Suzanne les gardait à déjeuner, ce qu'ils appréciaient car Fernande, sous ses abords rébarbatifs, était une excellente cuisinière.

Échange de compliments biseautés :

— Alors, ma grande, disait Lucie, il semble que tu aies rajeuni. Je te trouve une mine superbe, mais tu devrais surveiller ton tour de taille. Et ces quelques rides...

— Et toi, ma chérie, ripostait Suzanne, tu resplendis. L'amour, je suppose... Tu devrais te surveiller. À ton âge...

— Oh ! tu sais, avec Maurice, c'est rare et vite expédié. À ton âge...

Lors de sa dernière visite, Lucie avait surpris la fuite furtive d'un jeune homme qui portait sous le bras un carton à dessin.

— Il est bizarre, ce garçon, dit-elle. Il fait un peu bohémien. Tu lui donnes des leçons de peinture ?

— Gazi est un voisin de la rue Norvins. Je lui donne des conseils. Il a du talent mais il manque de personnalité.

Lorsque Lucie demandait des nouvelles d'Utter, Suzanne répondait qu'elle le voyait rarement. Une fois par semaine il sonnait à sa porte, tournicotait dans l'appartement et finissait par avouer le but de sa visite : « Je suis un peu gêné ces temps-ci. Si tu pouvais me prêter mille francs... » Elle les donnait, certaine qu'elle n'en reverrait jamais la couleur.

— Ma grande, tu as tort de te montrer généreuse avec lui. Tu sais où va cet argent ?

— Je ne le sais que trop. Sa maîtresse a les dents longues. Mais, après tout, Utter est encore mon mari et il me déplairait de le savoir dans la gêne.

— Il finira mal, j'en ai le pressentiment. Il vivra d'expédients puis sombrera dans la dèche ou même en prison, qui sait ?

Utter avait installé son atelier rue Cortot, dans l'ancien « grenier » de Suzanne, et repris ses pinceaux. Il n'était pas sans talent mais ne se faisait guère d'illusions, et les marchands non plus : s'ils lui achetaient quelques toiles, c'était pour obtenir des Utrillo. Le mariage de son beau-fils l'avait ulcéré : il lui avait échappé pour tomber sous la coupe de cette veuve autoritaire. Il s'était opposé à ce mariage au point d'ébranler la résolution de Suzanne, mais s'était heurté à l'obstination des amoureux.

— Tu devrais venir nous voir plus souvent au Vésinet, ma grande. C'est à vingt minutes de Paris. Mon chauffeur pourrait venir t'attendre à la gare.

Le chauffeur, c'était Valentin, un Polonais qui, quelques années auparavant, avait été attaché à Maurice. Avec la cuisinière, la bonne et une secrétaire à mi-temps, Marguerite, il complétait la domesticité de La Bonne-Lucie. C'est dire que la maison était pleine de monde.

Suzanne se sentait étrangère au milieu de ce cénacle de perruches caquetantes, les jours de réception. Étrangère et, qui plus est, réprouvée. Certains de ces bas-bleus vésigondins la tenaient pour une garce, les autres pour une prostituée qui avait réussi.

Maurice lui-même fuyait ces pécores. Il avalait sa tasse de thé, jetait quelques petits fours dans sa poche et revenait à son chevalet ou allait flâner dans le jardin. De son fauteuil, Lucie le voyait, debout devant les grilles du parc, les mains dans le dos, guettant le passage des promeneurs et des voitures, surveillé de loin par le Polonais. Elle le devinait fasciné par les espaces de liberté d'au-delà des grilles, nostalgique du mouvement, de la gaieté, de la chaleureuse fraternité de Montmartre. Prêt, peut-être, à s'évader...

Suzanne lui demanda un jour s'il était heureux avec sa « bonne Lucie » et s'il ne regrettait rien. Elle ne put en tirer que deux mots :

— Elle m'emmerde !

Suzanne avait souhaité en savoir plus, et comment celui qu'on avait appelé le « maniaque de la solitude » vivait la cohabitation permanente avec Lucie. Était-il heureux ? Pouvait-il travailler à sa convenance ?

Il avait fait tourner sa cigarette entre ses longs doigts secs, l'avait portée à ses lèvres qu'il avait toujours humides et avait regardé autour de lui comme s'il craignait d'être entendu. Tranquille ? Oui : plus de soucis, plus de crises, des journées tracées au cordeau comme les allées du parc et aussi nues que les pelouses. Ce « foutu Polack » ne le quittait pas d'une semelle, le suivait lorsqu'il s'approchait du portail, l'accompagnait dans ses promenades.

Quant à Lucie...

Elle veillait sur lui comme une vestale, proclamait à tous vents qu'il était le plus grand peintre contemporain. De temps en temps, elle lui jetait une friandise, comme à ses pékinois : une embrassade généreuse ou un verre de liqueur. Chaque dimanche, par ostentation plus que par conviction religieuse, ils allaient ensemble à la messe dans l'église communale ornée de vitraux du peintre nabi Maurice Denis. Lucie portait en ces occasions d'étonnants bibis et des toilettes de châtelaine.

Elle s'était mis en tête de donner des récitals. Maurice pianotait agréablement ; elle avait une voix de diva pour noces et banquets.

Il confia à sa mère, en mâchonnant son mégot :

— Il m'arrive souvent de regretter la rue Cortot et l'avenue Junot. Là-bas, au moins, on s'ennuyait pas. Tes corridas avec Utter, ça, c'était quelque chose ! Tu te souviens le jour où tu lui as envoyé une carafe en travers de la gueule ?

Ils échangèrent des souvenirs, s'en amusèrent. Il reprit son sérieux pour ajouter :

— Ce qui m'emmerde, c'est quand on reçoit des journalistes et des photographes ! Là, c'est la grande mise en scène : « Assieds-toi là ! non, là ! Souris ! Prends Lolo dans tes bras, moi je prendrai Baba ! Agenouille-toi et fais semblant de prier ! Embrasse la Bible ! » Si je me suis montré docile j'ai droit à un susucre, je veux dire un verre...

Il ajouta en fronçant ses sourcils broussailleux :

— Dans une maison de santé je serais aussi tranquille et j'aurais davantage de liberté. C'est terrible à dire, mais c'est comme ça !

Elle pétrissait son mouchoir entre ses mains, s'essuyait le visage.

— Maurice, dit-elle d'une voix étranglée, est-ce que tu me pardonnes ?

— Te pardonner quoi, maman ?

— De n'avoir pas été pour toi une mère digne de ce nom, d'avoir été trop souvent absente, de n'avoir pas vraiment cru en toi à tes débuts, de ne pas t'avoir donné l'exemple de la bonne conduite...

Il lui prit les mains, les porta à ses lèvres.

— Tu es ma mère et je t'aime. Si tu n'avais pas été ce que tu es, je ne serais pas ce que je suis.

Lucie revenait du jardin dans un concert de jappements, accompagnée de Lolo et de Baba. Coiffée d'un chapeau de soleil, la taille ceinte d'un tablier de jardinier, une petite pelle à la main, elle semblait au bord de l'apoplexie.

— Il fait une chaleur d'enfer, dit-elle. Il faut arroser chaque jour sinon tout serait sec très vite. Je dois m'occuper de tout, ma grande. Si je comptais sur Maurice et sur ce fainéant de Valentin... Quant à mon vieux jardinier, moins il en fait et mieux il se porte...

— Je dois repartir, dit Suzanne. Mon train ne va plus tarder. Merci de ton accueil.

— Reviens dès que possible. Maurice est tellement heureux de te revoir. N'est-ce pas, mon chéri ?

Elle appela Valentin qui lisait *Le Petit Parisien* à l'ombre du chêne.

— Sortez la voiture pour conduire Mme Valadon à la gare. Vous irez ensuite promener monsieur sur le bord de la Seine pour lui changer les idées. Et ne revenez pas trop tard : il n'a pas fait une seule toile de la journée !

17

PAR UNE NUIT D'AVRIL

Gazi lui rendait visite presque chaque jour. Il lui fallait à peine cinq minutes pour aller de la rue Norvins à l'avenue Junot. Il ne venait que dans la journée, pris qu'il était, chaque soir, à faire la manche.

Il entrait et disait :

— Bonjour, Mémère !

Il se laissait tomber dans un fauteuil, allumait sa pipe, soupirait à pleines joues comme s'il venait d'escalader au galop l'escalier de la rue du Mont-Cenis. Elle s'asseyait sur l'accoudoir, lui caressait les cheveux. Il lui baisait la main, l'attirait sur ses genoux, l'embrassait sur la nuque. Elle fermait la porte à clé pour qu'on ne les surprît pas, mais Fernande était aux provisions et Utter à Saint-Bernard avec sa maîtresse.

— Utter... disait-il. Utter, on s'en fout ! Tu n'as pas de comptes à lui rendre. S'il revient et te provoque il aura affaire à moi.

Gazi avait raison : Utter vivait à sa manière et elle à la sienne. N'empêche : elle n'aurait pas aimé qu'il les surprît dans les bras l'un de l'autre, même si ces épanchements n'étaient que le signe d'une tendresse pudique. Un réflexe hérité peut-être du vieux fond paysan qu'elle sentait en elle solide comme un roc.

Il lui apportait des nouvelles.

Chaque jour, à midi tapant, il allait avec ses compagnons boire un Pernod fils à la terrasse du Bouscarat et lire les journaux. Elle l'écoutait distraitement car tout ce qu'il pouvait lui raconter, elle l'avait déjà appris par la radio le matin. Pourtant elle ne pouvait se défendre d'un mouvement de panique en songeant que la guerre était proche et que son petit prince tartare pourrait bientôt la quitter.

L'Occident tremblait sur ses bases. Le premier frisson du séisme était venu d'Espagne, puis l'orage s'était déplacé vers l'Europe centrale. L'Allemagne venait d'annexer l'Autriche au mépris des traités et de la simple humanité. Demain, elle s'en prendrait à la Tchécoslovaquie, à la Hongrie, peut-être à la Pologne, avant de se tourner contre la France et l'Angleterre. Et alors...

—... et alors, Mémère, soupirait Gazi, il faudra bien que j'aille me battre.

— Ne dis pas ça ! Je ne le supporterais pas. Tu déserteras, je le veux. Nous irons vivre en Amérique.

Une nouvelle mobilisation générale, la guerre... Elle avait trop présent à la mémoire son désarroi lorsqu'elle avait appris, en 14, le départ d'Utter, pour ne pas se sentir profondément affectée par cette nouvelle éventualité.

Il n'y avait pas qu'à l'extérieur des frontières nationales que la terre tremblait : le chômage prenait des dimensions inquiétantes ; le patronat s'opposait à toute avancée sociale qui risquait de compromettre ses profits, la guerre civile larvée opposant le Front populaire aux ligues fascistes ensanglantait le pavé de Paris ; le régime républicain vacillait sur ses fondements.

— Viens, mon chéri, je vais te montrer ma dernière toile. J'y ai travaillé tard dans la nuit pour que tu puisses la voir achevée. C'est un portrait...

Elle avait fini par céder à la « bonne Lucie » qui, depuis des années, lui réclamait le sien comme un dû. Elle le voulait vraiment, ce portrait ? Eh bien elle allait être servie...

Suzanne l'avait ébauché quelques mois auparavant, l'avait tourné contre le mur, repris, abandonné de nouveau. Comme elle ne tenait pas à se brouiller avec sa belle-fille, elle avait décidé d'en finir.

— Ben, dis donc... fit Gazi, tu l'as pas arrangée, la Lucie ! Elle fait plus vieux que toi !

Le visage lourd, balayé de rouge comme de traces de couperose, surmonté d'une haute coiffure à oreilles de lapin, était posé sur un cou gras cerné par un collier de bavettes d'un blanc douteux.

— Coquette comme elle l'est, ajouta Gazi, je crains qu'elle n'apprécie pas beaucoup ton parti pris de réalisme.

Elle haussa les épaules.

— Que veux-tu, c'est dans ma nature. J'ai horreur de peindre des sucreries, des siroteries pour faire plaisir à ces dames. C'est à prendre ou à laisser ! Plus les femmes sont laides, plus je me plais à les peindre. L'ai-je assez répété ?

Force lui était pourtant de convenir qu'elle avait quelque peu forcé la note, qu'elle avait mêlé à cette peinture un sentiment pervers de vengeance : Lucie avait réussi là où elle avait échoué ; elle avait fait de Maurice un modèle de soumission, maîtrisé ses mauvais penchants, mis son œuvre en valeur : elle gérait avec autorité le fonds de commerce qui lui était échu, le pauvre Maurice étant incapable de le prendre en main. Elle avait écarté les marchands véreux qui se succédaient dans l'atelier du Vésinet, ne gardant que Pétridès depuis qu'il l'avait alertée sur la présence dans certaines boutiques de faux Utrillo.

Suzanne devait l'admettre, et même Francis Carco ne pouvait qu'en convenir : Lucie était la femme qui convenait à son fils. À défaut d'une réelle affection, elle ne pouvait se défendre d'avoir pour elle de l'estime.

L'année passée, Lucie avait fait irruption dans l'hôtel de l'avenue Junot en brandissant un exemplaire de *Paris-Soir*.

— Lis ça, ma grande ! Nous devenons, Maurice et moi, les héros d'un roman d'amour...

Ils avaient rencontré Jean Brulart à Royan où ils étaient en vacances. Comme les tourtereaux cherchaient où nidifier, il leur avait signalé la villa du Vésinet. Peu après, il leur proposait d'écrire leur roman par épisodes dans son journal. Lucie avait accepté, à condition que la vérité ne fût pas travestie. Le romancier s'était mis au travail, avait collecté des souvenirs, des anecdotes et des témoignages.

Le premier chapitre déclencha un hourvari dans le milieu des artistes. Une pétition signée de Picasso, Derain, Vlaminck, Gen-Paul, Dufy et quelques autres peintres, avait été adressée au directeur du journal sans pour autant que l'on décidât d'interrompre la publication. La réponse de Maurice, dictée par Lucie, ne surprit personne : il ne voyait aucun inconvénient à ce que sa vie et ses amours fussent étalées sur la place publique. Il aurait eu tort de demander que l'on interrompît le feuilleton : grâce à lui, sa cote atteignait des sommets.

— Et toi, mon chéri, dit Suzanne, as-tu travaillé ?

Gazi avait peint quelques toiles dont il était assez satisfait, même s'il ne se faisait guère d'illusions sur leur succès éventuel.

Elle avait présenté quelques-unes de ces œuvres à Carco. Il avait fait la moue.

— Pas mauvais... On peut pas dire le contraire... On sent comme un frémissement, mais tout ça est trop sage. Pas la moindre audace...

Elle répliquait avec humeur :

— Pour attirer l'attention sur lui, peut-être devrait-il se mettre à boire, comme mon fils !

— Ça ne lui apporterait rien. Au contraire. Utrillo avait un tempérament, personne n'a jamais peint comme lui. Ce n'est pas le cas de Gazi.

Il ajouta en passant un bras autour des épaules de Suzanne :

— Ce qui fait que ta peinture et celle d'Utrillo ne risquent pas de passer de mode, c'est que vous avez échappé à tous les « ismes », de l'impressionnisme au symbolisme. En restant en dehors de toute école, vous vous êtes singularisés et cela vous a réussi.

Parfois, interrompant leurs interminables parties de belote, elle disait à son compagnon :

— Je suis lasse. Il faut que je m'allonge un moment. Suis-moi.

Elle le prenait par la main, le menait jusqu'à sa chambre et lui demandait de se coucher près d'elle. Si la main du garçon s'avançait pour la caresser, elle le rabrouait sans colère :

— Tsss... Bas les pattes, mon chéri ! Si tu as envie de faire l'amour, tu n'as que l'embarras du choix. Je ne suis pas jalouse, Dieu merci ! Ça n'est plus de mon âge. Si j'avais vingt ans de moins, en revanche... Mon pauvre chéri, n'insiste pas. Tu serais déçu.

Il protestait.

— Mais tu fais largement vingt de moins que ton âge réel, Mémère ! Tu es encore très désirable.

— Pas de flagorneries entre nous ! De toute manière je n'ai pas envie de toi. Je souffrirais d'être privée de ta présence, de ton affection, mais ça ne va pas plus loin.

Il nichait sa tête entre l'épaule et le cou de Suzanne et, une main à plat sur son ventre, faisait mine de somnoler. C'étaient des moments bien calmes ; le soleil d'avril poudroyait sur les arbres du jardin ; un rouge-gorge frappait à la vitre pour réclamer des miettes ; du proche carrefour de la rue Lepic montait une rumeur faite de cris et de chants.

— Une émeute ? dit-elle.

— Non. Une manifestation contre le gouvernement, la misère, le chômage. Bientôt, je le crains, ce sont des bruits de bottes que nous entendrons...

Parfois, lorsqu'il se préparait à prendre congé, elle glissait quelques billets dans sa poche.

— Moi, tu sais, l'argent, j'en ai plus qu'il ne m'en faut. Je suis venue sur terre pauvre et nue. Pauvre et nue je souhaite la quitter. Pour le temps qu'il me reste, à vivre...

Pauvre et nue, comme à Bessines ? Elle n'en était pas à ce point.

À plusieurs reprises elle avait été tentée d'aller y retrouver quelques souvenirs susceptibles de la rattacher à sa situation présente, de s'assurer d'une continuité de son existence. Au moment de partir, elle se disait que la collecte risquait d'être dérisoire et sans objet. Elle se contenterait des bribes d'impressions, de sensations, d'émotions qui surnageaient, recréées ou artificielles, dans une mémoire défaillante.

Du décor de sa prime enfance, qu'est-ce qui restait dans son souvenir ? La longue maison grise de l'auberge où elle était née, l'église aux contreforts massifs dans laquelle elle avait assisté à sa première messe de minuit. De la rivière, la Gartempe, la seule image qui surnageât était celle d'une branche de saule au ras de l'eau, qui semblait jouer avec le courant dans le vol lumineux des libellules.

Peu d'éléments sonores lui revenaient mais elle aurait pu reconnaître entre mille la voix de la patronne de l'auberge, la veuve Gombaud. Elle criait en agitant les bras :

— Maria, cesse de caresser ce cheval ! Avec les bêtes on sait jamais. Oh ! cette drôlesse...

Gazi arriva un matin avec, plié dans sa poche, un numéro des *Hommes du jour*, un magazine publié par un journaliste d'origine corrézienne, Henri Fabre. Deux pleines pages étaient consacrées à Suzanne : la première était occupée par un long article et la seconde par la reproduction de son autoportrait datant de 1883, alors qu'elle avait dix-huit ans.

Elle se souvenait de la visite, quelques semaines auparavant, d'un jeune journaliste, René Civry, venu s'entretenir avec elle et prendre une photo de son autoportrait. Sans nouvelles depuis ce jour, elle s'était dit que ce projet était passé aux oubliettes, sans en éprouver de ressentiment.

Elle sentit son cœur s'affoler, sa vue se troubler derrière ses lunettes, sa respiration s'accélérer. Comme Gazi s'inquiétait, elle lui dit :

— Ce n'est qu'un léger malaise, comme ça m'arrive assez souvent. Tiens, lis-moi cet article...

Il s'agenouilla près de son fauteuil et commença la lecture :

« S'il est une artiste à qui de fastueux patronages semblaient devoir procurer une prompte récompense de ses mérites, c'est bien Suzanne Valadon. Grandie à l'ombre de ses maîtres, c'est une vraie enfant de la balle du monde pictural. Toute sa vie se résume en ce mot : peinture. Elle a été la compagne de peintres, mère de peintre — et duquel : Utrillo —, sa vie est peinture comme sa peinture est vie... »

Il interrompit sa lecture, toucha l'épaule de Suzanne.

— Mémère, est-ce que tu m'entends ?

Yeux clos, bouche ouverte sur une respiration rauque et précipitée, elle paraissait avoir perdu connaissance. Il appela Fernande qui épluchait des légumes dans la cuisine.

— Je vais prévenir le docteur Gauthier, dit-elle. C'est sa troisième crise de la semaine.

— Mais... elle ne m'en a rien dit ! Pourquoi ?

— Pour ne pas vous inquiéter. La vérité, c'est que madame est patraque depuis quelques mois. Elle fait de l'urémie, du diabète, et elle fume beaucoup trop.

Après que Fernande eut alerté le médecin, ils la portèrent dans sa chambre. Suzanne revint à elle comme le docteur Gauthier entrait. Il lui demanda de quoi elle souffrait ; elle désigna sa nuque.

— Qu'éprouvez-vous ? dit-il. Parlez-moi.

Elle ouvrit la bouche mais aucun son n'en sortit. Le pouls s'était accéléré et la température était alarmante ; les membres semblaient inertes.

Le docteur Gauthier attira Fernande à part et lui dit :

— Je crains qu'il ne s'agisse d'une hémorragie cérébrale, d'une attaque si vous préférez. Ça peut être très grave. Il faut la faire hospitaliser d'urgence et prévenir la famille.

Il se tourna vers Gazi.

— Qui êtes-vous, jeune homme ? Un de ses proches ?

— Nous étions très proches, en effet, Mme Valadon et moi. M. André Utter, son mari, est au château de Saint-Bernard. Maurice Utrillo demeure au Vésinet.

— Étiez-vous présent lorsqu'elle a eu cette défaillance ?

— J'étais en train de lui lire un article la concernant. Elle paraissait normale et, tout à coup... Pensez-vous qu'elle pourra guérir ?

— Cela me surprendrait. Elle est paralysée du côté gauche et n'a plus sa conscience. Elle peut vivre encore quelques jours. N'attendons pas de miracle...

Lucie arriva affolée. Seule.

— J'ai préféré ne rien dire à Maurice, ma pauvre Fernande. Il n'aurait pas supporté, sensible comme il est.

Elle se pencha vers la malade.

— Eh bien ! ma grande, qu'est-ce qui t'arrive ?

— Elle ne vous entend pas, dit Gazi.

— Ne me dites pas qu'elle est morte !

— Non, madame, répondit le médecin, mais cela ne saurait tarder. On ne guérit pas d'une hémorragie cérébrale.

Lucie décréta qu'on ne pouvait la laisser là, sans soins ; elle proposa, comme l'avait suggéré le praticien, de la faire hospitaliser. Elle avait fait soigner sa mère à la clinique Piccini et avait été satisfaite des soins qu'on lui avait prodigués. Elle forma le numéro : il n'y aurait pas de chambre libre avant dix heures du soir. Restait à prévenir une ambulance, Gazi s'en chargea. Lucie venait de sombrer dans une crise de larmes.

La nuit tombait lorsque la malade parut émerger du coma. Sa main valide se crispa sur le drap ; un souffle rauque malaxant des mots inaudibles sortit de ses lèvres. Lucie se pencha vers elle.

— Parle, ma grande ! Dis quelque chose...

Elle colla l'oreille contre la bouche de Suzanne, se redressa, bouleversée.

— J'ai compris : *Maurice.* Ou peut-être *mort.*

Gazi se pencha à son tour et dit à l'oreille de Suzanne :

— Ma chérie, parle encore. C'est moi, Gazi. Si tu m'entends, fais-moi un signe des paupières ou serre ma main.

Il s'écria en se redressant :

— Elle est consciente ! Elle m'a fait un signe. Elle va vivre, je le sens, je le sais. Regardez, elle sourit...

— C'est aux anges qu'elle sourit, murmura Fernande.

L'ambulance arriva peu avant dix heures, dans une bourrasque de pluie glacée. Lucie prit les devants en voiture pour s'assurer qu'une chambre était prête à recevoir la malade. Une voisine des Valadon, Mme Kvapil, épouse d'un peintre ami, vint offrir ses services et se proposer pour accompagner Suzanne.

— Je vous suivrai, dit Gazi. Je ne veux pas la quitter.

Où est-elle ? Que fait-elle dans cette voiture qui fonce à travers des trous d'ombre, resurgit dans les bouquets de lumières violentes qui balaient la nuit pluvieuse ? Vers quelle destination l'emporte-t-on ? Elle a envie de crier, de protester, de dire qu'à cette heure elle devrait être devant sa cheminée ou au creux de son lit. Elle se sent un peu lasse, comme dans un cocon, avec cette douleur à la nuque et cette nausée, comme lorsqu'elle a trop fumé.

Elle ouvre grand la bouche, parvient à articuler :

— Ra... me... nez... moi...

— Elle a parlé ! s'écrie Gazi. Répète, Mémère, répète !

L'ambulance vient d'aborder les Champs-Élysées dans un flot de voitures et le bruit obsédant de l'avertisseur. Le moteur s'irrite, s'emballe. Tout au fond, dans un faisceau de lumière électrique, se dessine l'Arc de Triomphe.

« Il doit faire froid dehors », songe Suzanne. La vitre, au niveau de sa tête, est couverte de buée avec, derrière, un jeu fugace de lumière électriques, comme un vol de lucioles. Elle parvient à soulever son bras droit, à poser son index sur la glace, à tracer, d'un geste lent du doigt, une ligne verticale, à disperser autour quelques points, comme des pétales autour de leur tige.

— Regardez ! dit Mme Kvapil. On dirait qu'elle veut dessiner...

La main retombe lourdement. L'Arc de triomphe n'est plus qu'à quelques dizaines de mètres. L'ambulance freine, s'insère lentement dans un intervalle entre les embouteillages.

Mme Kvapil se penche vers la malade, lui prend le pouls, colle son oreille à la poitrine.

— Avertissez le chauffeur pour qu'il rebrousse chemin, dit-elle. Le cœur de Suzanne s'est arrêté...

« Décidément, ils commencent à me porter sur les nerfs, ces Utrillo... »

Francis Carco étouffe dans sa robe de chambre qu'il ne quitte pas de la journée quand il travaille. Il se lève de son fauteuil, ouvre sa fenêtre sur le tumulte de la rue et l'odeur des verdures printanières montant du jardin public proche de son domicile. Un accès de toux lui déchire la gorge. Il fume trop, il en a conscience ; il vient d'entamer son deuxième paquet de la matinée. Utrillo, c'était l'alcool ; lui, c'est le tabac. Ils n'ont rien à se reprocher l'un à l'autre.

Il referme la fenêtre et retourne à son bureau. D'une main nerveuse il tapote l'invitation adressée par Paul Pétridès pour le vernissage de l'exposition conjointe d'Utrillo et de Lucie Valore.

« Les œuvres récentes d'Utrillo, tu parles ! »

Lucie Valore lui fait reprendre des tableaux peints jadis, alors qu'il créchait chez ces sangsues : César Gay et Marie Vizier ; docile, il exécute sans rechigner ces répliques honteuses. Utrillo... Il est devenu le singe savant qui obéit non au fouet mais au susucre. Quant à la peinture de Lucie, oh ! là là... Si elle ne se posait pas comme la vestale du temple, son nom resterait aux oubliettes !

« Elle ne craint pas le ridicule, la "bonne Lucie" ! »

Lors de sa dernière visite au Vésinet, Francis a remarqué une sorte d'abri de jardin aux murs faits de treillages de bois, portant une croix sur le fronton. Une cabane de jardinier ? Non : une chapelle privée. Pour avoir Dieu à domicile, sous la main pour ainsi dire. On y conduit Utrillo pour les journalistes, on le photographie agenouillé, en train de prier, avec la « bonne Lucie » près de lui pour éviter qu'il ne fasse la grimace ou ne se livre à quelque pitrerie. Pauvre Maurice ! jamais de sa part la moindre protestation...

— Redresse tes lunettes, mon chéri ! Enlève ton mégot ! Fais semblant de lire ton livre de messe ! Pose ta main sur ton cœur ! Non, à gauche...

« Si Suzanne revenait, si elle assistait à cette comédie... »

Le choc que Francis a éprouvé lors de sa dernière visite à celle qui fut sa grande amie... Le visage était reposé, comme poli par une main amoureuse, mais le sourire n'avait pas changé. Était-ce un sourire, d'ailleurs ? Il semblait que les lèvres de la morte se fussent scellées sur ses secrets. La « terrible Maria » de Degas, la « folle Suzanne » de Lautrec, la « tendre Biqui » de Satie préservait ce mystère dont elle s'était entourée sa vie durant. Il semblait dire, ce sourire équivoque : « Vous n'avez rien à faire ici ! Laissez-moi en paix... » Des mots qu'il avait souvent entendus dans son atelier quand des visiteurs imbéciles l'importunaient. Pas toujours facile à vivre, Suzanne. Imprévisible.

Sur le chevalet, au pied du lit, était posée la dernière toile : un bouquet de fleurs rouges avec, sous sa signature, ces quelques mots maladroitement écrits : *Vive la jeunesse !*

Un détail avait choqué Francis : cette croix sur la poitrine de la morte, alors qu'elle était restée jusqu'à la fin de sa vie étrangère à la religion. Francis doutait des propos de Lucie : « Elle avait fini par se rapprocher de Dieu. Alors, nous lui donnerons des obsèques religieuses. Dans notre condition, vous comprenez, il ne pouvait en être autrement. »

On avait prudemment écarté Maurice de la cérémonie à Saint-Pierre de Montmartre. De même du cortège conduisant le corps au cimetière de Saint-Ouen où l'attendait Madeleine. Pauvre Maurice ! Lorsqu'il avait vu sa mère sur son lit de mort il avait eu une telle crise de nerfs que Valentin avait dû le reconduire au Vésinet. Il avait sangloté des heures et des heures ; il avait renoncé à peindre des jours et des jours.

C'est décidé : Francis n'ira pas à ce vernissage. Il déteste Paul Pétridès dont Lucie, en revanche, s'est entichée. Un vampire, comme la plupart des marchands d'art. Suzanne les détestait de même ; elle lui disait : « Jamais je ne signerai de contrat avec des marchands. Je veux pouvoir vendre mes œuvres seule, à qui me plaît, à mes conditions, sans contrainte de production, les offrir si ça me convient. C'est ça, ma politique... » Elle s'en était tenue longtemps à cette conception de son métier.

Francis se dit qu'il est temps de se remettre à la tâche. Les Éditions du Milieu du Monde lui réclament le manuscrit de son recueil de souvenirs : *Nostalgie de Paris*. Il y parle de ses amis peintres et écrivains. D'Utrillo notamment, avec un parallèle constant avec François Villon, le poète maudit. De Suzanne aussi, bien sûr : des phrases qui sonnent comme un ultime adieu :

Cette très grande artiste qui fréquentait vers 1885 l'atelier de Lautrec, rue Tourlaque, et qui transmit plus tard à son fils Utrillo, les leçons qu'elle avait apprises, non seulement du peintre de la Goulue mais de Renoir lui-même et surtout de Degas, assurait la liaison entre nos trois générations.

Après bien des hasards elle s'était fixée sur le versant nord de la Butte, dans une ancienne maison de la rue Cortot. La « terrible Suzanne » ressemblait encore au portrait que Lautrec avait fait d'elle. La légende affirmait qu'elle avait été écuyère dans un cirque.

C'était une de ces petites femmes qu'on appelle des « fausses maigres » dans le langage familier. Vive et désordonnée, spontanée, généreuse, entêtée, dépensière, elle a jusqu'à sa mort peint, avec une fougue qui la mettait en transe, des nus si bien modelés et construits, des paysages si denses et des natures mortes si savoureusement orches-

trées et subtiles que ceux de ses admirateurs qui la connaissaient mal ne voulaient point admettre que tant de frénésie et parfois de violence aboutît, chez cet être orageux, à tant de force, de fermeté, d'équilibre...

Utrillo lui doit d'avoir trouvé sa voie. C'est pour l'empêcher de boire qu'elle s'avisa d'en faire un peintre...

Francis relut son texte. Il en était assez satisfait. Un « être orageux »... Cette expression lui plaisait. La Suzanne Valadon qu'il avait connue était bien une fille des orages.

Il se laissa aller dans son fauteuil et alluma sa vingt-quatrième cigarette de la journée.

ÉPILOGUE

C'est le 7 avril 1938 qu'est morte Suzanne Valadon.

Maurice Utrillo est décédé au Grand Hôtel de Dax, le 5 novembre 1955, à l'âge de soixante-douze ans ; cinquante mille personnes l'ont accompagné au cimetière Saint-Vincent de Montmartre.

Lucie Valore, son épouse, disparaissait dix ans plus tard.

Malgré un talent incontestable, André Utter ne réussit jamais à imposer sa peinture. Il disparut à la suite d'une maladie, rue Cortot, en 1948.

Table

OUVRAGES DE MICHEL PEYRAMAURE

*Grand Prix de la Société des gens de lettres
et prix Alexandre-Dumas
pour l'ensemble de son œuvre*

Paradis entre quatre murs, Laffont.

Le Bal des ribauds, Laffont, France-Loisirs.

Les Lions d'Aquitaine, Laffont, prix Limousin-Périgord.

Divine Cléopâtre, Laffont, collection « Couleurs du temps passé ».

Dieu m'attend à Médina, Laffont, collection « Couleurs du temps passé » ;
France-Loisirs.

L'Aigle des deux royaumes, Laffont, collection « Couleurs du temps passé » ;
Lucien Souny, Limoges.

Les Dieux de plume, Presses de la Cité, prix des Vikings.

Les Cendrillons de Monaco, Laffont, collection « L'Amour et la Coronne ».

La Caverne magique (La Fille des grandes plaines), Laffont, prix de l'académie
du Périgord ; France-Loisirs.

Le Retable, Laffont, Lucien Souny, Limoges.

Le Chevalier de Paradis, Casterman, collection « Palme d'or » ; Lucien Souny,
Limoges.

L'Œil arraché, Laffont.

Le Limousin, Solar ; Solarama.

L'Auberge de la mort, Pygmalion.

La Passion cathare :
   1. *Les Fils de l'orgueil*, Laffont.
   2. *Les Citadelles ardentes*, Laffont.
   3. *La Tête du dragon*, Laffont.

La Lumière et la Boue :
   1. *Quand surgira l'étoile Absinthe*, Laffont, Livre de Poche.
   2. *L'empire des fous*, Laffont, Livre de Poche.
   3. *Les Roses de fer*, Laffont, prix de la ville de Bordeaux ; Livre de
   Poche.

L'Orange de Noël, Laffont, prix du salon du Livre de Beauchamp ; Livre
de Poche, France-Loisirs et Presses Pocket. Dramatique à France 2
(1996).

Le Printemps des pierres, Laffont, Livre de Poche.

Les Montagnes du jour, éd. « Les Monédières ». Préface de Daniel Borzeix.

Sentiers du Limousin, Fayard.

Les Empires de cendre :

    1. *Les Portes de Gergovie*, Laffont, France-Loisirs et Presses Pocket.

    2. *La Chair et le Bronze*, Laffont.

    3. *La Porte noire*, Laffont.

La Division maudite, Laffont.

La Passion Béatrice, Laffont, France-Loisirs et Presses Pocket.

Les Dames de Marsanges :

    1. *Les Dames de Marsanges*, Laffont.

    2. *La Montagne terrible*, Laffont.

    3. *Demain après l'orage*, Laffont.

Napoléon :

1. *L'Étoile Bonaparte*, Laffont.

2. *L'Aigle et la Foudre*, Laffont.

Les Flammes du Paradis, Laffont, Presses Pocket et France-Loisirs.

Les Tambours sauvages, Presses de la Cité, France-Loisirs et Presses Pocket.

Le Beau Monde, Laffont, France-Loisirs et Presses Pocket.

Pacifique-Sud, Presses de la Cité, France-Loisirs et Presses Pocket.

Les Demoiselles des Écoles, Laffont, prix du Printemps du Livre de Montaigu, France-Loisirs et Presses Pocket.

Martial Chabannes gardien des ruines, Seghers, France-Loisirs.

Louisiana, Presses de la Cité, France-Loisirs et Presses Pocket.

Un monde à sauver, Bartillat, prix Jules-Sandaud.

Henri IV :

    1. *L'Enfant roi de Navarre*, Laffont, France-Loisirs.

    2. *Ralliez-vous à mon panache blanc !*, Laffont.

    3. *Les Amours, les passions et la gloire*, Laffont.

Cléopâtre reine du Nil, Laffont.

Lavalette grenadier d'Égypte, Laffont, France-Loisirs.

La Tour des Anges, France-Loisirs.

Suzanne Valadon

    1. *Les Escaliers de Montmartre*, Laffont.

POUR LA JEUNESSE

La Vallée des mammouths, Laffont, collection « Plein Vent », Grand Prix des Treize ; Folio-Junior.

Les Colosses de Carthage, Laffont, collection « Plein Vent ».
Cordillère interdite, Laffont, collection « Plein Vent ».
Nous irons décrocher les nuages, Laffont, collection « Plein Vent ».
Je suis Napoléon Bonaparte. Belfond Jeunesse.

ÉDITIONS DE LUXE

Amour du Limousin (illustrations de J.-B. Valadié), Plaisir du Livre, **Paris**.
    Réédition (1986) aux éditions Fanlac, Périgueux.
Èves du monde (illustrations de J.-B. Valadié), Art Média.
Valadié, Terre des Arts.

TOURISME

Le Limousin, Larousse.
La Corrèze, Ch. Bonneton.
Le Limousin, Ouest-France.
Brive (commentaire sur des gravures de Pierre Courtois), R. Moreau, Brive.
La Vie en Limousin (texte pour des photos de Pierre Batillot), éd. « Les
    Monédières ».
Balade en Corrèze (photos de Sylvain Marchou), Les Trois-Épis, Brive.
Brive, Casterman.

Cet ouvrage a été réalisé par la
SOCIÉTÉ NOUVELLE FIRMIN-DIDOT
Mesnil-sur-l'Estrée
pour le compte des Éditions Robert Laffont
24, avenue Marceau, 75008 Paris
en septembre 1998

Photocomposition : Nord Compo
59650 Villeneuve-d'Ascq

Dépôt légal : septembre 1998
N° d'édition : 39247 - N° d'impression : 44090

Imprimé en France